郭文斌精选集

祝 福

郭文斌 著

山东教育出版社
·济南·

图书在版编目（CIP）数据

祝福／郭文斌著．－济南：山东教育出版社，2021.10
（郭文斌精选集）
ISBN 978-7-5701-1763-5

Ⅰ.①祝… Ⅱ.①郭… Ⅲ.①散文集－中国－当代
Ⅳ.①I267

中国版本图书馆 CIP 数据核字 (2021) 第 127085 号

祝　　福　郭文斌 著
ZHUFU

策　　划：张　虎
责任编辑：徐　旭
责任校对：赵一玮
美术编辑：徐国栋
装帧设计：王承利　王耕雨

主管单位：山东出版传媒股份有限公司
出 版 人：刘东杰
出版发行：山东教育出版社
地　　址：济南市市中区二环南路 2066 号 4 区 1 号
邮　　编：250003
电　　话：(0531)82092660
网　　址：www.sjs.com.cn
印　　刷：山东临沂新华印刷物流集团有限责任公司
开　　本：880 mm×1240 mm　1/32
印　　张：13.75
字　　数：263 千
版　　次：2021 年 10 月第 1 版
印　　次：2021 年 10 月第 1 次印刷
印　　数：1-2000
定　　价：119.00 元

（如印装质量有问题，请与印刷厂联系调换，电话：0539-2925659）

郭文斌

著有畅销书《寻找安详》《农历》等十余部，有精装七卷本《郭文斌精选集》行世。长篇小说《农历》获第八届"茅盾文学奖"提名，在最后一轮投票中名列第七。短篇小说《吉祥如意》先后获"人民文学奖""小说选刊奖""鲁迅文学奖"。作品签约二十多个国家。

央视540集纪录片《记住乡愁》文字统筹、撰稿、策划，观众达170亿人次，被中宣部领导誉为弘扬社会主义核心价值观最接地气的精品力作；由海口电视台录制的52集人文节目《郭文斌解读〈弟子规〉》被中国教育电视台等多家媒体播出，被"学习强国"学习平台推送。提出安详生活观、安全阅读观、底线出版观、祝福性文学观；受邀到北京师范大学、北京大学、清华大学、复旦大学等高校及多省市演讲，受到欢迎。

十多年来，奔走于全国各地，推动中华优秀传统文化的创造性转化和创新性发展，同步捐赠逾三百万码洋图书。

现任宁夏作家协会主席、中国作家协会全委会委员；全国宣传文化系统"四个一批"人才，享受国务院政府特殊津贴；被宁夏回族自治区党委、政府授予"塞上英才"称号，被评为"60年感动宁夏人物"。

目 录

2

记住乡愁，就是记住春天

记住乡愁，就是记住社稷。

记住乡愁，就是记住祖宗。

记住乡愁，就是记住恩情。

记住乡愁，就是记住根本。

记住乡愁，就是记住春天。

这是我做百集大型纪录片《记住乡愁》文字统筹时脑海中一遍遍闪过的句子。2014年12月26日，《记住乡愁》开播通气会在梅地亚中心举行。到了现场我才知道，由中宣部、住房和城乡建设部、国家新闻出版广电总局、国家文物局组织实施，中央电视台组织拍摄的百集大型纪录片《记住乡愁》将于2015年1月1日正式开播了。

这真是一出再好不过的元旦献礼。

中宣部领导和中央电视台台长到会讲话。听得出，他们都很激动。

看着一出出唯美又感人的样片，我再也止不住热泪，心里充满了对决策者、支持者和拍摄者的无限敬意。

岁月和大地终于等来了这一天，华夏儿女终于等来了这一天。

尘封了百年的传统文化实体，将以百集纪录片的形式重回岁月和大地。这无疑是民族之福，社稷之福。文化虚无主义者，如果认真看完这些节目，一定会走出虚无；丧失民族自信心的人，如果认真看了这些节目，一定会重新找回民族自信；道德悲观主义者，如果认真看了这些节目，一定会重新找回乐观；迷茫无助的人，如果认真看完这些节目，一定会重新找回方向。

这些节目，既是一出出生命大题，又是一份份绝好的答卷。

格物、致知、诚意、正心、修身、齐家、治国、平天下。这道大题，在这一百个考场里，一次次展开，一次次收起。仁心写，义举答，子子孙孙答不够，一答就是百千年。这种耐心，这种淡定，这种安详，如果没有巨大的幸福感做支持，如何可能？

2　　从中，我看到，但凡得高分的家族、村落，他们都有着共同的遵守。那就是，他们没有忘记国家社稷，没有忘记祖先，没有忘记恩情，没有丢掉根本。

但凡兴旺的家族，都有家谱、祠堂、祖训。

但凡兴旺的家族，都在像守着生命一样守着这些家谱、祠堂、祖训。

仁义礼智信，孝悌勤俭廉，在这些土地上，已经化为人们的思维方式，成长方式，生活方式，工作方式。

从中，我看到了真正的励志；从中，我看到了真正的制度；从中，我才真正理解了什么叫师道尊严；从中，我才真正懂得了什么叫商道贾德。

当你发现晋商成功的秘密并不在经营里，徽商成功的诀窍并不在谋略里，你的心里该是一种如何的震撼。当你发现幸福原来就在五常十义里，甚至就在一餐一饮里，一草一木里，你的心里该是一种如何的震撼。

看着这些台本，我突然觉得，人类一旦没有故乡的概念，一切病相就要来了。现代人生活在城里，没有一个共同的地理凝聚力，房子常常在换，漂泊感就来了，漂泊感带来无根感，无根感带来焦虑。人的目光一直是断的，思想就是断的，能量就是断的，不像古人，不管走多远，心系故乡，能量是全的，长的，满的。

中华民族近当代之所以遭受巨大苦难，有多种原因，但废止祭礼是最重要的原因之一。如果我们承认潜意识的永恒性，我们就要承认祖先的存在；承认祖先的存在，我们就要承认祭祀的重要。而现代科学已经证明，潜意识是永恒的，否则催眠治疗就无从说起。既然潜意识永恒，那么祖先的潜意识就永恒，祭祀就成为我们从祖先那里获得生命能量的通道。

甘肃哈南村的故事读得人泪眼婆娑，这是一个把忠自觉化的村落，忠于国家，忠于单位，忠于自然，忠于内心。战时，他们把忠用于卫国，和时，他们把忠移于建设。据《哈南朱氏族谱》记载，明初时，朱氏祖先立下赫赫战功，家族中不断涌现出忠君爱国的将领，从那时起，朱氏后人便把"忠勇传家"作为家规祖训写进了族谱。在历史上，朱氏一族先后有 11 人为国捐躯，从军报国也就成为哈南村的传统。每当外敌入侵的时候，"母送儿，妻送郎，父子争相上战场"这一催人泪下的场面，就会在这个小村庄里出现。汶川地震后，哈南村成为重建速度最快的村落，就是因为忠字效应。

在安徽屏山村，我看到，明嘉靖年间，舒善天进京赶考，高中探花。衣锦还乡之际，发现相依为命的老母病倒家中，便弃官侍母，直至终年。还是屏山村，我看到，在电影《一江春水向东流》中成功地塑造了"抗战夫人"王丽珍的人民艺术家舒秀文，当年一个月挣 30 块大洋，会把其中 25 块寄到家里。

在浙江杨家堂村的故事中，我看到，一个医生，早晨起来，先要巡视一圈，看到家家烟囱里都在冒烟，他就放心了，否则一定要上门问讯，这是何等美丽的人间热肠。一个医生，遇到穷人，不但不收钱，还要倒贴钱，这是何等美丽的人间风景。

还是杨家堂村，我看到："这一天，宋宏堂挑着柴准备去县城卖，走到半路坐在凉亭休息，意外拣到一个包裹，摸摸里面似乎有一些银两，于是宋宏堂就坐在凉亭里等，来往的人问起来，他只是说坐在这里休息。直到一个衢州商人满面愁容地走来，一副欲哭无泪的样子，宋宏堂断定这就是丢了包裹的人，经细问果然不出所料。衢州商人打开包裹，里面有两千两银票和部分银两，看到自己多年的积蓄完好如初，不禁流下了眼泪。"就是这样的一个缘起，让他成为失主的学徒，使他开启了生意旅程，最终成为巨商。多么浪漫的商道。

在山西静升村，我看到，王氏十六世祖王寅德与人合伙做生意，对方早亡，他能够把属于对方的钱分文不少地还给人家后代，这是多厚的德行。王家不发，没有道理。第二十世祖王廷仪，当年的当铺小伙计，不忍把还有一天就到期的翡翠手镯卖给洋人，托辞钥匙找不到了，这是多么美的一出人间智慧大戏，小人物演的大爱之戏。这一刻，小伙计心里除了商业诚信，还有爱国之心，不能让祖国的东西流失到洋人手里；更有怜悯之心，一般来讲，手镯是一个女人最爱之物，多是夫君所赐，是爱情的见证，万不得已，是没有人拿出来当的。如果第二天，主人来，镯已不在，该多伤心啊。现在，小伙计以计成全了这一美事。这心多厚啊。天不助这样的人家发家，没有道理。做月饼的吴丽霞家，其父为什么那么在乎月饼切开后的匀称？这不单单是考察月饼的品相，而是考察做月饼的人心是否匀称。心匀称，手下的活无不匀称；心

5

不匀称，手下的活难以匀称。为此，其父宁可把过了保质期的月饼卖给猪厂，也绝不减价售卖。此心多厚啊。天不助此人，没有道理。

非常庆幸，能够为这一巨大工程做文字统筹。我甚至觉得，即使为此累倒在现场，都值得。

在这间名叫如家的宾馆里，在看一出出台本的时候，我就像是在给祖先的老屋拂尘，给祖先的德容擦灰，给祖先的衣襟掸土。

我是那么急切地想等到下一出，又是那么紧张地看着每一出，一遍不够，两遍不够。

好多出节目看完，我的键盘上都会落下一个不肖子孙的滴滴热泪。就连晚上做梦，都在乡愁之中。

作为炎黄子孙，我们是多么幸运，我们有这么伟大的传统，这么优秀的祖先，这么智慧的文化，这么可爱的同胞。

作为一个作家，我是多么幸运，能够以这种方式，亲近我们伟大的传统，为祖先尽上一份小小的孝心。

在这些节目中，我看到的孝悌忠信礼义廉耻故事，远比在任何一部小说中读到的都精彩，它超出了我的想象。如果没有这四十个摄制组长达九个月的艰辛打捞，任凭他们被淹没，流失，这对中华民族来说，将是何等的损失。

有了这一百集，我们就可以回答，人类将来要走向何方。

有了这一百集，我们就可以回答，我们的子孙将来要向哪里去。

有了这一百集，我们就有了底气。孔子不但是中国人，而且还活在大地上，正在以乡愁的方式。端午不但是中国的，而且还美在大地上，正在以乡愁的方式。从中，我看到了二十四孝的现代版，看到了精忠报国的现代版，他们有名有姓，有脸有面。

有了这一百集，我们就能够回答人们的叩问：三鹿奶，红心蛋，地沟油，瘦肉精，我们还能吃什么；天价药，过度疗，小悦悦，楼脆脆，我们还能乐什么；周老虎，躲猫猫，假慈善，卢美美，我们还能信什么；范跑跑，韩抄抄，假作真，钱规则，我们还能做什么。

此刻，我会非常自信地告诉问者，只要我们把根留住，只要我们回到根那里，这一切，都将不是问题。因为春来草自青。草的答案不在草本身，而在春那里。

乡愁中的传统，传统中的乡愁，正是我们一刻都不能离开的春风。

中国之"中"

　　能够以文字统筹的身份，加盟百集大型纪录片《记住乡愁》工程，真是无比幸运。幸运的是自己能够通过阅读这些台本，感受到我所热爱的中华民族传统文化的温度、美丽、优雅和强大生命力，让我更加热爱创造了她们的先祖，孕育了她们的祖国，传承并发展了她们的古圣先贤，对中华民族优秀传统文化更加自信，也更加感受到作为一个文化人身上责任的重大。

　　许多台本，我都是流着热泪读完的，透过泪水，我仿佛看到，中华民族的万姓先祖，站在岁月的根部，正在向我致意。我甚至能够感觉到，祖先从远方伸过来的手掌，轻按在我的肩头，加持我，给我力量。能参与《记住乡愁》的拍摄，是传媒人的无比光荣。历史将会证明，这一巨型工程所挖掘出来的生产力，是一种藏在大地深处的生命力、和谐力、建设力、战斗力。它连着天地，连着先祖，连着岁月。它是生机，是春意，是真理在大地上生长出来的庄稼，是四两拨千金的"四两"，是万变不离其宗的那个"宗"，是"君子务本，本立则道生"

的那个"本"。

一个家族，能够传承千年，超过许多民族，许多国家，这本身就是奇迹。

一个族谱，能够保留千年，无论是战乱还是瘟疫，都未能让它从大地上消失，这本身就是奇迹。

一个村落，能够成为状元村、翰林村、将军村、长寿村，肯定有它的秘密。

一个村落，几百年来没有出现过刑事犯罪，肯定有它的秘密。

一个村落，能够做到路不拾遗，夜不闭户，肯定有它的秘密。

在阅读这些台本的时候，我在想，一个受过重伤的人，最重要的是恢复他的元气。当下社会，各种危机困扰着人们，说一千道一万，正是我们没有把这些隐藏在人民之中，深埋在岁月深处的原始生命力恢复。管理层辛苦得一塌糊涂，手忙脚乱，却是按下葫芦起了瓢，结果不但于事无补，往往情况更加麻烦。就像古人几味草药就可以治好的病，现在动辄要成千上万。这种高治理成本，正是因为我们迷失在头痛医头脚痛医脚的"技"之层面，而忽略了"技"上面还有"术"，"术"上面还有"学"，"学"上面还有"道"。而一个"技"层面的问题，在"道"层面，简直就不是问题，一些在"技"层面需要千斤之力才能完成的事情，在道层面也许用四两力

9

就够了。老子讲的无为正是强调的这个"四两"。

因此，在我看来，百集大型纪录片《记住乡愁》的拍摄完成，是中国文化史上的一件大事，大到我们现在可能无法估量它的价值的程度。传统文化式微几百年，断代一百年，后果大家都看得清楚。但如何恢复传统，近年来悄然兴起的经典诵读，公益论坛，包括去年中央各部委出台的许多制度性措施，都是值得肯定的方式。但是经典如果不能化为生活方式、工作方式、伦理方式，它也只是知识而已，无法成为人们安全感的提供者、幸福指数的支持者。这也就是为什么有许多高学历的人，他的日子却过得很糟糕，幸福指数很低，不少人焦虑抑郁，甚至放弃生命。而往往有一些大字不识的老太太，不但自己活得幸福，还可以把一个家庭管理得井然有序。可见，知识不能代替智慧，学习不能代替行动，智慧主导下的行动力才是最关键的。

在《记住乡愁》中，我们看到，支持这种行动力的，首先是天地敬畏、祖宗信仰、德性建设。表现在仪式上，就是像生命本身一样重要的文化传承硬件：祠堂、族谱、书院、私塾、戏园、公共建筑；还有软件：族规家训、节日、祭礼、婚礼、葬礼、寿礼、开蒙礼、成年礼，等等。

《记住乡愁》在央视九套、一套播出之前，2015年元旦首先在央视四套黄金时间播出，这本身就是一件十分吉庆并具有强烈象征性的事情。它将让全世界人民看到，这个世界上，曾经有一种生活，是那么自足、自在、自得、自由、潇洒、浪漫、诗意、喜悦、幸福、圆满，但成本却低得只需要一片土地就足矣，甚至只需要一个好心情就足矣；它将让全世界人民看到，这个世界上，有这么一个民族，他们强大的目的是为了帮助弱小者，发达的目的是为了接济困难者，他们"读书志在圣贤，非徒科第，为官心存君国，岂计身家"，他们"顺时听天，守分安命"，奉行"第一等好事只是读书，几百年人家无非积善"，秉持"积善之家，必有余庆，积不善之家，必有余殃"；它将让全世界人民看到形象生动的中国之"中"，活灵活现的中国之"中"，表现在生命上是清净、平等、觉悟，表现在为人上是温良恭俭让，表现在伦理上是孝悌忠信礼义廉耻仁爱和平，表现在管理次序上是诚意正心修身齐家治国平天下。他是自觉，而非强制，他是自愿，而非逼迫。

就是说，这个民族，他们不单单追求法律意义上的社会成就，更追求心灵意义上的生命成就。他们甚至追求要在起心动念处，享受生命，超越生命，完成生命能量的管理和应用。他们懂得在出发地就享受生命和生活之大美，而不是一定要到远方、要到成果那里，甚至不惜以伤害他人为代价。

一句话，这是一个懂得并善于以最低成本享受最大幸福的民族。

从这个意义上说，记住乡愁，不但是华人之福，更是人类之福，不仅是中国梦的一个原型，也是人类梦的一个模型。

中华文化的成功归位

百集大型纪录片《记住乡愁》第一季近日播放完毕。该片关注古老村落状态，讲述中国乡土故事，重温世代相传祖训，寻找传统文化基因，拍摄意义深远。

《记住乡愁》的拍摄是一次文化归位行动，实现了维护文化本体的价值。

历史一再证明，要想天下大治，国泰民安，必须让真正的文化归位。归于顶层设计，归于政府行为，归于百姓生活，成为人们心灵不可或缺的大米、阳光和空气。可我们看到的事实是，现在不少地方把娱乐当文化，把文化产业当文化，让文化严重狭隘化、低俗化、低能化。这样的认识，让本该用于支持真正文化建设的预算资金大多投向娱乐和产业，造成大量场馆闲置，节目浪费。而真正的文化是核心价值系统，它是一种改造力、引导力、建设力、和谐力：让不孝敬的人变得孝敬，不尊师的人变得尊师，不爱惜资源的人变得爱惜，等等。《记住乡愁》正具有这样的作用。

《记住乡愁》是一次成功的传统文化当代化工程，是对文化的正名。

《乐记》有言："奸声感人，而逆气应之。""正声感人，而顺气应之。"只有正念才能生正气，只有正念才能产生正能量。没有中华民族整体能量的提高，复兴中华民族就只是一个美好的愿望。而要提高中华民族的整体能量，首先要扶正中华民族的集体意识。而要实现这一整体性的扶正工程，需要国家强有力地倡导和推动，让基因性的中华民族优秀传统文化进决策、进教材、进学校、进企业、进机关、进媒体。一如礼乐，"在宗庙之中，君臣上下同听之，则莫不和敬；在族长乡里之中，长幼内外同听之，则莫不和顺；在闺门之内，父子兄弟同听之，则莫不和亲"。关键是要"同听之"，同生团结，团结聚集能量。《记住乡愁》无疑是治世之音，是"中国符号"，应该在国家和地方频道一而再、再而三地反复播放。

文化最终体现在一个民族的思维方式、生活习惯上，一定意义上，它就是人们的思维方式、生活习惯。只有如此，文化才能成为永恒生命力。要让文化归位，就要让优秀的中华民族传统文化再度成为人们的生活方式、工作状态，"大乐与天地同和，大礼与天地同节"。这种与天地之"同感"，既是中华传统文化的精髓，也是中国人的基本思维方式。正是这种"同感性"，让"忠孝勤俭廉，仁义礼智信"成为中国人为人处事的立场、原则和方法。《记住乡愁》反映的正是这些中国人经过千余年岁月检验的具有强大生命力的思维方式、生活习惯。

《记住乡愁》的拍摄，更让担当精神归位，实现了中华民族传统的典型引路。

毋庸讳言，传统文化断代一百年，要想系统恢复，需要一两代人的周期。可是，时代急需优秀传统文化，核心价值观的落地急需优秀传统文化，实现中国梦急需优秀传统文化，怎么办？近年来，一些出版社出版的书籍、光盘、动漫，一些媒体开辟的栏目，一些学校开设的课目，一些地方开办的书院、讲堂，特别是大型公民道德公益论坛，已经为优秀传统文化的现代化普及提供了可供借鉴的经验，受到了老百姓的热烈欢迎。但这一切毕竟不能大面积推进，形成大气候。要想形成大气候，就需要央视这样的大传媒平台进行担当式推动。《记住乡愁》的拍摄，无疑是一个具有不可替代性的成功典型。

中华民族的精神吸引力

百集大型纪录片《记住乡愁》第二季60集于2016年1月3日起在央视四套每晚黄金时间播出，再度掀起乡愁热。从节目组进行的收视调查来看，海外观众反响尤为强烈。笔者以文字统筹和撰稿的身份深度参与了节目的采拍和制作，也多方面跟踪收集播出效应，深刻感受到节目的重大影响力。特别值得一提的是，节目在成功实现了诸多预期价值之外，还收到不小的现实干预效果，为现代人走出迷茫感、焦虑感提供了许多新的出口。据笔者所知，有不少人进行了生活化复制和精神性借鉴。

大家普遍认为，节目以"关注古老村落状态，讲述中国乡土故事，重温世代相传祖训，寻找传统文化基因"为宗旨，展现了传统村落优美和谐的自然环境、布局合理的人文景观、丰富多彩的民风民俗、独具特色的乡土风物、深沉丰厚的文化积淀，梳理了传统村落的历史发展脉络，通过传承千百年的村规民约、家风祖训，探索了民族文化的精髓，深入挖掘和阐述了中华优秀传统文化"讲仁爱、重民本、守诚信、崇正义、尚和合、求大同"的时代价值。

第二季对第一季既有精神性延续，又有深化和拓展。如果说第一季更多地表现了"厚德载物"，第二季则突出了"自强不息"。

比如在被称为"绝壁上的村庄"生活的河南郭亮村民，他们不惜一切代价，甚至流血牺牲，最终在无比险峻的悬崖绝壁上开凿出长达1250米的绝壁长廊"郭亮洞"。被外界誉为"世界最险要十条路"之一、"全球最奇特18条公路"之一的"郭亮洞"，向世人讲述了一个感天动地的新时代愚公故事；接着，他们又修成远近闻名的"好汉梯"；相继，又在绝壁上建起公共观光台和高端农家乐"崖上人家"；与此同时，不少后生走出郭亮村，漂洋过海，把郭亮人自强不息的精神带向世界。

在新疆赛罕托海村，土尔扈特人东归的壮举可谓荡气回肠。漫漫长途让十七万人回到故乡后仅余七万，其所表现出来的家国情怀，让人唏嘘。当他们终于回到根脉相连的大草原之后，对草原的热爱和保护，同样让人动容。而海南草塘村人守护祖宗海的故事，有着相似的感人力量。沉浸在具有同样精神气质的故事中，"故土"一词有了格外的温度。我不禁想：这海洋，何尝不是南国的草原，这草原，又何尝不是北国的海洋，它们是亲兄弟。

这种自强不息的精神，见诸福建塘东村、安徽许村、广东沙溪村。

对"自强不息",通常的解释是"自觉努力进取,不懈怠,不停止"。而早见于《周易》中的"自强不息"则是"天行健"大前提下"君子"的理想生命状态。为此,在我看来,这个"自强不息",正是"天行健"精神的人格化,或者说,是"天行健"气质的人间投影。由此,"自强不息"还可理解为:因为"自强",所以"不息"。而"自强"又可以理解为"因为'自'所以'强'"。这个"自",是本来、根本、本体。在中国人看来,根是源头性、整体性、自然性,体现在心态上就是通过有分别的亲爱训练和较少分别的兼爱实践,到达无分别的大爱。

这种没有分别的大爱,充溢在第二季的节目中。

在福建廉村,我们看到,廉洁已经成为一种生活风尚,一种生命审美。在其族谱中,有这样的规定:贪污者除名,不得埋入故土。贪污正是因为私心所致,而私心来自爱的分别。当一个人的爱扩展到没有人我分别时,贪欲就会自动脱落。既然你就是我我就是你,就没有必要把别人的东西设法归于己有了。

在西藏吞达村,人们在耕种时要给牛系上鲜艳的布条,挂上铃铛,让田里的小动物们看到听到,早早离开,以免被伤着。在江西旺口村,为了保护大自然,父亲能够把违反村规的儿子杀掉。在四川宝胜村,人们可以义无反顾地跳进充满毒气的窖里救人。在北京慈母川村、潮州沙溪村、安徽里仁村、安徽许村，洋溢着一种大同世界的味道。在宁夏南长滩村，一家有人去世，全村人都要停下农活投入到丧事中，即便是抢收时节。在宁夏单家集村，回汉亲如一家人。

特别值得一提的是，在云南芒景村，一位名叫女江的女性能够为抛弃她另找新欢的前夫举行体面的葬礼，这是典型的以德报怨。更让人感动的是，她现在的丈夫十分愉快地支持她完成了这个高难度生命动作。在已经习惯了以牙还牙的社会，这似乎有些不好理解，但是在女江心里，这却是她"应该做的"。在她的表述中，我们听不到多少豪言壮语，但我又分明"听到"，有无数的古圣先贤，都站在她身后为之集体做注：只有以德报怨，才能从冤冤相报的仇恨之河上岸，才能让报复性生命悲剧在当下终结。而只有仇恨在当下终结，喜悦才能到来，否则，来自生命本体的快乐将被仇恨遮挡。想想看，当一个人把心里的仇恨清理出去，那该是一种怎样的欢畅。就是说，以德报怨，受益的首先是自己，这是一方面。另一方面，在以德报怨者看来，生命是一个投影，如果我们的旧记忆中没有灾难性底片，生活中的伤害是不会发生的。伤害我们的对方，事实上是我们自己的心灵投影。现在，我以德报怨，本身就是清理我的旧记忆，也就是净化灵魂，仍然是自己先受益。更为重要的是，在智者看来，事情的成败固然重要，但心灵的成败更重要。如果一件事情成功了，但心灵的高度降低了，仍然不算成功。智者永远把来到生命中的每件事情当作提高心灵质量的机会，所谓"历事炼心"。当一个人能够以德报怨时，说明他的心灵已经宽广到可以把仇恨忽略不计，也说明他的心里已经没有人我分别。而一个没有人我分别的心灵，显然已在天地频率中了，已经可以归根复命了。从生命力的角度来讲，只有以德报怨，我们才能把向下运行的生命负能量变成向上运行的生命正能量。当一个人因为报怨把生命能量降低了，赢也是输。这也就是老子为什么要说"为无为，事无事，味无味，大小多少，报怨以德"的原因。

浙江东明村里宋濂的一句话，可以帮助我们理解什么是自强不息的次第。他把人分为"三品"："三品追求富贵，二品追求功名，一品追求道德。"为此，在这个村子里上演了郑氏一门三百多年十五世同居三千多人同食的"自强"大戏。从中，也让我们明白，没有载物之厚德，就很难有不息之自强。自强需要生命力做保障，而生命力正是厚德之根开出的花朵。换句话说，"二品""三品"不过是"一品"的派生物而已。正如《大学》所说："有德此有人，有人此有土，有土此有财，有财此有用。"可见最有效的自强，就是找到这个作为根本的"自"，它就是《大学》开篇讲的"明明德"。如何"明"这个"明德"？换句话说，如何"强"这个"自"？在我看来，有三个极为重要的方面：

一是教育。《礼记》有言："建国君民，教育为先。"

在第二季，有许多村落都极其崇文重教，比如广西金圭塘村、江苏陆巷村、云南喜洲村、福建兴贤村、河南张店村、广东歇马村、福建洪坑村、湖北鱼木村。崇什么文，重什么教，究其实，都是为了"明明德"。因为只有"明明德"，才能实现"亲民"，才能"止于至善"，才能实现没有分别的大爱。这个没有分别的大爱，既是现实生活的保证，更是生命的终极意义所在。

二是谦德。《周易》八八六十四卦，卦卦有吉有凶，只有谦卦全吉。也就是说，只有谦德能够保持永恒生机。一个人，当他谦到极处时，其德自明，其功自成。正是这种谦德，让浙江三门源村叶瓮两家情同手足、永修睦好，让云南芒景村、勐景来村人心平气和、温和处事，让广西金秀瑶寨、福建浦源村人敬爱自然、珍爱家园。在浙江三门源村，叶瓮两家有一种带有神圣意味的谦让，让两家人即使偶有矛盾，也能很快化解。在勐景来村，人们有一个具有条件反射性的表达："苏玛"，意即"对不起"。正是这个习惯性的集体无意识，让人们始终处在谦态，从而让家庭和乐、邻里和睦。尤其让人感动的是，在宁夏单家集村，回汉两族，像守护自己的眼睛似的守护着友好，其情其景，催人泪下。

以上几个故事，是狭义的谦德范例。广义地讲，孝悌忠信礼义廉耻仁爱和平等一切美德都可归到谦德门下。

三是诚信。诚信也是谦德，在此之所以单独列出来，是因为它太重要了。生命的意义无非在于提高生命力，而要提高生命力，则百术不如一诚。《中庸》讲："唯天下至诚，为能经纶天下之大经，立天下之大本，知天地之化育。"这一点，我们在广西罗凤村、湖北羊楼洞村、江西汪口村看到了实证。特别是广西罗凤村的无人售菜市场，如果不是媒体实地采拍，人们很难相信那是真的。它是一百多年前自发形成的。农忙时节，无暇看守菜摊的村民想出了一个办法，把写好价钱的小纸牌绑在菜筐上，再系上一个供人放钱的小竹篓，便离去做事。忙完回来，发现买菜的人竟然心领神会，拿走了菜，留下了钱，且数量刚好。之后，越来越多的村民效仿这一做法，逐渐形成了无人售菜的习俗。斗转星移，岁月更替，一百多年过去，无人售菜的习俗至今未变。让人称奇的是，一百多年来，无人售菜市场竟然没有丢过一把菜少过一分钱。"不怕人家不给钱，但是人家也不会不给钱。"这句话值得重视。因为信任，所以守信。首先是信任，其次才是守信。信任是感，守信是应。这样的诚信盛况，一定有一个强大的信仰力量在支持。"骏马登程往异方，任从胜地立纲常。年深外境犹吾境，日久他乡即故乡。朝夕莫忘亲命语，晨昏须荐祖宗香。苍天赫赫垂保佑，七尺男儿总炽昌。"细细品味这首村人口口相传的歌谣，我们会发现，答案就在"朝夕莫忘亲命语，晨昏须荐祖宗香"中。试想，一个人如果朝夕记着祖宗教诲，晨昏都在祖宗面前反省，还会做出诈伪之事吗？这种"亲命语"，在罗凤村，是通过润物细无声的方式完成的。在节目中，我们看到，大人常常把孩子带到无人售菜现场"实习"，让他们投钱取菜，从小就体会一种只有诚信才会带来的大快乐。

在这个雾霾常常让人喘不过气来的季节，这样的节目，已经具有了一种心理干预的效果。它们就像一簇簇向岁月和大地报春的花朵，沁人心脾。无疑，这是中华大地的元气，也是中华民族的福气。

中华长寿之秘密

　　在给百集大型纪录片《记住乡愁》做文字统筹的过程中，我十分强烈地感受到，中华文明之所以成为世界上唯一一个没有中断的文明，和中华民族对孝道的格外重视密切相关。透过历史的重峦叠嶂，我甚至能够感觉到，国家是把它作为第一生产力来培植的。几千年来，一直紧紧盯着这一道德的GDP，进行顶层设计、主体建设。无论时光如何流逝，朝代如何更替，这一方向始终未变。关于这一点，《记住乡愁》为我们提供了有力的证据。

　　安徽屏山村的舒善天高中探花却不赴任，只为能在家乡照顾年迈多病的母亲。明嘉靖皇帝下旨兴修"孝字牌坊"，以示嘉奖。

　　浙江斯宅村的史伟，在孙权手下任廷尉，一次巡视监狱时，发现许多犯人的刑罚过重，就将他们释放了。此举遭到了言官弹劾。孙权听后，勃然大怒，降下死罪。史伟的两个儿子闻讯，联名泣血上书，愿意替父赴死。孙权感动于兄弟俩的孝义，不但赦免了史伟的死罪，还赐史伟幼子为"孝义郎"。

浙江荻浦村的申屠开基关怀父母无微不至，冬天焐热被窝，夏天驱赶蚊虫。父亲重病，他远涉百里，求医问药。父亲患疽，医生都以为不治，他以口吮之，将脓血一一舔尽，最终治好了父亲的病。申屠开基死后，他的事迹广为流传。乾隆三十五年，一份由荻浦全村人联名书写的孝子事迹，历经16年层层核查，最终到了乾隆皇帝面前。乾隆深为感动，批准荻浦村修建一座三间四柱五楼式的牌坊来表彰申屠开基，这在当时为最高规格了。同样让人感动的是，两百多年间，每逢孝子牌坊损坏，村民都会不遗余力地修缮。

　　四川年画村的李藩，在外乡任训导，父亲身患重病后，便辞官回家尽孝。冬日，他每天都要亲自为父亲把被子暖好；夏时，他要把蚊子赶尽才让父亲进帐睡觉，并且要等到父亲熟睡以后才离开。父亲去世后，他又依照古礼，守墓三年，早晚到墓前上香献供。嘉庆皇帝获知此事后，赐其一对石桅杆，以示表彰。

　　浙江大陈村的汪乃恕不仅孝顺，还仗义疏财、捐资兴教、造桥修路，成为"移孝作忠"的典范。民国政府向其颁发"孝德永彰"牌匾以示褒奖。

　　现在看来，这些牌坊、桅杆、牌匾，已经不是一些物件，而是一个个钉铆，打在中华民族这艘巨轮的关键之处，让它顺利航行在充满风雨的历史长河中。

　　国家如此，作为国家细胞的家族更是如此。族谱、祠堂、公共建筑，这些永久性载体，让孝道成为空间主题，成为生存语法，也成为生活修辞。

在广东南社村，谢氏后人将尊祖敬宗作为祖训写入了族谱，规定家族须为先人建立宗庙祠堂，供后人世代祭祀。这样一个小小的村庄，鼎盛时竟同时出现了34座祠堂。百岁祠、百岁坊、百岁塘，比比皆是。

浙江前童村有一栋古建筑"泽思居"，"二十四孝"的故事被完整雕刻在房檐上。门楣上"职思其居"四个大字告诉人们，为官不能忘记故乡。村口的"着衣亭"则提醒每一位在外做官的前童子孙，无论官有多大，都不能在父老乡亲面前显露，到了村口，文要下轿，武要下马，脱下官衣官帽，换上布衣，步行回家。尤其让人感动的是，前童先祖不但为本族孝行树碑立传，还修"永慕堂"旌表外族典型。汉朝的万石奋和四个儿子均因孝悌忠良官至两千石，万石奋因之被称为"万石君"。为此，前童先祖建"永慕堂"以示敬仰。

在浙江斯宅村著名的"千柱屋"里，有一块精美的砖雕《百马图》，上面的骏马姿态各异，形象生动。但仔细数数，却只有53匹，再看，旁边留有空白。相传雕刻师傅雕到53匹马时，母亲病了，他忙向东家告假，回家照料，比雕马还用心。东家被他的孝义感动，执意不再另请高明将图补齐，借此启发人们的孝心。

为了让孝风成为气候，人们还把孝道镶嵌进岁月，变成节日，化为风俗，作为主流传媒的核心内容。

在湖南岩门村，按照康氏祖先成规，每年农历六月都要演"目连戏"。相传目连的母亲吝啬贪婪，死后被打入阴曹地府，受尽酷刑。为了救母，目连出家修行，得了神通，来到地狱。在侍奉母亲吃饭时，没想到饭菜还没到母亲口中，便化成火炭。目连见状，悲痛欲绝，乞求佛陀慈悲为怀，救他母亲。佛陀告诉他，靠一个人的力量是无法拯救的，必须借助十方僧众之力。目连便在农历七月十五日设盂兰盆法会，请十方僧众超度母亲，终于使母亲脱离苦海，进入天堂。

看着目连戏长大成人的康志仁，于清乾隆年间高中举人，在县衙为官，公正廉明，为老百姓做了不少好事。后来，由于高堂双目失明，他便辞官还乡，专门在家伺候，四十年如一日。母亲喜欢回娘家，过溪要跃跳岩桥，他担心颠着母亲，便涉水而过，即便是三九寒天。康志仁的孝行感动了两个在外为官的弟弟，他们共同出资修了一座木桥和码头，结束了过溪要跃跳岩桥的历史。

在四川年画村，每年农历八月二十八日，村民都会聚集到姜孝祠祭拜，温习着姜家一门三孝的感人故事：母亲患了眼疾，姜诗背着母亲四处寻医治疗，不辞辛劳；妻子庞三春遭人诬陷，被婆婆赶出家门，可她毫无怨言，依然每天亲手做鱼汤孝顺婆婆；孩子安安每天从自己午饭中省下一把米，攒满一袋子后给母亲送去。

42岁的徐世兰是姜孝祠里虔诚的香客之一。丈夫常年在外打工，繁忙的农活和照顾老人等重任，都靠她一个人承担。十年来她甘心情愿地照顾偏瘫的公公和患有风湿病的婆婆。公公大小便失禁，她每天要给公公换四五次衣服。婆婆因风湿病关节常常疼痛，她每天给婆婆按摩来减轻痛苦。

在年画村，有一个特殊的"孝亲节"。每逢正月初九，子女们都要给父母买上一双"孝亲鞋"并亲手为父母穿上。

浙江大陈村的"村歌书记"汪衍君，将始迁祖"母慈子孝"的故事创作成村歌传唱。在他的影响下，浙江江山市妇联的志愿者们，每年都会以网络报名等方式发起"陪着父母游大陈"的孝德之旅。

值得注意的是，不少村子的敬老节日和活动居然是由祭祀祈福仪式演变而来，体现了古人孝敬父母如敬天的思想。

比如荻浦村每年农历十月二十一日进行的敬老节，就是由祭祀土神和谷神的节日演变而来。这一天，儿女无论离家多远，都要赶回家过节，以继承先祖的遗训——"永言孝思，终身行孝"。

南社村的千叟宴则来自斋醮仪式。据载，1908年，南社村突遭瘟疫，上百村民因病去世，村里请来道士做起斋醮，祈福消灾，要求村民集体斋戒沐浴。后来年年举办，其中吃素斋渐渐演变成专门敬奉老人的千叟宴。为此，村民谢进球不但一次捐款近十万元，还全身心投入筹备之中，免费向村中所有老人提供一日三餐的素食。

为了激励孝行，在南社村，居然风行为活人立牌位。20世纪80年代末，南社人的生活日渐起色。一些谢氏族人提出对村中年久失修的祠堂进行修缮，并提出凡是对重修祠堂做出重大贡献、或一直以来对村中长者孝敬有加的族人，可以将他们长辈的牌位请进祠堂。这一提议得到了大家的响应，既加速了募集资金的速度，又安慰了老人。这让我们思考，灵魂安妥机制对于生命的重要，对于传家的重要；也让我们理解，古人为什么要把养父母之慧作为养父母之身、之心、之志之上的一个境界。

如果从大孝的角度来看，《记住乡愁》第一季60集都可归于孝道题下。而这60集挖掘出来的，正是大地上的生机。生机让人长寿，人寿则家寿，家寿则族寿，族寿则国寿，国寿则文寿，而第一季所有节目的共同点正是山青水秀、人寿族旺。而要人寿族旺，就要修仁德，因为"仁者寿"。而仁的基础，则是孝。如此，说重视孝道是中华民族民族长寿的原因，大概不会有人反对。

不忘本原

透过重重叠叠的历史帐幔，我们会发现，不忘本原是中华民族保持生命力的重要秘诀。《论语》有言："君子务本，本立则道生。"而道本身就是生命力。所谓"道生一，一生二，二生三，三生万物"是也。这一点，在《记住乡愁》第二季的许多篇章中，都得到充分证明。

在四川姚坪羌寨村，但凡本原文化，无论是建筑、服饰还是歌舞，都被完整地保存了下来。三十多年来，王嘉俊一直在搜集整理与羌人生活有关的物品。2003 年，他在家里办起了以实物展示羌人日常生活的民俗博物馆。他认为，一个家庭要知道自己的祖先，一个民族要了解自己的历史。对羌族来讲，因为没有文字，这些实物就显得尤其重要。

这样的念古情结，在湖南双凤村则以跳"毛古斯舞"体现出来。从镜头中我们可以看到，那是一种对祖先当初生活状态的符号化描摹，是一部土家族的史诗长剧。在双凤村，还有一个奇怪的传统，那就是盖房要"偷"梁。但"偷"梁也要守规矩：小树不偷，古树不偷，名树不偷。一般选择杉树或者柏树，因为这类树木主干被砍掉后，还会从根部长出新枝，十年左右就可成材。也就是说，他们"偷"梁不伤本。因此，在这个村子里，有四百六十多岁的古树还活着。

在四川宝胜村，我们看到，客家人对祖先的崇敬已经成为一种信仰。在任何时候，他们都认为今天拥有的一切都是祖先的恩赐。这种报恩心理，折射在文化活动上，就是常演不衰的川剧《清风亭》。此剧讲的是：薛荣妻妾不和，妾生之子被迫抛在荒郊，被以打草鞋为生的老人张元秀夫妻拾得，取名张继保，抚育成人。十三年后，张继保在清风亭被生母周氏带走。张元秀夫妻思儿成疾，每日到清风亭盼子归来。张继保得中状元，路过清风亭小憩。张老夫妻前往相认，但张继保忘恩负义，不肯相认，把老夫妻当成乞丐，只给他们二百钱。老婆婆悲愤至极，把铜钱打在他脸上。老夫妻相继碰死在亭前。张继保也被暴雷殛死。

海南草塘村人干脆把西沙、中沙、南沙三沙称为祖宗海，每年都要举行大规模的祭海活动。渔民每次出海前也会自发举行祭祀仪式。八十岁的苏承芬老人不惜用一个多月的时间制作一艘帆船模型，以此怀念帆船岁月，同时让后代子孙感念祖德。在他看来，没有祖德，就没有子孙们的今天。他在南海闯荡五十余年，从未发生过迷航，正是凭着祖先流传下来的航海罗盘和手抄《更路簿》。

广西门头村的石牌古训是不忘本原的另一种方式。它在村民心里产生的诚勉和约束力，一定意义上大过法律法规，所谓"石牌大过天"。想想看，一块石牌立在村口，村民进进出出都要看着它，久而久之就会把石碑上的内容刻在心底。"种木护村，做善积福，毁木霸地，作恶遭祸，天地有眼，会有报应。"当这样的句子一旦成为人们的集体无意识，那将是一种怎样的自觉力量。成年礼上，老师会问学生："我们的传统，我们的古训，你依不依？"学生回答："我们的传统，我们的古训，我们要永远遵从。"通过这种一问一答的形式，让年轻人牢记古训，就像发誓一样。这些誓言，作为一种敬畏力，将一直伴随着他们成长。在节目中，我们看到，门头村人不但熟记这些古训，还把它生活化。比如瑶医采药时遵从的"积留"原则。不挖采幼苗，能取杆的草药，绝不取根，绝不采光挖尽。采完药，瑶医还要在采摘地撒上一小把白米，酬谢山林恩赐，祈愿药到病除。救治好病人后，瑶医还要进山答谢，以"挖一种二"的方式对大自然进行补偿。正是这种"积留"的观念，让大瑶山的中草药取之不尽，用之不竭，成为广西最大的药用植物园，也让大瑶山 4 万多公顷的成片森林，成为广西最大的水源林。心态决定生态，敬畏涵养生机。最能体现这种生机的，就是长寿。金秀瑶族自治县是中国有名的长寿之乡。在全县 15 万人口中，百岁以上的老人有 14 位，90 岁以上的有三百多人，80 岁以上的有两千多人。

在贵州占里村，流传着这样一句话："山林是主人是客。"

意即山林是永恒的主人，人们只是匆匆的过客。正是因了这句话，这里的森林覆盖率达到了 70%。每年农历二月初一，占里村的人们都要吹芦笙、唱大歌，盛装绕寨、祭石盟誓："第一条，每家只生一男一女，不准任何人多生；第二条，村外的风水树、大树、古树，不准任何人砍伐……"占里人知道，他们今天的生活不仅得益于祖先的庇佑，更得益于千百年来与自然和谐共生的寨规约束。

《华严经》中讲："不忘初心，方得始终。"如果说以上村落的故事让我们从时间线上看到了不忘本原的价值，那么台湾宝藏岩村则让我们从空间界面中感受到本原的重要。该村居民来自大陆的十几个省，他们长时间远离故土，比邻而居，形成了一种独特的传统：每隔两个月就要举办一次"一家一菜"活动，每户人家都要做一道最擅长的家乡菜，拼凑成一桌宴席，让村人共享。看上去是"一家一菜"，骨子里却是一菜一根。宝藏岩村人把对生命本原的追思，暗藏在杯盘里。除此之外，宝藏岩村人还有另一种安妥心灵的方式，那就是前往寺庙。许多群体性活动，都借寺庙完成。逢年过节，宝藏岩村人都会聚集在庙里，一起做饭，一起祭祀，一起庆祝，俨然一个大家庭。因为远离故土，没有祠堂家庙，宝藏岩寺就成了村民们安放祖先灵位的地方。"在两岸对峙的日子里，大陆和台湾的通讯完全隔绝，看不到回家希望的白玉生在台湾又成了家。二十世纪八十年代末，台湾当局终于开放老兵回乡探亲，白玉生立刻提出了申请。"这段再朴素不过的解说词所传达出的生命况味，真是让人心痛。

在新疆天山山脉中部，有一片广袤的巴音布鲁克草原，草原上有一个流动的村庄，名叫赛罕托海村，汉语意为"美丽的山谷"。这里是东归的土尔扈特后裔的聚居地。他们常常将一句老话挂在嘴边："牛羊离不开草原，江河离不开源泉，土尔扈特人离不开东方的故土。"这一句简单的话语，却蕴含了一段充满血泪的东归壮举。为了铭记这段悲壮的历史，也为了缅怀和祭奠先祖，土尔扈特人用"重走东归路"的方式，将先祖们不远万里回归故土的壮举，以及他们曾经付出的巨大牺牲，世世代代牢记于心。三百多年前，土尔扈特先祖离开故土，向西游牧到伏尔加河下游，并在那里建立起游牧民族的封建汗廷。到了十八世纪中叶，沙俄征召土尔扈特人加入军队，卷入连年战争。同时，还强迫他们放弃佛教信仰，改信东正教。这引起族人的强烈反抗。为了摆脱沙俄压迫，当时的首领渥巴锡汗决定发动武装起义。1771 年 1 月，渥巴
锡放火烧掉自己的木制宫殿，带领族人义无反顾地踏上重返故土的征程，向着东方前进。经过八个月的艰难跋涉，土尔扈特部终于到达家园，而出发时的十七万人仅余不足七万。土尔扈特族的东归之举得到清朝政府的高度重视和关注，乾隆皇帝在承德接见了渥巴锡汗，把一块最为丰美的草原赐予

他们作为繁衍生息之地。受祖先的英雄壮举感染，大学毕业后，桑巴特没有留在大都市，而是回到了家乡工作，主动参与到东归实景剧的编排之中。为此，他多次走访村里老人，四处搜集资料。短短三个月时间，东归实景剧就正式向游客演出了。"草原再大，却没有放私心的地方"。当一个人没有私心时，自然会返本归原。

江西西湖李家村的故事，作为电视节目播出时，片名就是《不忘本原》。"水有源，木有本，人有祖，其来久已，而流长则派别，不溯其流则失其源，祖盛则人众，不序其谱则昧其祖。"这是《李氏宗谱》明代修谱小引中的一段话。正如村民李国英所说："家谱是一个宝，它有特异功能，它有凝聚人心的功能，为什么呢？不管你来自哪里，只要我们是供一本家谱，供一个源流，我们就是一家人，万里关山都割不断，一见就如故。"当人们从家谱中得知，他的祖先是唐太宗李世民的三子李恪的后裔，老子李耳、名将李广、唐高宗李渊都是他们的先祖时，那该是一种怎样的自豪。该村人甚至把历史上杰出的李氏族人的事迹和为人处世的格言镌刻在村庄各家各户的门楣上，以激励后代。在中国历史上，无论是立于朝堂之上的高官、征战沙场的将军，还是富甲一方的商贾，年老之后都要告老还乡、解甲归田。在古人看来，这是人生"归根复命"的重要环节。在西湖李家村，这样古老的传统仍在延续。南昌市原市长李豆罗卸任后，立即回到故乡，给自己起了个雅号——"青岚农夫"，过上了日出而作，日落而息的日子。在他看来，自己原本就是农民出身，退休后回来当农民，算是遵从"不忘本原"的祖训了。"不论你飞多高，不论你走多远，不论你职务多高，不论你赚钱多少，起根发苗在这里，落叶归根还在这里，这就是本原，操存本原，不忘本原"。在李豆罗的倡议下，西湖李家村口牌楼上镌刻了"操存本原"四个大字。这是陇西李氏族谱中记载的祖训之一。这四个字源于孔子所说："操则存，舍则亡，出入无时，莫知其乡，惟心至谓也。"孔子把本原看作事物的根脉和做人的基本道德准则，告诫人们要恪守本原，否则行为无常，不知家在何处，更会心无着落。李森永的先祖六百多年前迁往台湾，在当地延续了二十多代。抗日战争中，李氏宗谱不慎遗失。半个多世纪来，李森永的父亲常常思乡念祖，临终时嘱托他，一定要找到故乡，续接上族谱。为了完成父亲的夙愿，最近几年，李森永把自己的公司交给了儿子管理，和妻子不断往返大陆寻根问祖。

行文至此，不由得想起《道德经》中的一段话："万物并作，吾以观复。夫物芸芸，各归其根。归根曰静，静曰复命。复命曰常，知常曰明。不知常，妄作，凶。知常容，容乃公，公乃全，全乃天，天乃道，道乃久，没身不殆。"

所重全名节

在《回归喜悦》中，我曾讲过这样一个观点："要想让人们离开低层次生命状态，必须给他找到一个高层次的出路。追求喜悦是人的本能，当一个人尝到高层次喜悦，低层次快乐会自动停止。"在总结古人各种说法的基础上，我把人的生命状态概括为五个层面：物我、身我、情我、德我、本我。

"物我"的人，认同物质是"我"，这一类人特别在乎物质，对财富的占有欲极强；"身我"的人，认同身体是"我"，这一类人特别在乎身体，保健意识极强；"情我"的人，认同情感是"我"，这一类人特别在乎情感，对情感的质量要求极高；"德我"的人，认同道德是"我"，这一类人特别在乎道德，非常注重人格的完善，儒家讲的"杀身成仁，舍生取义"，就是这个层面；"本我"的人，认同本体是"我"，这一类人已经超越了前四个层面，活在一种无善无恶的清净状态里。

从能量的角度来讲，"我"的认同度越高，能量指数越高；能量指数越高，幸福指数就越高。对照一下心理学家霍金斯的能量级，我们会发现，一个人的自我认同到道德层面后，他的生命能量是前三个层面的很多倍。由此，我们就会知道为什么那些特别有道德感的大家族往往兴旺发达。

前三个层面的认同，随着心量的变化会变化。比如有些人，特别认同物质，但认同的是公家的物质——保家卫国，物质认同就变成道德认同了；比如有些人，他特别认同情感，但他维护的是一段人间真情，那就成了道德认同了；比如有些人，把身体维护好，不是为了享受，不是为了长寿，而是为了孝敬老人、报效国家，就变成道德认同了。

古往今来，为什么人们都要强调道德呢？这是相对于下面三个层面来讲的。因为"本我"一般的人够不着。事实上，"德我"和"本我"基本上是一体两面了。从人格的完成上来讲，它已经接近圆满了。

认同度高一级，对下面的那一级就会轻松看破，幸福指数就提高一级，幸福指数跟看破放下成正比。这时就能够理解，古人为什么要讲"君子忧道不忧贫"，为什么讲"朝闻道，夕死可矣"。早晨听到道，晚上死了都可以了。为什么呢？找到了最高一级的认同，而且掌握了最高一级认同，下面的可以忽略了，不屑一顾了。

如果依次建立一个纵坐标：物质认同、身体认同、情感认同、道德认同、本体认同。那么认同度越高，能量越高。我们再以心量建立一个横坐标，心量越大，能量越大。一分的心量对应一级认同，是个小圆；二分的心量对应二级认同，是个大圆；三分的心量对应三级认同，是个更大的圆。如果哪一天我的心量变得跟天地一样大，认同到达本我，就是天长地久的圆，就是心想事成的圆。为什么呢？我们的能量自由度到达理想状态，就像一个人到了天地间最大的面粉厂里，想做多大的蛋糕，就做多大的蛋糕，想做多大的面包，就做多大的面包。空间障碍没有了，时间障碍没有了，真正的自由境界也就到来了。

这就是古人为什么孜孜以求君子人格的原因。这时，我们就能够理解清人李玉的一句话，"一身轻似叶，所重全名节"；也就能够理解历史上那些白雪肝肠、坚冰骨骼的英雄人物。

在中华文化传承工程百集大型纪录片《记住乡愁》第一季中，我们看到了太多的实例。

在浙江诸葛村繁衍生息的孔明后人自不必说，他们以先祖一千七百多年前结庐隆中、晴耕雨读、养性励志、治学修身，后逢明主，尽忠效力、披肝沥胆、鞠躬尽瘁、死而后已为榜样，在医药、建筑、机械等诸多方面，作出了杰出贡献。单拿医药事业来说，明清以来，诸葛村人把两百多家中药房开到了东南沿海各省，并远赴港澳，成就了"天一堂"等一批金字招牌。武侯"淡泊明志，宁静致远"的思想，在他们身上多有体现。

广西江头村生活着理学鼻祖周敦颐的后人，他们世世代代坚守着莲之品格，清白做人。周履谦是清代乾隆时期的举人，历任知县、知州等官职，以"贪一文断子绝孙"自律。在四川为官期间，勤政廉洁，传授灰土粪田法，解决了农田病虫害，受到当地百姓的爱戴。寿终身无分文，当地人民凑钱为他买了棺材，专程把他送回故乡。曾经在县政府部门担任秘书的周崇德原本可以推荐儿子参加县里的招工，但他考虑如果这样做有营私之嫌，终未同意，至今三个儿子还在家务农。

在浙江仙居李宅村，我们看到，明人李一翰嘉靖七年乡试中举，官至都察院左副都御史，负责监察工作。他为官三十年，廉洁公正，勤政爱民，史书称他"一尘不滓"，至死"囊无长物"。第十六代裔李鑺担任粮长，遇交不起粮食的，即用自家粮食代交，以免乡民为此流放。耄耋老人李桂鉴四十年为村人义务送邮，没有出现过漏送，足见其心之细之诚，其修身功夫，可见一斑。

在深圳鹏城村，我们看到，一个村子居然出了十三位将军。这里被称为"将军村"，有着六百多年抗击外来侵略英勇保卫祖国的历史。"文官愿为清吏瘦，武将敢当沙场卒"。无论是和林则徐一起英勇抗击倭寇的广东水师军务提督赖恩爵、东江纵队情报员黄月娣、牺牲时年仅二十七岁的传奇英雄刘黑仔，还是转战大江南北的著名革命将领罗贵，都将生死置之度外，一心保家卫国。受此精神激励，留学国外的罗海岳作出了一个令很多人意想不到的决定，回到中国投身公益事业，成为中国留学生爱心助学基金创始人。

在甘肃哈南村，我们看到，人们已经把"忠"自觉化。忠于国家，忠于单位，忠于自然，忠于内心。战时，他们把忠用于卫国；和时，他们把忠移于建设。明初时，朱氏祖先立下赫赫战功，家族中不断涌现出忠君爱国的将领。历史上，朱氏一族先后有十一人为国捐躯。每当外敌入侵的时候，"母送儿，妻送郎，父子争相上战场"的场面，就会在这个小村庄里上演。汶川地震后，哈南村成为重建速度最快的村落，就是因为忠字效应。

在黑龙江街津口村，我们看到，抗日战争期间，涌现出了很多奋勇杀敌的赫哲人，沉重地打击了进犯的日军，就连女人和孩子都驾着小船给抗联运送弹药，翻山越岭传递情报。七星岗战斗中，赫哲族军队激战三天三夜，打死打伤鬼子数百人，其中尤山尤江两兄弟打死打伤鬼子近百名。为了把赫哲人赶尽杀绝，日军强行把他们集中起来分成几个部落，赶到离江边一百多公里的沼泽地生活，企图用这种方法困死赫哲人。但是赫哲人顽强地存活下来。抗战胜利后，赫哲族人口从一千七百人下降到不足三百人。

在福建培田村，我们看到，在上海生活多年的吴初兴，并没有在大都市中寻找到归属感。随着年龄的增长，他渐渐萌生了回乡生活的念头，也越来越想为家乡贡献自己的一份力量。2013 年，吴初兴开始行动，他先从恢复家乡的传统文化做起，召集几位老人商量如何修复南山书院，并在村里开办文化大讲堂。

这种当下中国最需要的还乡行动，在《记住乡愁》第一季中，屡见不鲜。贵州岜沙村的滚水格就是一个突出典型。同许多偏僻乡村的青年人一样，他带着对外面世界的向往，高中毕业后即去广东打工。但一年后，他却选择了回家。他说："我觉得外面没我们这边好。虽然我们这里经济比较困难，但是我们能够知足，自己种的米饭自己吃，自己织的布自己穿；而且大家都互相认识，走到哪里，大家都能互相问候一声。这一切都有一种家的味道。我就想过这种有家的味道的生活，就不愿在外面待了。"从本质上来讲，这也是追求一种"全名节"的生活，这种"节"来自对生命的正确认识。

同样，因为身处远离城镇的大山之中，湖南石堰坪村形成了一种完全自给自足的社会模式。粮食产自土地，古老的油坊直到今天还在出油，铁匠铺按照生产需要锻造出各式的劳动工具，篾匠包揽制作村中部分生产生活用品。人们活得安恬舒适，悠然自得。这种自尊、自在、自足、自愿的生活，不正是所有仁人志士视身为轻视节为重苦心营造并誓死保卫的吗？不正是最值得我们现代人深情守望的乡愁吗？

徽商并未失败

因为担任《记住乡愁》文字统筹的工作，我查阅了有关徽商的资料，也到黄山市所辖徽州区和黟县实地考察，渐渐对人们所谓的徽商失败论有了不同看法，觉得徽商不但没有失败，反而空前成功。

这种成功是以能量转移的方式完成的。

人们通常评说的几种失败的原因，在我看来，恰恰是徽商巧妙转移能量的方式。

如果没有他们当年修建一座座宗祠、支祠、家祠，一家家庭院，一座座牌坊，一座座桥梁，建设一所所义学、书院，哪里有今天黄山市的巨额旅游收入？如果没有他们当年拿出巨额资金支持教育事业，哪里有明清两代九百六十名进士及第、忠臣良将辈出的盛况？哪里有和藏学、敦煌学并肩的徽文化热？

我们又到何处去实地观瞻传统沐浴德风？

用心端详一座座"承志堂"上的对联：

第一等好事只是读书，几百年人家无非积善；

积德不倾择交不败，读书不贱守田不饥；

黄金非为宝，安乐最值钱；

孝悌传家根本，诗书经世文章；

教孝悌此乐何极，嚼诗书其味无穷；

万世家风惟孝悌，百年世业在诗书；

心田存一点子种孙耕，世事让三分天宽地阔；

二字箴言惟勤惟俭，两条正路曰耕曰读；

力田岁取千箱稻，好事家藏万卷书；

书是良田传家休言无厚产，仁为安宅居家何用有华堂；

大富贵必须勤苦得，好儿孙是从阴德来；

世事每从谦处好，人伦常从忍中全；

……

我仿佛能够看到他们当年的一个个念头，看到他们在挣了钱后，如何迫不及待地进行着能量转移，把一锭锭黄金白银抢时间变成供奉祖宗的祠堂、颐养老人的庭院、培育后人的学校，变成接济族人的义田、族金、学费，变成祭礼中的福胙、戏资、奖金，包括灾民口中食、游子身上衣。

藉此，悄然完成藏富于贵、化财为慧的工程，完成由富而贵、由贾而儒的身份转换，由被人羡慕嫉妒到受人爱戴尊敬，由低能量生命状态一跃为高能量生命状态。

可以说，没有他们的这一漂亮转身，就没有"十户之村，不废诵读""山间茅屋书声响"的盛况；就没有"十里五翰林""兄弟九进士四尚书"的奇迹；就没有"东南邹鲁""文献之邦""礼仪之乡"的美誉；就没有人皆孝悌、家皆和气、族皆和睦的宗法盛世；就没有被多国文化学者叹为观止、视为宝藏的徽文化。

想想，当年的徽州大地上，是怎样的一片祝福之声，它们给了天地祖先一种怎样的礼敬和追怀。

想想，当年的徽州大地上，是怎样的一片斧凿之声，它们给了老人孩子一种怎样的安慰和感动。

想想，当年的徽州大地上，是怎样的一片诵读之声，它们给了父母师长一种怎样的信心和幸福。

无疑，这是一片爱的合奏。

孝悌忠信礼义廉耻，是他八种表达爱的方式。

一本本志书、一牒牒族谱、一座座牌坊，是他们记录爱、激励爱的方式。

千年之冢，不动一抔；

千丁之族，未尝散处；

千载谱系，丝毫不紊。

这背后，该是凝聚着徽商们怎样的心血。

这一切，又岂是一个"商"字能够承担得了的。

试想，如果没有这一切，即使胡雪岩还在，又将如何？

当今中国，比胡雪岩富有的商人大有人在。可是，他们成功了吗？

没有尊敬和传诵的成功，是成功吗？

没有成为精神风尚的成功，是成功吗？

没有成为永恒价值的成功，是成功吗？

在歙县，有这样一位商人，为朱元璋进徽一次性捐饷银十万两，他名为江元。

在休宁，有这样一位商人，他在嘉兴、湖州囤积了大量粮食。有一年，当地遇上灾荒，有人为他庆幸，认为发财的机会来了，劝他乘机狠狠赚上一笔，但他却将所囤之粮全部减价出售，同时还命人煮粥免费供给灾民，他的名字叫刘淮。

在歙县，有一个乐善好施牌坊，记录着鲍志道、鲍淑芳父子的义行：

为朝廷修筑河堤八百里，为三省发放军饷不计其数。远在扬州，却在徽购置两千多亩义田，每年租谷三万斗，让族内扶贫救孤。粗略统计，其为赈灾捐米达十万石，捐银三百万两。为重修包括朱子曾经讲学的紫阳书院在内的多家书院，捐银一万多两。

贾而好儒，贾儒结合，是徽商最显著的特点。不惜重金支持教育，是他们的自觉行动。明代歙县盐商鲍柏庭的话——"富而教不可缓也，徒积资财何益乎"道出了他们的共同心声。他们一方面经商，一方面购建书屋，购买书籍，延请名师，让子弟专心致志地读书；并且，在爱国爱家、乐善好施、扶贫济困、勤俭持家、明礼诚信方面，为儿孙做出典范。

仅以明礼诚信为例，"以诚待人，以信接物，以义为利"是他们的公共商德，货真、价实、量足、守信是他们的普遍操守。

"泪酸血咸，悔不该手辣口甜，只道世间无苦海；金黄银白，但见了眼红心黑，哪知头上有青天"。他们以此告诫自己和后代诚实经营，切不要发昧心财。

不少徽商，其诚其信不但言成行成，而且直抵心性。

清代黟商胡荣命因为诚信经营，名重吴城。晚年归乡时，有人想用重金买他的店名，被他拒绝了。他说，你如果诚实经营，何必借我的名声，你现在想借我的名声，已经动了一个不诚实的念头，将来必定连累我的名声。

细心体味此话，可见胡氏已经不仅仅是名商了。他所经营的，已经不是财富，而是人格了；他所追求的，已经不是商业成就，而是心灵成就了。

绩溪商人章通，不但"创建支祠，兴造文昌阁，廉而且勤，凡修桥路及赈贫恤寡，倾囊无难色，有借难偿者焚其券"。别人还不上他的钱，他居然把借据焚掉，以安人心，这是何等的胸怀。

歙县商人吴自充更加干脆，把别人欠他钱的借据"悉焚之"，称"当见贷时，吾已心赠之矣"。

更有甚者，如歙商黄应宣，压根就不要贷券，"乡人有以窘急，求济其门具贷券，处士欣然出金赒之，却其券而不受。贷者疑之，处士曰：'噫，与其异时裂券，孰不若不纳券之为愈乎。'义声翕然播州间"。

这些人，纯粹在以"无我"状态为人处事了。正如《了凡四训》所言："以财济人，内不见己，外不见人，中不见所施之物，是谓三轮体空，是谓一心清净。"

清代著名思想家戴震用"虽为贾者，咸近士风"评价他们，我都觉得有些不够了，事实上，这已是一种"道风"了。

聚财成功，是拿得起；舍财成功，是放得下；拿起是能耐，放下是境界；通过"大有"，抵达"大无"。

对于相当一部分徽商来说，经商已经变成手段，成人才是他们真正的目的。

"虽为贾者，咸近士风"。这让我想起夫子之言："君子之德风，小人之德草，草上之风，必偃。"

华夏大地，有此春风留存，生机还在。

当代商人曹德旺、李林才、陈逢干等，港商邵逸夫、汤恩佳、田家炳、冯燊均等给我们传递的，不正是这种德风吗？

《记住乡愁》第一季文字统筹笔记

静升村

山西静升村的故事是乡愁工程中的一个着力点，对商风浩荡的当今世界具有很强的鉴照作用。摄制组非常出色地捕捉到了王氏传奇中的秘义，比如 "利润低点咱不怕，货真价实不出格，诚实守信最重要，天长地久回头看"。这个天长地久，既指时间，也指原理。就是说，只有天能长，只有地能久，那我们就要学习天地精神。专家讲："我们把利让出来了，但是短时间内可能利益不会获得那么大，从长远来看，赢得的是人心，那么赢得了人心，就赢得了一切。"这话讲得好，但我觉得还未真正讲到王氏商业秘密最核心的部分，也是晋商商业秘密最核心的部分，那就是他们对天的敬畏。这一点，摄制组已经捕捉到了：

欺客就是欺天。

正是这种敬畏心，铸就了王氏家族坚固的诚信长堤。今人也讲吃亏是福，也讲长远利益，但是如果没有敬畏做支撑，吃亏也是变相的赢利，诚信也是变相的营销。最终，水分会进去的，是无法保持七百年的。为此，晋商的商业行为事实上已经是人格修炼了。赚钱是重要，但提高人格更重要。

一位老人病倒街头，王实救了他，在这位老人的指点下，王实的命运发生转化。在我看来，这位病倒街头的老人，正是天地精神的化身来考验王实的心肠。可见，成就了王家后人七百年商业的，正是王实的大善心。古人讲，财富是福气的变现而已。这个福气，用今天的话讲，就是能量，而世界上最大的能量，就是善念。

王氏十六世祖王寅德和人合伙做生意，对方早亡，他能够把属于对方的钱分文不少地还给人家后代，这是多厚的德行。王家不发，没有道理。

第二十世祖王廷仪，这个当年的当铺小伙计，不忍把还有一天就到期的翡翠手镯卖给洋人，托辞钥匙找不到了，这是多么美的一出人间智慧大戏、小人物演的大爱之戏。这一刻，小伙计心里除了商业诚信，还有爱国之心，不能让祖国的东西流失到洋人手里；更有怜悯之心，一般来讲，手镯是一个女人最爱之物，多是夫君所赠，是爱情的见证，不到万不得已，是没有人拿出来当的。如果第二天，主人来，镯已不在，该多伤心啊。现在，小伙计以计成全了这一美事，这心多厚啊。天不助这样的人发家，没有道理。

王氏十六世祖王世泰每卖一斤油要搭上五钱，如此学吃亏，不单单是生意经，不单单是为了赢得人心，而是传统文化中讲的布施心了，他以此戒贪修善。天不助此人，也没有道理。

做月饼的吴丽霞家，其父为什么那么在乎月饼切开后的匀称？其实他不单单是为了考察月饼的品相，而是考察做月饼的人心是否匀称。心匀称，手下的活无不匀称；心不匀称，手下的活难以匀称。为此，其父宁可把过了保质期的月饼卖给猪厂，也绝不减价售卖。此心多厚啊。天不助此人，没有道理。

这是一出非常难得的节目，很重，很美，有一种荡气回肠的力量，做到了"为历史存正气，为世人弘美德"。

新叶村

浙江新叶村的故事正如她的名字一样，真是永发新叶，有种种非凡的活力和洒脱，是乡愁工程中难得的一出节目。难得在挖掘到了叶氏家族"读书志在圣贤，非徒科第"的崇文兴教内涵，让兴学的意义回归到本源上去。学为修身，学为悦己；而非学为仕途，学为功利。还难得在把叶氏家族的激励机制做了详尽的梳理。春节家祭时，在总祠有序堂，依科第奖励稻谷，困难时改为馒头，发达时改为奖金。书法竞赛中，为取得为祠堂写对联的资格，就是身为美院教授，也不愿意放弃这种争夺。可见叶氏家族已经把称颂祖先神圣化，非常具有传统韵味，又朴素可信可感。正是这种敬畏，让这个家族绵延不绝。

摄制组还为古德新传的挖掘做出了努力。从私塾，到学校，再到文昌阁里的农家书屋，从古到今，酒未变，瓶在换，为节目增添了强烈的时代气息。

本摄制组捕捉细节的能力很强，让节目显得很有质感和文学性，比如农家书屋给受捐书的背面贴上捐者的姓名，比如把一个抽烟的孩子带到灶口进行教育的细节，都非常有表现力。

岩门村

湖南岩门村是乡愁工程中具有超越精神的一出节目。中华民族充满浪漫主义的孝道文化在此充分展示。让我惊喜的是，目连戏终于出场了。从一定意义上讲，目连精神，就是中华孝道精神。目连救母的故事来自印度，但在中国成为民间经典。它让孝道变得崇高、诗意、壮美、激情。它意味着，孝敬老人，首先要提高自己；孝敬老人，首先要好好做人；孝敬老人，首先要和睦大众；孝敬老人，同时还要替老人改过。

这一出戏，不但教育子女要孝敬老人，同时警示老人要防止过失，给儿孙留下大患。慈和孝在这里变成了"一"。

走进岩门村，你恍然会觉得，有无数的中国式目连在上演一出出新的救母大戏。这个母，既是自己的生身母亲，也是让中华民族骨强力壮、绵延不绝的孝文化。

事实上，记住乡愁节目组的辛苦劳动，又何尝不是在"目连救母"。

在岩门故事中，我多处读到了孝子们放下功名回家侍母。无论是千里探母的三兄弟的故事、康志仁背母过溪的故事，还是李成香孝敬公公一家饭三样做的故事，都至为感人。

一个420人的村子里，90岁以上的老人有18位，这不能说不是一个奇迹。它让我们明白，"寿考维祺，以介景福"的古语是真理。

龙宫村

浙江宁海县龙宫村的故事是乡愁工程中的高峰之一，可以说是遍地黄金，处处珍宝。作为"天下第一家"的后人，无论是悬壶济世的义医、开蒙兴学的义师，还是慷慨解囊的义商，包括再朴素不过的义农，等等，都让人读来泪湿衣襟。这是一种多么美丽的文化啊，怎么中国人就无福消受了呢?

作为一个有着九百年历史的村落，能够把一顶"义"字大旗扛到现在，足见"义"之生命力。"义字当头，仁行天下"，"九重天上旌书贵，千古人间义字香"。相信观众会从这出节目中，真正闻到大义之芬芳。

有人考证，江门陈氏就是桃花源的原型，那里曾经上演过三百年的乌托邦人间奇迹。这里有人间广为流传的"八百头牛耕日月，三千灯火读文章"，"堂前架上衣无主，三岁孩儿不识母"，"丈夫不听妻偏言，耕男不言田中苦"。别说是人，就连动物都是"义"字当头。义犬坊养犬百条，百犬食一槽，一犬不至，众犬不食。让人觉得，英国思想家莫尔笔下的乌托邦在想象中，中国的乌托邦在人间。

"空手让重担，重担让挑担，族里有事大家担"的故事，"路上有石要搬开"的故事，真朴素，真美好。

节目编排得也特别有象征性，从庙会竖"义"字旗杆开始，到放"义"字河灯结束。正如乡愁工程，何尝不是在竭力竖直传统的旗杆，点亮苍生的心灯。

屏山村

安徽屏山村的故事一如主人的姓氏一样，有一种从容舒缓之美。这一出节目中出现了一个现代名人——人民艺术家舒秀文，她在电影《一江春水向东流》中成功地塑造了"抗战夫人"王丽珍的艺术形象，至今仍然有着深远的影响。她的骨灰在乡愁工程建设年回归，似乎在暗示着什么，有一种特别让人寻味的地方。出乎我们意料，她当年一月挣30块大洋，会把其中25块寄到家里。

这出节目中最感人的是舒育玲，他在拼力修县志，动机是我们这代人曾经破坏过祖先的文化。这种忏悔精神、反省精神，让人动容。

舒氏家族是伏羲九世孙叔子的后裔，唐朝末年从安徽庐江南迁到屏山。这里青山如屏、绿水环绕。遵循传统的风水理念，舒氏先人在这里建立村庄、繁衍生息。到了明清时期，曾有"八百烟灶，三千丁男，五里长街"的繁荣景象。自宋以来，这个小山村一共走出了11位进士、29位举人。

屏山村保留着众多的祠堂和牌坊，其中骑路牌坊最为著名。虽然牌坊已经在上个世纪损毁，但留下的遗迹依然在向人们讲述着过往的辉煌。

明嘉靖年间，一位名叫舒善天的屏山村人进京赶考，高中探花。衣锦还乡之际，发现相依为命的母亲病倒家中。他跪在母亲面前，整整跪了一天一夜。朝廷下旨，让他去为官赴任，但他考虑到母亲无人照顾，一直没有动身前往。前来调查的官员将此事上报，嘉靖皇帝深受感动，下旨修建了"孝字牌坊"。原本应该异地为官的舒善天，留在了村中，靠教书为生，侍奉老母。

每天都从"孝字牌坊"下走过的舒氏后人，把"孝道"作为了家规祖训写进了族谱，世代相传。由于子女孝顺，屏山村中的老人大多长寿，历史上曾有不少百岁老人。如今村中70岁以上的老人有100多位，80岁以上的老人有20多位。尤其难得的是，这些老人中没有一位独居老人。每到傍晚时分，总能在村中看到年轻人与老人在屋前纳凉聊天、父子或母女在村中散步的景象。

此情此景，何其珍贵。

白鹭村

江西白鹭村的故事，就像白鹭一样美丽，让人赞叹。

这是一个对善逻辑有着高度认同、有着善的高度自觉的村落，还是一个把善智慧化、体系化、制度化的村落。几乎每一个人都把行善作为人生目的，把积德作为人生意义。就像现在农民想着高产、商人想着挣钱、学生想着考高分一样自觉、自愿、自动。

正是"第一等好事只是读书，几百年人家无非积善"。

这股浩荡的善风，为王太夫人所倡。王太夫人原本是清代乾隆年间一户钟姓人家的小妾。虽然家境殷实，但却十分节俭，平日里穿布衣，吃素食，用节省下来的积蓄为病人施药，为贫寒者施粮施衣，甚至为死在白鹭村的鳏寡孤独者舍施棺材并妥善安葬。直到临终前，王太夫人还交代儿子，义仓中每年要有一千石谷子，当年必须全部发放出去，不得留存。如此，让白鹭村没有饿死的叫花子，没有上不起学的孩童，更没有无棺材的老人。这样的善举当然是大地上的春风。果然，乾隆皇帝知道后，深受感动，三次诰封于她。族人们则在王太夫人的义仓前为她建起了祠堂。从此之后，王太夫人祠就成为了白鹭村救难济贫的场所，一直持续了两百多年。人们把王太夫人教育子孙的故事改编成了东河戏《机房教子》。两百多年来，每逢节庆之日，古老的唱腔就在村落里咿咿呀呀地唱响起来。

白鹭村的人不但世代行善,还有一套非常朴素的善行理论。

"钱多伤人子，所以我们把多余的钱捐助给比较贫穷的、学习比较好的孩子，就有福报。"一个两千多人的小村庄，教育基金会每年都能收到几万元的捐赠。有捐几千元的，也有捐十元钱的。听听钟世民怎么说："不管你捐多捐少，只要有那份心意就很好。"2014年白鹭村新修通了一条水泥路，方便了周围六个村庄的村民。这条路却完全是由白鹭村村民出钱出力完成的。为了重修道路，七十多户白鹭村村民主动拆掉了鱼塘、牛栏，不仅不要一分钱补偿，还额外捐款。村民叶金根说："他们做什么事情我都会捐点，对子孙后代会好一些。"没有钱，他就把一个猪栏捐出来。村民钟先英为村子捐款几十万元，听听他怎么说："我们够吃饭够穿衣，有房子住了，我就可以拿出去。儿子他们又这么争气，我们也没有什么图的，就图个安乐，图个平安。积财积物不如积善。"

正如解说词中所言：

"积善之家必有余庆。明清时期，钟氏家族经历了由农而商，由商而仕的转变，先后考取了568名秀才、17名文武举人，有6人担任过知州和知县。直到现在，白鹭村每年都有二十多个孩子考上大学。在白鹭人心中，'积善成德'正是家族能够繁衍八百多年依然人丁兴旺、长盛不衰的奥秘之所在。虽然这个客家古村经济并不发达，但是生活在这里的人们却过得安宁而幸福。从新中国成立以来，六十多年间，村里从来没有出现过违法乱纪的事件，而这一切都得益于钟氏先人留下的家规祖训。"

哈南村

甘肃哈南村的故事读得人泪眼婆娑。这是一个把"忠"自觉化的村落，忠于国家，忠于单位，忠于自然，忠于内心。

战时，他们把忠用于卫国；和时，他们把忠移于建设。

据《哈南朱氏族谱》记载，明初时，朱氏祖先立下赫赫战功，家族中不断涌现出忠君爱国的将领。从那时起，朱氏后人便把"忠勇传家"作为家规祖训写进了族谱。在历史上，朱氏一族先后有11人为国捐躯，从军报国也就成为哈南村的传统。每当外敌入侵的时候，"母送儿，妻送郎，父子争相上战场"这一催人泪下的场面，就会在这个小村庄里出现。

汶川地震后，哈南村成为重建速度最快的村落，就是因为忠字效应。

清代嘉庆年间，一位名叫郭京佐的哈南村人，在陕西任教育官员。为官期间，他尽心尽责，功绩卓著，受到当地官员与民众的敬佩。嘉庆皇帝为表彰他的功绩，颁旨嘉奖了他的父母。郭母宛氏从小就教育郭京佐要把对父母的孝顺化作对国家的忠诚。

从中，我们看到，祖先倡导什么，儿孙就做什么。这让哈南村古代忠臣辈出，解放后至今有51人参军。尤其让人感动的是，他们选择最艰苦的地方去从军，选择最艰苦的地方去建设。回到村上，他们又用守卫边疆的精神守卫环境。有人砍一树，会被投河。劲用不完，他们就到村后植树，带动村人一起植树十多万株。

现在，古老村庄夜不闭户、路不拾遗，邻里之间待人真诚。每天闲暇时分，村民都爱到城楼下休息，交心谈天，共同享受恬静的乡村生活。

军人保卫的，不正是这种诗意吗？

苍坡村

　　浙江温州苍坡村的故事是乡愁工程中的难得之作。难在捕捉到了中华孝道系统中的关键所在——悌道。尽孝难，行悌更难。但苍坡人知难而上，化难为易，化难为美，为我们留下了比传说还精彩的佳话。李氏家族七世祖李秋山、李嘉木的故事，荡气回肠，感人至深。"在苍坡李氏传到第七代时，七世祖李秋山和弟弟李嘉木各自成家立业，分家单过。分家之后，哥哥李秋山去了村对面重新开基立业，从此有了方巷村。为了表示对兄长的尊敬，每年祭祖前，苍坡李氏都要先去方巷村恭请兄长的后代，拜祭了兄长的祠堂之后，才一起回到苍坡"。

　　建于南宋的望兄亭、接季阁，已经不仅仅是两个亭阁，而是一种相守相望、永不分离的象征。那种兄弟相送，依依不舍，在当今社会，恋人之间，也不一定能够做到。

　　"苍坡村的东南角有一亭名为'望兄亭'，与方巷村村口的'接季阁'遥遥相对。根据《李氏族谱》记载，李秋山作为家中长子，分家时，本来最有资格留在祖居，但他却让弟弟李嘉木留在苍坡老屋，自己则迁出苍坡从头开始。家虽分，心相连，情深意重的兄弟俩白天干完农活，夜里总要相聚谈心，刮风下雨，天天照样。可那时自然条件艰苦，两村之间常有野兽出没，兄弟俩长谈到深夜，都不放心对方独自回家。因此分别时，哥哥坚持把弟弟送回苍坡，弟弟又陪哥哥返回方巷。互相送来送去，天就亮了。苍坡村现在还流传着一句俚语，'李郎送李郎，一夜送到大天光'。后来兄弟俩觉得每晚这样送来送去实在不是好办法。他们商量决定，各自在村里造一座亭阁：阁朝北，亭朝南，这就是苍坡村的望兄亭与方巷村的接季阁。每当深夜叙旧惜别之后，兄弟俩平安到达自己村舍，就在亭阁高处挂上灯笼，以报平安；对方也挂上灯笼，以示放心"。

兄弟二人，把悌道表现到极致。在古人心中，"悌"始于兄弟，终于天地。在整体论者看来，万物一体，因悌归孝，因孝归道，因道有心，有心有爱，因爱有情，因情有动，因动生福。

从伦理学意义上讲，兄弟睦，才能家庭和，家庭和，自然邻里和，邻里和，自然社会和，社会和，又为家族发展提供了人气。

事实上，悌的原始意义是兄对弟的姿态，即兄"心"中有"弟"。苍坡村的故事，更多程度上体现了它的原始意义，它强调弟恭，更强调兄友，最终要成就手足情。这种手足情，在兄弟分家上体现得淋漓尽致。古往今来，兄弟分家因财产分割等问题往往闹得不可开交。但苍坡村人，沐浴着望兄亭的月光，严守着悌道，在兄弟分家时，个个高风亮节，并且留下许多感人的故事。

李修南和李碎南兄弟，正是望兄亭接季阁精神的现代延续，至美至真。他们分家时的那种谦让，在现代社会真是鲜见。"家可以分，祖宗的招牌不能分。直到现在，两家人都始终坚持一起做素面。兄弟俩白天在地里忙农活，两妯娌就一起在家里忙做素面。每天早上4点多钟就得开始和面，考虑到弟媳带小孙子辛苦，和好面后，大嫂往往就让弟媳去休息，自己做完面，再做好早饭等着大家。兄弟之间互相友爱，妯娌之间相互体谅。看到儿子儿媳都和和气气，老太太掩饰不住地开心"。

"入则孝，出则悌"，这是孔子仁道的两个重要支柱。究其实，悌也是孝，因为兄友弟恭本身就在养父母之心。所谓"兄弟睦，孝在中"，只有兄弟同心，才能真正地养父母之心。而在古人看来，父母心就是天地心，孝父母，就是敬天地。

"入则孝，出则悌"之所以能够为家族带来生机，正因为它是天性在人性中的投影。因为"天同覆，地同载"，所以"凡是人，皆须爱"。只有"凡是人、皆须爱"，我们心中的爱才是圆的，满的。而古人认为，生命的意义，无非就是让爱圆，让爱满。因为只有让爱圆满，我们才能最终回到故乡。

悌道行至极处，就是"事诸父，如事父，事诸兄，如事兄"，就是"四海之内皆兄弟"了。

相反，失去悌道，就是失去天性。失去天性，生命的源头活水就断掉了。一个人也好，一个家族也好，一旦失去源头活水，自然就会枯萎。

从此意义上来讲，苍坡村故事的成功拍摄展播，对现实意义重大。中华民族要实现自我复兴，孝道是关键，悌道是核心。

仙居李宅村

浙江仙居李宅村的故事非常扎实、温暖、动人，让人始终穿行在温情脉脉里。这个故事对现实中国有重大启示，一定程度上为国家治理大难题——乡村空巢问题的解决提供了一个建设性样板。那就是老人食堂。这种思路之所以能够成为现实，是和宗族传统分不开的。有意思的是，食堂正好在祠堂开办。细想一下，这和保留至今的"吃合家饭"一脉相承。我们可不要小看了"吃合家饭"这件事，它让李宅村的文明程度高出人类平均水平太多。一定程度上，它就是大同社会的缩影。

李宅村长达九百多年长盛不衰，繁衍成一个总人口上万的巨大家族，逐渐拓展到周边十几里的地方，形成了附近十六个李姓村落。这是李宅祖先"济天下"胸怀的必然结果。量大福大，福大家大。这个千年古训，在李宅人身上得到充分验证。

这集故事提供的许多教育话题，令人深思。比如"十训八诫"，训为劝，诫为告。如果持身不谨不严的话，就要受到惩罚。最严重的惩罚是拘入家庙，跪在祖宗的牌位之前，笞责三十，然后在族谱上面除名，也就是驱逐出这个家族了。

身家无依可怕，灵魂无依更可怕。想想看，一个人一旦被从族谱上除名，那将是一种怎样的精神失落。一个人从此过着灵魂无着的生活，情何以堪。为此，仅仅为了让自己灵有所依，魂有所皈，人们也要修身持家。

这是慎终追远教育。

再看榜样教育：

明代嘉靖七年李一翰乡试中举，官至都察院左副都御史，负责监察工作。他为官三十年，廉洁公正，为民做事，史书中称他"一尘不滓"，至死"囊无长物"。他的事迹也被李宅人列入宗谱。这样的故事在子孙中代代相传，产生的激励作用，真是不可估量。

第十六代裔李鑺担任粮长，遇交不起粮食的，尽管自己也不很宽裕，他还是用自家的粮食帮忙代交，以免乡民受到流放的惩罚。

耄耋老人李桂鉴的身上有许多亮点。文中没有陈述他为何鳏居一生，但他的行为透露出他是一个致力于提高生命能量的智者。四十年来他始终为村人义务送邮，没有出现过漏送，足见其心之细之诚。其修身功夫，可见一斑。

李红军夫妇的故事感人至深，深在难为能为，手足情，中国心。"56岁的柯小娟三十年前嫁给李红军，没想到遇上了家中最为困难的时期。李红军的三弟李建立双目渐渐失明，患了眼盲，急需治疗的费用。屋漏偏逢连夜雨，没想到小弟李立民遭遇意外后患了手疾。一时间，两个侄女生活、学习的担子也都压在了李红军夫妇身上。为了送弟弟去杭州的大医院治病，夫妻俩到处借债，边照看弟弟，边卖早点偿还欠款。那时候，李红军夫妻俩凌晨一点就起床，准备卖早点。他们省吃俭用，辗转了好几个地方，把存下的钱都拿去给弟弟李建立看病"。尤其让人感动的是，李红军夫妇如此大行悌道，动力之一竟然是儿子的赞赏和鼓励。

古人讲，智慧的教育就两个字，为人演说。演在前，说在后。父行子看，上行下效，胜过千言万语。同样，商人李鉴华回家，带着8岁的大儿子李昱阳和刚上幼儿园的小儿子李昱田到村里捐钱捐物，为爷爷洗脚，让孩子懂得"老人脚上一颗茧，后辈儿孙一分福"。让人感慨。

仙居李宅村，名副其实。

渚口村

安徽渚口村的故事是乡愁工程中的一出难得的文戏，文在一开始就出场的"会文"活动。一个宗族，自己在祠堂主持家族"会考"，名为"会文"，这在当今中国，是希罕事，也极具启示意义。会文成绩好的，要奖励四大块猪肉，两对金花饼。看看，古人是拿猪肉配这个用场的。

这出文戏，为我们提出了一个关乎民族兴亡的重要话题，教育的价值何在？教育到底要教什么？

从大的方面来讲，正如《朱子家训》所言："读书志在圣贤，非徒科第，为国心存君国，岂计身家。"天启皇帝因为过分依恋保姆客氏，做出了违背礼法、荒废国事的事情。户部尚书兼督察院右副都御史倪思辉便犯颜上奏，列举由此产生的种种危害，劝诫皇帝以国事为重，因此被贬谪到福建。但这并未改变他直言进谏的风骨，后来他果然因为忤逆当权大太监魏忠贤被削职。

由此，我们对古代中国的监督制度有了新的认识。一个官员，可以置自己的荣华富贵于不顾，冒死进谏，这背后的心理逻辑是值得我们思考的。一个人，如果没有比荣华富贵更高级的生命追求，是不可能做到这一点的。今天，一言堂 之所以无法遏制，正是因为已经没有了这样的谏者。为什么？因为现在已经很少有人拥有超出荣华富贵之上的生命追求。这些谏官们明白，虽然自己会因谏遭贬，但他的儿孙们会因此得福，自己的生命能量也会得到提高。因为他维护了天道。倪氏家族的兴旺，证明了这一点。倪思辉不仅自己为官清正，还希望倪氏家族"常生好人，人常行好事"，并写进倪氏族谱。可见，在他心中，做官是重要，但做个好人也重要，常行好事更重要。而最大的好事，就是尽本分。他的职务先是六科给事中，就像现在的纪委官员或者媒体监督者，责任是规劝皇帝，使其不要犯错误。因为皇帝的错误会导致一个国家的错误，甚至灭亡，最终给黎民百姓带来灾难。

由此可见，古人的教育落在做人上，现代的教育落在做事上。天壤之别。难怪今天不见大师，只见名利追逐者。

从小的方面来看，教育要落在"洒扫应对进退"上。

小学生吴鳃摘了别人家的几个橘子，奶奶在教育孙子一番后，让把剩下的还回去。

"老人不上桌，你们小孩子别上桌。长辈吃完之后，让长辈不要动，然后你去把碗筷都收拾好，然后再请长辈下桌。吃菜要斯文一点，不要满碗插到，没点礼貌。"这是倪更新家里的同期声。

我们可别小看这样的细节。看上去是细行，其实对应的是一个人的心态。行为文明，一定是心里先有一个文明。为此，规范行为的目的是为了纯净心灵。倪思辉之所以能够犯颜进谏，正是要通过如此行为，提高心灵质量，超越生命层次。做官不是目的，提高生命能量才是目的。现代人通过生命能量换取权力和利益，古人恰恰相反。可谓"教子教孙须教义，积德积善胜积钱""饿死不如读死"。换句话说，苟且活还不如尽忠死。

同时，他们还明白，天下大事成于细，成于小。大处着眼，小处着手。

建国君民，教学为先。千功万业，化人第一。细究倪家三兄弟的成长和作为，让我们看到了倪氏宗族"贞一"传统的生动延续。他们不但自己"守正专一"，还要正己化人，以文化人，让"贞一教育"的火种代代相传。

年画村

四川年画村的故事自然朴素，却韵味悠远，美得就像一幅经典年画。年画和劝孝文，是本集的文眼。上行下效，代代相传，是本集的着力点。正所谓"檐前滴水无差错，孝子生孙定必贤"，王永之所以大孝，是因为他父亲王新儒本身就是大孝子。

徐世兰的事迹更加难得。

"42岁的徐世兰是姜孝祠里虔诚的香客之一，当地的孝德风尚已经深深植入她的内心。十年前，她的公公得了脑梗塞，落下偏瘫，婆婆也因风湿麻痹而失去了劳动能力，加上丈夫又常年在外打工，从繁重的农活到照顾老人，家中里里外外都靠她一个人操持"。

中国民间有"久病床前无孝子"的说法，但是在徐世兰十年来照顾公婆的生活中，她和老人从未发生过争执和摩擦。公公大小便失禁，她就每天为公公换四五次干净的衣服。在她的悉心护理下，老人从未生过褥疮。婆婆有风湿病，关节常常疼痛，徐世兰每天要给婆婆按摩，减缓她的痛苦。她用自己的行动，尽到做儿媳妇的本分。

"我想我也在变老，我在给我的孩子做个好样子，以后我的孩子孝顺我也是一样的。"她这话实在又感人。

"年画村孝德的风气，深深影响了徐世兰这样的村民。至今在年画村的一千多户家庭中，从未出现过赡养老人的民事纠纷。代代行孝的风气让年画村里的老人们老有所依，鳏寡孤独病疾者，皆有所养。如今年画村里的老人大都和子女生活在一起，在家人的陪伴和照顾下安享晚年生活"。"《绵竹县志》记载，当地的长寿老人比比皆是，有年庚高达104岁者。如今，村里六千多人之中，九旬老人多达二十余人。94岁的徐红博，现在依然还能下地劳动，他长寿的秘诀就是缘于子女的孝顺"。

这是多么美好的人间奇迹。

《说文解字》这样解释"孝"字："善事父母者。从老省，从子，子承老也。"它的上面是"老"，下面是"子"，表明"孝"是子养老，子顺老，子敬老。顺是根本，敬是关键。它也表明了生命的一种完美状态，那就是父慈子孝，亲爱相续，根深叶茂，源远流长。在五彩缤纷的年画村，画就是人，人就是画，人画一体。孝是人间第一善，也是天地第一福。一幅出自孝子手中的年画，本身就带着福气，带着和气。每天看着它，当然舒心开怀，招福纳祥。加上人人行孝，代代积善，自然五福临门。而长寿，是五福之中第一福。

大陈村

　　浙江大陈村的故事棒，棒在对广义孝的讲述。它是一个非血缘关系的女性对领养子的大爱，是积德行善，是保家卫国，是珍藏族谱祖像，是述祖德、传祖制。

　　两个母亲选得好，一个继母，一个养母，都把中国女性的伟大展示了出来。

　　一碗荷包蛋面，被赋予"见面认子"的深义，温暖又美好。汪普贤和继母间的心理障碍，正是从这一碗意味深长的"见面认子"面开始解除的。

　　柴祥根的故事读得人热泪盈眶。他一生乖舛，耕耘着亲母和养母两块孝田，个个圆满；侍奉着三位父亲，三根相连，根深叶茂。

　　汪双有藏像的故事感人至深。一个全村唯一的族谱和一幅上百年的祖宗画像被他藏着，三十年间无人知晓。它们没有在特殊岁月被毁掉，没有非凡的胆识和孝心是做不到的。

"祖宗遗像年庚悉载于谱，谱之所在即祖宗之所式凭也。"汪氏祖先是如此认识家谱的。

在这出节目中，我们看到，父母的慈爱并不等同于哺育，它还包含对子女的教育；子女的孝德也不仅是对父母的赡养，更包含养父母之心、养父亲之志、养父母之慧等诸多层面。《了凡四训》中讲的"远思扬祖宗之德，近思盖父母之愆；上思报国之恩，下思造家之福；外思济人之急，内思闲己之邪"就是古人对孝行的重点概括。

正如孔子所言："君子之事亲孝，故忠可移于君；事兄悌，故顺可移于长；居家理，故治可移于官。是以行成于内，而名立于后世矣。"一门之内，两朝一代，居然有108位为国献身的英杰，无疑是汪门扎向族人心底的孝根结出的丰硕果实。

在古人看来，积德行善也是孝，保家卫国也是孝，而且是大孝。因为积德行善是在养父母之心，养父母之志，是在"立身行道，以显父母"；保家卫国是在保祖先留下来的土地，保祖先留下来的儿孙，保祖先留下来的道德，保祖先留下来的文化，是在养祖先的慧命。

龙湖村

广东龙湖村的故事对乡愁工程有特别贡献，特别在节目抓住了传统文化的重中之重——感恩报恩、孝亲尊师。故事典型又有力。

韩山师范学院院长林伦伦说的这句话——"潮州人对自然、对一切、对我们有过恩德的所有的人都会感恩戴德，我们的一口井我们有井神，我们叫井公井妈，我们小孩睡的床我们有床神，也要对它进行祭祀"无比重要，是节目的纲。

黄作雨，这个明末清初的商人，值得大书特书。他竟然能够在礼教风盛的当年，为庶母建祠，开当地女性入祠先河，这该需要怎样的勇气和胆识。没有强大的感恩心做支撑是不可能做到的。

黄立武孝敬岳父黄仲慈的事迹，刘潮鹏照顾邻居刘克中的故事，可谓感天动地！二者都没有血缘关系，纯粹是出于感恩天性和爱心自觉。

给村里做了无数好事的慈善家李惠智给儿子讲的话，道出了龙湖人的生命境界："我们自己做好事出来，不能够图别人回报，但是别人哪怕是一点点，我们都要想办法回报。"

尤其难得的是，摄制组捕捉到了"在龙湖的历史上，有一位教书先生，曾经在这里教授过 8 名学生，由此引发了学生以及他们的后代子孙在之后的近四百年时间里，对老师连年不断的拜祭供奉"这样的故事，并且进行了细节性展示。这可是不得了的贡献。孝亲尊师，这是人类价值观中的核心所在。

濯水村

重庆濯水村的故事感人得很。小梅超市里往出卖东西，往进藏信用。这个账本，是中国最美丽的账本。李泽江手里有一本账，心里更有一本账，那就是天地间还有一本账，没有谁赖得了，也就是天地良心账。汪氏八句家训美，美在作者大智慧。"尔若不信人亦诈，相率为伪穰后人"。懂得这个秘密的先人，他的后人不发才怪呢。汪家当年能够发行可以作为钱用的"找补券"，可见信誉之盛。龚明理每年至少要用三个月时间给过往穷人煮粥吃，真是明理，不明理做不到。"人参杀人无过，大黄救人无功"。名医龚植光，让植物真正有了光荣。

这也是传媒人的光荣，拍出这样的节目，功德无量。正如那棵救命树，这样的节目，也能于金洪商流中救人的命。看到它的人，得救了。

布苏村

云南布苏村的故事不好拍，因为香格里拉太著名。但是《记住乡愁》的编导们却成功地做出一期节目，做得温暖、灿烂、吉祥又美丽，旁白美丽得就像香格里拉。

"甚至没有一丝微风，气温已经上升到 8 摄氏度，天空碧蓝，雪后的汤满村安静得像是一场梦境。汤满村坐落在距离香格里拉县城 40 公里外的山谷间，平均海拔 2800 米，分为汤堆上、汤堆中、汤满、布苏等十三个村民小组。379 户人家依山而居分散在不同的村寨里。人们种植玉米、小麦，也养殖少量的牦牛。村里的主要居民是藏族，散落在山坡上的藏式民居在阳光下闪着米色的光。达达孙诺老人来到村口的白塔下，这三座生石灰粉刷的雪白砖塔是村里人信仰得以安放的地方。这位 71 岁的藏族老人几乎每天都会来这里。但是现在，他手里拿着的松枝、身上略显正式的衣裳，似乎预示着有什么事情要在今天发生"。

"雪后的松枝不够干爽，袅袅升起的烟雾浓密得像是一条通往天空的路径，达达孙诺所做的这个仪式叫做煨桑，煨桑就是松柏枝焚起的烟雾，是藏族祭天地诸神的仪式。在藏族地区，几乎每家每户都备有桑炉。据说在煨桑的过程中产生的烟雾，不仅使凡人有舒适感，山神也会十分高兴。因而当地人以此作为一种祈福的方式，希望山神会降福于敬奉他的人们。老人们围绕着白塔一圈圈地走着，指尖捻过珠子，口中念念有词。达达孙诺今天是要为他的孙女知诗追玛祈福。这个22岁的女孩子今天就要出嫁了，三代人之间相隔着整整半个世纪的时光。老人期盼着自己的祝福能穿越时间的壁垒，完整而圆满地降临在孙女的身上"。

这样的情景，足以让人陶醉。

"随着黑颈鹤的到来，一年即将过去了。汤满村布苏村民小组16户人家选出的代表聚集在村子下面的白塔旁。这是一片海拔2600米、面朝东方的山坡。这铺满山坡的一万多亩高山松是全体村民的生存依赖，每年每户人家砍伐树木的数量是有限制的。在这里，没有人敢超越底线。扎西即将带领大家进行每年一度的诚信誓言"。

对于外人而言，这似乎是一场表演。而对于全体布苏村民来说则是一次生命的盛大契约，是个体生命对整体生命的契约，更是一次心灵的特别的连根养根仪式，是儒家"诚者，天之道也，思诚者，人之道也"的藏地表达。因为诚，我们的心有根；因为信，我们的心有枝；因为诚信，我们的生命枝繁叶茂。

夕阳就要坠入西边的山谷，村民们跳起尼西情舞，展示着藏民族奔放豪迈、珍爱生命、热爱生活的独特个性。不同年龄的人们在这片山坡上跳跃、踏步、舒展身肢，放飞梦想，活泼而又神圣，灿烂而又庄严。心者貌之表，行者心之表。

这活泼、这灿烂的背后，是他们心灵的轻松与安宁。而心灵的轻松和安宁，正是诚信之根开出的美丽的生命之花。安宁是福，诚信是福。布苏人不愿意独享这种洪福，他们还要通过他们手足间散发出来的生命芬芳，把他变成祝福，对一切人，一切物，一切生命。

芒景村

　　云南芒景村的故事稀罕，正如布朗族一样稀罕。细想，这个民族存在在大地上，也许都不是为了生活，而是为了表演。为了这个表演，他们等了一千八百年，终于等来这个乡愁团队。换句话说，此曲只应天上有。放在人间，多少有些让人不敢相信。但是这却是以真实为生命的新闻人拍出来的事实：

　　一位被抛弃的女性，不但为死去的前夫举办体面的葬礼，还替他还清 11 万元债务。"女江安静地看着眼前的这些期待拿到欠款的人们。这个靠着自己一双手勤勉持家的女人默默接受了这 11 万元债务。前夫活着时给予她的所有伤害已经随着坟墓关闭的那一瞬间了结。两人相爱时的那些情意支撑着这个女人，她尽自己的所能让这男人还能保有最后的一丝体面和尊严"。

　　两个刚刚动过拳头的人，会在一泡茶中迅速和解。"在这里，暴力的力量不抵一杯清茶的香气，和解的力量是划过两个人喉咙的那一口香茶"。

一家人在某地生存，首先要在那里栽一棵树，向大地求得生存权。"按照布朗人的传统，布朗人不论建寨还是建寺，首先会找一棵珍贵的树栽种起来，然后再动土。这棵树就成为人们在这片土地上寻求居留的一个请求，一棵树和一个村落得以和谐共生"。

"此刻，火塘里的炭火已经温暖了这个冬日的布朗族村落，茶的香气弥漫在年轻人之间，温润平和的茶汤在每个人手中的泥碗里轻轻摇晃。如果没有这一碗茶，布朗人的人生就是不完整的。这散发着香气的植物带着它温和安静的气质深深融合进这个民族的品性。心，安静；气，平和。这是这个宁静黄昏里每一个人想要的生活……"

这种心量，这种优雅，这种美丽，在这个混浊的世俗社会，无疑是空谷足音。

凤山村

甘肃凤山村的故事希奇，希奇在它让时光倒流，为我们还原了一段古中国人间的基本生存状态。那种自足、高雅、逍遥的生活，就是祖先们的耕读生活。读书志在圣贤，非徒科第。写诗在为言志，非为功利。从地理上讲，这是离先皇伏羲最近的地方；从文脉上讲，这是离飞将军李广和诗仙李白最近的子孙。据说"蒹葭苍苍，白露为霜。所谓伊人，在水一方"这一名句就诞生在这里。

这里既有给皇帝写早朝诗的胡瓒宗，又有在田间地头自嘲自赏的胡喜成。既有文人雅集时的韶武雅颂之唱和，又有大字不识一个的白丁互相之趣对。

一块书有胡瓒宗《早朝诗》的拓版，被胡家视为传家之宝，传了五百多年，目前已经传到胡家第十三代孙胡念祖的手中。在胡氏后人看来，这不仅是珍贵的文物，更是一种诗礼传家的家族精神衣钵。胡家的诗教传统，因之代代相续。慕名上门重金求购拓版的人络绎不绝。但是，生活并不宽裕的胡念祖遵从先辈们的教诲，都一一拒绝了。"我反正是不卖的。我祖先留下的，我要把它一代代传下去。把先人的这个文化破坏了，我对不起老祖宗。"这种精神坚守，让我重新理解，中华民族为什么能够保持五千年的生命力。

"有梅无雪不精神，有雪无诗俗了人。日暮诗成天又雪，与梅并作十分春"。凤山人的物质生活十分清寒，但是他们的神情里却没有俗气、乡野之气，因为他们的心里有诗。是诗让他们"思无邪"，使他们"贫而乐"，使他们"乐而不淫，哀而不伤"，使他们发乎情而止乎礼。

从诗礼长河顺流而下的凤山人，几乎人人出口成章。即使是目不识丁的老人，也会随口吟诵一长串民间歌谣。凤山人闲时聚在一起，都喜欢听老人们说几段。通过这些已经在当地流传了上千年的民谣，我们可以体味凤山人的幽默、超然、淡定，在朴素的日常生活中追求丰富的精神享受的生命状态。

"连枷打，簸箕扬，一扬扬到磨子上，磨子个拐，箩儿托筛，擀杖叮当，切刀走马，切下的面叶子长嘎嘎，下到锅里莲花转，端给公婆看，吃了八碗半，还要呢……"这首当地流传最广的歌谣描绘了一个勤快的媳妇为公婆做面条的景象。语言朴实自然，却生动地塑造了一个孝顺的好儿媳的形象。像这样的歌谣，凤山村上了年纪的老人，张口就来。

这是我给台本添加的结尾：

沿天水而下，顺凤山而上，我们经历了时光倒流，仿佛进入先人们曾经的生存状态。这种自足、高雅、逍遥的生活，就是祖先们曾经的耕读生活。因为"读书志在圣贤，非徒科第"，因而"贫而亦乐，富而好礼"，因而"迩之事父，远之事君"，因而"金声玉振，与天地准"。

不为良相，就为良医。从凤山村人对职业的选择，可见诗教担当精神对他们的深远影响。仅旗杆巷一条街上就有三十位教师，这不能不说是一个奇迹。学医从医者也不少，任、仇、张氏家族世代为医，而且大多是悬壶济世的名医。尤其难得的是，在一个经济大潮奔涌的商化社会，一个村里，竟然涌现出二十多位省市作家协会、诗词协会会员。

医者治身，师者治心，诗者治神；医者正身，师者正心，诗者正神。三足鼎力，让凤山成为真正的凤山、永远的凤山。

勐景来村

非常喜欢云南勐景来村这出节目。它就像一篇优美的散文，给人文化上的"感染"大于人物型故事型节目的"感动"。没有惊天动地的人物，也没有感天动地的故事，全是日常生活，娓娓道来，传达的却是非同小可的"天地精神"。非常钦佩编导捕捉心灵质点的能力。

岩温海："孩子做错了事情，父母呢一方发脾气，那另一方呢一定要变成水，水把火泼熄，两口子都骂孩子是不行的。邻里之间吵架，如果甲方发脾气了，那么乙方一定要变成水，用水把火泼熄。"

记者："叔叔和阿姨你们会有矛盾吗？有矛盾你们怎么办？"

岩温海："说一两句话就完了，也没有什么事。"

记者："怎么说呢？"

岩温海："吵架说大声（这种）一两句话就完了，打打闹闹那种很少的。"

记者："你觉得这样的家庭环境对于你的成长有没有什么样的（影响）？"

小玉："没有什么压力啊。"

记者："父母以前从来都没有……在你小时候大声吵架把你吓哭过吗？"

小玉："从来没有。"

"不仅是父母长辈，傣族人对身边的每一件事物都怀着谦和的心。即便是桌子凳子这样的生活用品，平时不小心碰到了，他们也要说一声'苏玛'"。

"一般都是由条件最好的子女主动赡养老人。不限于男性，也不分长幼。老人的财产也会由赡养老人的子女继承。家庭成员间奉行和而不争的相处之道，这也是村民们几乎不发生家庭冲突的原因"。

"没有一条河流，你不能建立一个国家；没有森林和群山的山脚，你不能建起一个村寨"。

"如果他们不学傣文、不学经书的话，就容易慢慢地学坏了"。

"井水的话，傣语称为'毗崩'，也就是神仙给的一口井水。上面盖成佛塔，这是我们对井水的一种尊重"。

"在建寨子的时候，看见一棵大树，我们就绕着大树，重新建房子。这就是我们对树的一种信仰，也认为它这个树底下就有一个神灵"。

记者："现在生活变化那么大，从过去那种好像有一点颠簸到现在重回安逸了，你们的生活的这些传统有没有改变？"

岩温海："不会改变，永远都不会改变的。这些是我们老祖宗传下来的，是不能改变的。"

看着这样的解说和同期，我的心里一派春色。喜欢这个结尾：

"奉行千年的生活传统不会改变。在这里，鸟栖于树，人住于屋，人与自然平等相处，邻里之间平和相待，夫妻之间平静相守。溪水与江河滋润着家园，将温柔和顺的基因注入傣家人的血液，似水的柔情让女人更加妩媚美丽，让男人更显温厚坚强。我们即将离开，我们也将记住这个民族在热带雨林中的乡愁。"

在文中多处成功铺垫下，它水到渠成地强调了不变的传统带来的美丽和坚强。"奉行千年的生活传统不会改变"这句话里有秘密。当代人苦，正是因为当代人总在标新立异，时间久了，就把根丢了。把根丢了，漂泊感就来了。漂泊感一来，焦虑就产生了，抑郁就产生了，纠葛就产生了，战争就发生了。

秀水村

广西秀水村的故事是乡愁工程中的精品。精在文笔优雅精准，几近完美；精在选材精当，了无糟糠；精在用有限的文字表达了无限的价值。尤其是对师道尊严的阐述，非常有力。对当下中国，具有格外重要的启示意义。

师者教什么，教看破；学者学什么，学放下。

节目中的四处"放弃"，证明了秀水村的老师们在真教，学生们在真学，是真正意义上的读书，真正意义上的明理。也证明了师乃真师、理为真理。

弃官：据《毛氏族谱》记载，南宋嘉定十四年（公元1221年），曾任会稽太守的毛基辞官后回到秀水村，创建了桂东地区最早的书院——江东书院。为了让后辈多出人才，毛氏家族形成定例，为官者或是宦海沉浮，或是丁忧解甲，或是赡养父母，都要回族中书院任教。短短几年间，江东书院就以其师训严、教学精、学风盛而名噪一方。

弃婚：毛志全的伯父毛建玉，在适婚的年龄由于家境贫穷没有娶上媳妇。毛志全兄妹出生后，毛建玉看到他们一大家子负担实在太重，就把挣来的钱大都花在了培养侄子侄女成才上，而无心再去考虑个人的事情。

弃城：毛建岵，二十世纪八十年代初毕业于梧州地区师范学校。作为当时为数不多的师范类科班生，他毕业后被分配到了县城小学。然而，家乡情深的毛建岵，却主动要求回到了秀水村任教。

弃酬：今年75岁的毛凡精，在教师岗位上工作了41年。2000年退休之后，又在村里办起了老年大学。全村二百多位老人，根据自己的兴趣爱好，有的学书法，有的诵诗词。毛凡精和另外一位老人毛为民，则义务当起了老师。

当时仅有一百五十多人的秀水村，相继开设了四所书院，可谓是"满街男儿背书囊"。与秀水村读书之风日盛相伴而来的，是毛氏家族的人文蔚起、科甲蝉联。从唐朝开元到清朝光绪年间，秀水毛氏先后考取状元1人，进士26人，举人27人。其中，仅进士兄弟同科者就有7人。

在秀水毛氏第33代孙毛继堂看来，毛氏后人之所以人才辈出，与家族从制度上支持后辈读书是分不开的。族里设立功名田产，用于延师兴学，资助学子上京赶考；对于考中举人、秀才的族中子弟，划拨一定的田谷予以奖励。而取得进士以上功名者，则成为毛氏家族永久的荣耀。

毛自知，生于南宋淳熙四年（1177年），其父毛宪曾任长沙太守。在崇文重教家风的影响下，从小志向远大的毛自知发奋苦读，学业日精。南宋开禧元年，在宁宗皇帝主持的"乙丑科"殿试中，毛自知以一名策士的身份慷慨陈词，力排众议，坚决主张抗金复国，最终获得宁宗皇帝赞赏，被钦点为状元，后授为承事郎，签书镇东军节度判官。

83

26 位进士，26 个高高耸立的桅杆，曾是秀水村毛氏家族引以为荣的人文景观。而为家族带来最大荣耀的状元毛自知，他的功名和事迹更是被后人以各种形式铭记和传扬。

每年农历九月初八，毛氏祖先诞辰的这一天，秀水村都要举行一年中最盛大的活动——状元游。这一天，是毛氏家族倍感荣耀的日子，也是毛氏后人心中最神圣的日子。鼓乐齐鸣，龙腾狮舞，家族长者以隆重的礼仪请出"状元公"，在全村男女老少的簇拥下，绕着 12 个门楼巡游一圈。所到之处，人们自发地摆上供品，表达他们对先祖的缅怀、对状元的敬仰。

崇尚读书的家风孕育了秀水村源远流长的文脉，也带来了毛氏家族的绵延昌盛。如今，秀水村毛氏家族已繁衍至 39 代，后裔达三万多人，现居秀水的有两千五百余人。据不完全统计，自 1977 年恢复高考制度以来，秀水村考上大学的就有 253 人。其中，硕士 5 人，博士 3 人。

作为秀水村任教时间最长的老师，毛凡精在村里还享受着一项特殊的待遇。无论哪家有 70 岁以上的老人过寿，都会邀请他参加。

对读书的重视、对教师的尊崇，不仅让秀水村人才辈出，同时也影响着毛氏族人。他们把教书育人看成一种莫大的荣耀。在秀水村走出的 253 名大学生中，有 53 人选择了师范类院校。

荻港村

浙江荻港村的故事如荻之美。"一元茶馆""积川私塾""农民公园"这三个叙事点选得好，就像一元茶，那么朴素，却又那么味道悠远，让人品不够。这里面，有一种长劲儿，长得就像岁月；这里面，有一种韧劲儿，韧得就像光阴。

这是一片神奇的土地，人性的美丽在这里得以恢复。曾经让我们集体诅咒的金兵官员，在荻港却每月要享受两次香火，其情其景，让人深思，让人感动。

茶馆，这是中国大地上多么普通的存在。但是荻港村的茶馆却成为一个真情港口，为之，它百年，它永远。孔子说："君子怀德，小人怀土，君子怀刑，小人怀惠。"在掌柜潘平福心目中，聚华园已经不是一个茶馆，而是一个"聚华"的所在。这"华"当然是人性之真，人情之善，人格之美，是一个人离开这个世界时能带走的东西。古人把它叫福报，今人把它叫能量。

既然是福报，自然就有回报。

果然，看着物价上涨，房租上涨，大家就主动要求潘平福涨价。2013 年，在茶客们的一再要求下，潘平福将茶费涨到了一元钱一杯，结束了多少年来五毛钱一杯的历史。

这是中国大地上最美丽的"涨价"。

"善为至宝一生用之不尽，心作良田百世耕耘有余。"

千百年来，这幅对联一直悬挂于总管堂前，也悬挂在荻港人心中。

章吴两家齐心协力修路的故事，礼耕堂的故事，都无比感人。

礼耕堂，建造于清代乾隆年间，是荻港吴氏子孙吴元菊的故居。吴元菊靠经商致富，因为乐善好施，被百姓称为"活财神"。

"存善心者家里宁，为善事者子孙兴"。在吴元菊看来，吴氏一族之所以能够繁荣兴盛，得益于先祖行善积德。因此他一直恪守"积善"的祖训，与人为善，乐善好施。在建造礼耕堂时，吴元菊还将"积善长春"四个字雕刻于门墙之上，时刻提醒吴氏子孙，心存善念，多行善举。

吴氏如此，荻港各姓无不如此。荻港村23座古桥，32个堂，20里石板路大都是由荻港的几大家族共同捐资建造的。它们就像一部部无字功德榜一样，让我们阅读古人的心量、古人活着的意义。

齐心向善，当然离不开齐心劝善。

章芩是积川私塾的首任教席。据《章氏族谱》记载，清代乾隆年间，章芩考中举人，选为福建大田知县，但他辞官不做，回乡担任了积川私塾首任教席。在章芩看来，家族教育比个人的功名利禄更为重要。他不仅亲授课文，也请名家、名师为子弟讲解经史子集，让族人子弟立品敦行。仅明清两代，积川私塾走出了五十多位进士，一百多名太学生、贡生、举人，在历史上被传为佳话。

喜欢这个结尾：

"和往年一样，今天，获港小学在积川私塾举行隆重的开蒙仪式。第一课是由德高望重的老师教学生们用毛笔书写'人'字。如何把'人'字写好，是获港村世世代代的教育大纲。而要把'人'字写好，关键的关键，就是教孩子们齐心向善，齐心向美，最终齐心向真。"

吞达村

相对于众多被痛苦笼罩的城市和村落来说，坐落在西藏自治区中南部的吞达村无疑已经是天堂。而建造这个天堂的材料，则是感恩和敬畏。

看看编导们为我们挖掘出来的天堂秩序：

"打水之前先敬天、地、神，这种传统在吞达村延续了上千年。如果人污染或者浪费了水资源，就被认为是对水神的亵渎，将会受到惩罚。""在普布次仁的儿时记忆里，每次吃饭前，长辈们都会念诵感恩词。""浪费粮食如同浪费生命。""在藏族传统文化中，人们赖以生存的高山、湖泊、河水往往被赋予神圣的含义。神圣之地赐予他们生活的来源，也让他们从内心深处感谢自然丰厚的馈赠。""奶的精华是酥油，心的精华是感恩。"

在吞达村，这些世代流传着的老话，告诉我们，当一个人怀有感恩报恩之心时，就能远离贪婪、嫉妒、仇恨、抱怨，感受到祥和、自在、安宁、幸福，因为感恩生吉祥。只有通过感恩，个体生命才能获得整体生命的源头活水，才能获得来自本源的生命力量补给。"感"的会意是"心动"，"恩"的会意是"爱心"的"承上启下"。"感"与"恩"合之，即为本源力的传递链，它是一种生机性力量的保障秩序。

"在感谢天地万物的同时，吞达村人还特别感谢从这里走出的圣哲吞弥·桑布扎，他是松赞干布时期的重要大臣。相传，当时吞弥·桑布扎的家乡爆发了瘟疫。村民们用尽了防疫驱疫的方法，却没有效果。有一天夜里，吞弥·桑布扎梦见释迦牟尼佛把山上发光的几味草药点燃，产生熏雾，救了大家。醒来后，他依此把这几种草药混合后点燃，香气弥散到的地方，瘟疫果然渐渐退去。为了让人们从此远离疾病，他研制了水磨藏香，方便大家使用和携带。神奇的藏香救人性命、驱走瘟疫的故事在吞达村世代流传。人们感激吞弥·桑布扎发明的藏香制作技艺，把他奉为神明，虔诚地供奉在经堂和心中。吞弥·桑布扎的故居，也被村民们视为珍宝，一直有专人守护着。尽管过去了一千三百多年，古老的石头建筑依然完好无损。平措是经堂的守护人，他的家族世世代代都守护在这里。两年前，平措的爷爷去世时，仍不断叮嘱平措，一定要守护好吞弥·桑布扎留下的每一件物品。如今，村里家家户户都供奉着吞弥·桑布扎的画像。每逢节日，无论男女老少，都会到经堂里祭拜，用这种最虔诚的方式，感念先人的恩德"。

如此持久浓重的感恩之心、报恩之行，如果不是来自权威媒体的采编，有谁能够相信？

通过经堂守护人平措的讲述，我们知道，在吞达人心中，没有比护持正法更重要的事情。因为大地上没有了正法，就像天空没有了日月。

吞达人知道，隔着千年时光，报答先祖的唯一方式，就是传承祖艺。

"碾磨藏香原料的水磨在吞巴河边吱呀转动，清澈见底的河水缓缓而过。令人称奇的是，吞巴河里竟然没有一条鱼。这不仅避免了水磨伤害鱼类，也使敬佛祭祀的藏香在制作过程中积聚了福德。在藏族同胞的心中，这条河是神圣的'不杀生之水'。形成这一现象的原因，来自吞弥·桑布扎的一个美丽传说。相传有一次，木制的水车在磨制藏香的原料时绞死了河中的鱼，吞弥·桑布扎十分痛心。为避免水车会再次伤及水中生灵，他在吞巴河与雅鲁藏布江的交汇处立了一块石碑，上面用古藏文写着'江中鱼不得入此河'。从此，这条河中就再也没有任何鱼类出现了"。

据吞巴乡人大主席米玛讲："有村民在咒碑的前后看到过，在咒碑的前面有鱼在游动，但是咒碑的后面就看不到鱼了。有专家来鉴定过，这个水跟普通的水没有什么两样。这个水是雪山融水，同样一个雪山上流下来了两条河流，一条是我们吞巴这个河水，另一条是续迈乡续迈的河水。续迈河水里面是能看到鱼的，而我们吞巴河水里面看不到鱼。"

遵守着不妄加杀生的信念，吞达村里的人们，即使在农田耕作时也没有灭虫的习惯。但神奇的是，这里却从未发生过大规模虫害。在每次耕种前，人们会给耕地的牦牛挂上五彩带，系上铃铛，让铃声提醒土地里的小生物们离开，避免伤害它们。在他们看来，任何一个生命，哪怕再微小，也有灵性，也有尽享天年的权利，人类不可随意伤害。

"不管是什么生物，村里人都不会故意去伤害它。村民都不喜欢杀害生命。如果有一两个人做了那样的事，那个人就会被村民孤立，没有人与他为伴。"村民欧珠如是说。

"要懂得感恩，知恩图报。我们常说，当你身处异乡时别人送你一杯水，回到家乡后要用热茶回报他。"村民旺扎如是说。

河湾村

重庆河湾村的故事有一种春风化雨般的力量。这种力量，不是通过惊天动地的大事，而是通过生活礼节，通过仪式，通过风俗的暗示来完成。

心理学告诉我们，暗示本身就是能量。

河湾村的文化从一定意义上说，就是暗示的文化。和睦树就是一个永远的暗示。在树下祈福，更是强化了的暗示。送金龟、对山歌的爱情表白，是婚姻的列车行驶之前就进行的暗示。山歌和快板自不必说。

"在村里，有见识有文化的老人享有极高的威望，村里有大事，后辈们做决定之前，一定要登门向老人们征求意见。而老人们指点后辈的方法也很奇特，往往以一首山歌或者快板来表达态度"。比如："各位朋友听我说，河湾山寨样样和，人和家和物和邻里和，和睦闻名酉水河。祖辈流传代代说，万事要兴靠家和，和事三分当钱使，寨和老少才快活。山也清，水也蓝，人要保护大自然，人与自然和谐处，子孙幸福万代长万代长。"

这是暗示。

"这个土家的棒棒烟杆，它不仅是来抽烟，而且代表了一种资历。如果我们邻里，我们寨上，谁家人夫妻间吵嘴，邻里不和，我有时去的时候就带着烟杆去调解。有时候我没法去，看见我的烟杆去了，两家自然就不吵架了，从此就和睦了。为什么呢？因为我在寨上代表了一种资历，代表我们老年人在这个山寨让大家和睦相处的一种形式。"

这也是暗示，是一种意象化、权威化的道具带给人们的心理疏导。这让我们明白，为什么中国人那么重视贴对联，挂年画，耍社火，打脸谱，包括各种祝福仪轨。

"每逢特定的节日，河湾村都要举行隆重的摆手舞，在每次跳舞之前，一段以"和"为内容的祭祀词，要由族内德高望重的老人宣读出来：土家摆手舞，我先祖独传，特色风韵，源远流长，土家世代，代代相传，保佑子孙兴旺发达，家和人和物和邻居和，人与自然和，风调雨顺，五谷丰登，土家儿女欢歌起舞"。

这同样是暗示。

文化本身就是一种暗示。为此，我们就能体味当前国家匡正文化风气的良苦用心。

暗示是有现实效果的——

"曾经外出打工的河湾青年，如今越来越多回到了故乡的怀抱。白孝双就是其中之一。作为土生土长的河湾人，白孝双十六岁时外出打工，学了一手好厨艺，也曾经在城里的大酒店做到了主厨。两年前，他和妻子回到了河湾村，在家乡开了一家农家乐饭店。返乡创业的他，收入远远比不上在城里工作。但这对于白孝双来说并不重要，他更看重的是全家的团圆。如今，父母都已经八十多岁高龄，白孝双希望自己能多陪陪父母。每天，他都会下厨，为家人做一桌好菜。看着全家其乐融融，他觉得这是挣再多的钱也换不来的幸福"。

"白友林和妻子田敏在村里经营着一家农家旅店。两年前，旅店即将动工的时候，白友林得知邻居也有盖新房的打算，就主动把自家的地基向后移了两米"。

"河湾山寨近三百年间，没有离婚这两个字"。

不但人和，万物皆和。

"在河湾村，半农半渔的生活方式延续至今。按照村里的规矩，捕鱼只能捕两斤以上大鱼，再艰苦的年月，也要把小鱼放归河流"。

正如清华大学教授彭林所说："我们经常讲天人合一，这个境界是很厉害的。天和人、自然和人类是一个整体。这个整体中，人和万物是共存共荣的。这个理念古人很早就有了。那么为什么他有这个文化自觉呢？是他对天人关系很透彻的一种认识。我们活也得让它活，它们活我们才能活得更好。所以我们有责任要保护它们。"

《周易》讲："乾道变化，各正性命，保和太和，乃利贞。首出庶物，万国咸宁。"在河湾村，我们看到了这种"利"和"贞"，也看到了"咸宁"。思想决定行为，行为形成习惯，习惯形成性格，性格决定命运。所以一个人的思想决定了他的命运，一个村的思想决定了一村人的命运。这就是文化意义上的"首出庶物"。

斯宅村

浙江斯宅村的故事是乡愁工程中非常具有深度的一出节目，对破解当下中国养老难题，具有建设性启示意义。斯宅村的例子给我们提供了一个思路：在一个村子里面，或者在一个社群里面，大家互相照顾。而要这样做，一定要有一种理念——"老吾老以及人之老"。把你的父母当成我的父母，你不在我帮你，我不在你帮我。这样博爱才会变成一种社会现实，并不光是书本上的。

斯宅村老年协会除了经常举办丰富多彩的文娱活动，还设有一个专门的老年服务中心，为村里的老人提供托管、医疗，乃至法律援助等服务。因为有"老吾老以及人之老"的传统，在斯宅村，有的七八十岁的老人子女在外地工作，自己居住在村中。这些老人大多生活能够自理，如果有任何困难，左邻右舍都会主动帮忙。人们照顾、孝敬的不仅仅是自己家的父母长辈，还有远近亲族和村里所有的老人。在这样的氛围中，斯宅村的老人大多长寿，金婚夫妇就有三十多对。

如果我们把这视为果实，根是什么呢？根就是"斯盛居"传统。"斯盛居"人称"千柱屋"，整栋房屋有一千根柱子，占地六千多平方米，由十个四合院组成。院落之间紧密相连，房屋雕梁画栋，门廊比连开合，被称作"江南巨宅"，是江南最大的民居建筑。居住在老台门里的数十户人家，都有亲密的血缘关系，都源自同一位祖先。深厚的孝亲家风使台门子孙们世代聚居在同一个屋檐下。千柱屋门前的匾额上，是宋代著名书法家米芾书写的"于斯为盛"。这四个大字寄托了主人希望家族繁盛的心愿，又巧妙地把自己的姓氏镶嵌进去。

虽然《百家姓》里并没有"斯"姓，但斯姓人却以拥有此姓为荣，因为它是一千多年前先祖用大孝心换来的。三国时代，东吴孙权手下有一位名叫史伟的廷尉。有一次他在巡视监狱时发现许多犯人的刑罚过重，便将他们释放，此举受到弹劾。孙权听到之后大怒，擅自释放犯人该当死罪。史伟的两个儿子闻讯后，联名泣血上书，愿意为父代死。孙权被他们的孝举感动，赦免了史伟的死罪，但令其改姓为斯，并赐其幼子斯敦为"孝义郎"。

斯氏家族后来辗转迁徙，在诸暨的斯宅村定居下来。从清代光绪年间重修的碑记中我们得知，这个村落一直沿用东吴时期孙权所赐的"斯孝乡"的名称。一千多年来，斯氏家族崇尚孝道之风代代相传。

斯才英这个人物是乡愁人物中的一抹亮色。她是那么辛劳，但又是那么快乐，是真行孝让她真快乐，是真快乐让她真行孝。"斯才英的母亲患老年痴呆症多年，最近一年不仅生活完全不能自理，而且几乎不能与人交流。我们在老人的房间里看到，老人的衣物被褥都干净整洁，房间里闻不到一点儿异味"。"斯才英为婆婆找来治病的野芋艿由一株小苗长成了庭院里的一道风景，野芋艿的故事也成为邻里传颂的佳话，然而她自己觉得这都是理所当然的分内事"。常言道，久病床前无孝子，斯才英每天要侍候八十多岁的妈妈、一百多岁的婆婆，难度可想而知，但我们没有从她的脸上看到一丝一毫的抱怨和厌烦。这让我们想起《礼记》中所讲："孝子之有深爱者，必有和气；有和气者，必有愉色；有愉色者，必有婉容。"

开皮鞋厂的斯宏，能够为全村三百多位老人捐献皮鞋，这让父母脸上多有光彩啊。可谓"立身行道，扬名于后世，以显父母，孝之终也"。可是，提起如何教育孩子孝敬老人，他的父亲斯善孝却表示自己从未教孩子孝顺，而是说："我的老婆就很孝顺的，前几年很困难的时候，我的父亲棉袄很破了，她就到山上采东西去卖，说这点钱谁都不能用，一定要给我父亲做一件棉袄。长辈尊重了孝顺了，小辈看在眼里，他自然而然就会孝顺的。我也没有教，孝顺这些事情教也教不出来的。"

显然，斯善孝行的是不言之教。

本出节目还挖掘到孝道的另一层内涵，那就是祝福性行孝。比如捐款百万为村小学捐赠教学楼并设立奖学金的大孝子，以其父的名字设奖。儿孙行善举，却把功德归在祖先名下。斯宅村自古就有这样的传统，这源于斯宅村人对于祝福的独到理解。他们认为真正的祝福只有通过真金白银的奉献才能达成，而把自己奉献获得的功德转让给亲人，是一种生命力的转移支付。在斯宅村人看来，这种转移支付是可靠的，实在的，它们会变成父母的长寿、康宁、善终。就这样，把孝心变成祝福。这是斯宅村人对于孝道的延伸和拓展。

位于斯宅村口的华国公别墅，是一座家庙学塾混合院落。斯华国酷爱读书，一直想建家塾，培育人才，然而他在有生之年没有完成这个心愿。斯华国去世之后，他的儿子、孙子为他建造了这所学塾，命名为"华国公别墅"。这是典型的养父母之志，是《弟子规》中所讲："事死者，如事生。"

"二十多年间，每年高考填报志愿的时候，这座小院里就会热闹非凡。村里的考生和家长在这里，请斯章梅帮他们仔细规划一个个学子的前途和方向。如今村里每年有二三十人考上大学，斯章梅看见族中子弟成才，非常欣慰。与此同时，斯章梅近年来一直主持重修斯氏族谱的工作。他希望在有生之年看到族谱编撰完成，以告慰祖先，斯氏血脉依旧绵延繁盛"。

浙江大学教授斯章梅每年回家帮助高考学子填志愿、并主持修志的故事，让我们看到什么是真正的"大学"。

杨柳青

年画是重要的中国符号，是最美丽的中国表情，是中国人美术化了的祝福，它对生命具有极强的暗示作用。心理学已经证明，暗示能产生巨大的生命能量。如果说命运是电影，年画就是一张张底片。吉祥的底片投射到生命的银屏上，肯定是吉祥。中华民族之所以能够保持持久的生命力，是和祖先们善用这些高能量的生命底片分不开的。

中华民族一直倡导文化传媒上的"思无邪"，正是这个道理；中华民族特别强调"非礼勿视"，也是这个道理。因为视、听、思会形成人们的潜意识，而潜意识，正是生命的底片。无疑，年画的内容是"礼"，是"无邪"。因此，中华民族的杨柳常青；因此，中华民族的桃花常开。

杨柳青年画，产生于明代崇祯年间。经过数百年的传承与积淀，杨柳青年画以其精美的做工、独具特色的工艺，与苏州桃花坞年画并称"南桃北柳"，成为中国传统木版年画最为著名的一宗。

杨柳青镇地处京畿，南依京杭大运河，清朝时被称作"小苏杭"。便利的交通，繁荣的市场，为杨柳青年画的发展带来了巨大的商机。杨柳青年画全盛时期，杨柳青镇连同附近乡村，"家家会点染，户户善丹青"。据说，当年仅戴廉增画店一年生产的成品就有百万幅之多。

杨柳青年画以其丰富的内容，刻绘结合的特色手法，被认为是中国民间木版年画之首。既是历史进程中的活化石，也是历史时代风貌的百科全书，更是中华民族集体无意识的形象化集约。一定意义上，它就是中国的表情。

杨柳青年画既贴近生活、喜庆吉祥、生动有趣，又价格便宜，较其他艺术形式更容易走进寻常百姓家，可以说是最为普及的艺术形式，也是最直接的祝福载体。

代表百姓心中美好的祈盼，是杨柳青年画最基本的特性。《莲年有鱼》是杨柳青年画的代表作。莲花寓意连续不断，鲤鱼寓意富余，至今仍被大家所喜爱。

在数以万计的题材中，杨柳青年画还拥有着更加深远的教育意义。比如《九九消寒图》，以"佳人"的口吻，劝夫君勿荒废学业，争取功名，光宗耀祖；《二十四孝图》劝谕子孙孝顺父母。杨柳青年画用最直观的方法，通过画中的故事宣扬着忠孝节义等中华传统美德。

非遗传人霍庆顺、霍庆有的事迹至为感人，一个"偷艺"，一个"存艺"。

十年前，霍庆有将自己的家改造成为家庭博物馆，大大小小的年画，挂满了家中的每一个角落。其中最为珍贵的，是霍庆有花费了三十多年的时间收集的大量古版。三十多年来，为了收集画版，霍庆有跑遍了杨柳青周边，甚至到全国各地的古玩市场收画版。他说："饭不吃可以，觉不睡也可以，只要我发现有年画，不管它有多远，不管天气多么恶劣，都要到那个地方去看一看。"每次去收版，霍庆有都会带上儿子霍树林，他希望这位霍家第七代传承人能够更多地见识杨柳青年画的博大精深。三十多年来，为了收集老画版，霍庆友用尽了所有的积蓄。

霍庆有说，他之所以这样干，是为了上对得起祖宗，下对得起子孙。他说他常常梦见父亲，觉得父亲的在天之灵希望他把这个传家宝传下去。

赤康村

西藏赤康村的故事强调了一个"合"字。多民族在这里融合，多民族的文化在这里融合。从松赞干布文成公主到热丹顿珠，从强巴丹达到李海容，从建筑到饮食到语言，从和平解放到和平建设，都在讲"合"。《易经》里讲："刚柔交错天文也，文明以止人文也。"天道是合，人道是和，合是生机，和是生气。和而不同，生生不息。

在平均海拔超过四千米的西藏墨竹工卡县，有一座在藏族人心目中很神圣的村庄：赤康村。和大多数藏族村落一样，赤康村也是依山傍水而建，背靠雄伟的门斋山，村前是川流不息的甲玛雄曲。据记载，早在隋朝时期，这里就有藏族的先人居住。元朝时，卫藏地区分封了十三个万户，甲玛赤康就是其中之一。在藏语中，"赤康"就是"万户"的意思，这里也因此而得名，并一直沿用至今。

在读这段文字时，我特别注意到，"赤康"之名，起于元朝，一直沿用至今。这其中，有深意。曾经有一段时间，人们以换地名为时尚。看上去是在换地名，事实上是在换人心。折射出来的是傲慢，是浮躁，是不安。赤康村开放包容，但它在开放包容的时候，没有丢掉文化的核心。这样的文化信念，必然会产生文化行为。看看阿沛·晋源，他在复旦毕业后，没有留在大都市，而是回到他的家乡，筹措几千万元，解决藏区人们的用电问题，现代化问题。到大都市学习是开放，是包容，是求变，回到家乡是坚守，是自信，是不变。

松赞干布接受了文成公主，接受了汉族文化，但并没有抛弃自己的祖先，没有抛弃祖宗的文化。事实上，一个轻易抛弃主体文化的民族，也是不会认真对待客体文化的。就像一个人他不孝敬自己的父母，要想对其他老人好，是不可能的。

自从松赞干布与文成公主联姻后，赤康村就有了藏汉通婚的传统，并世代相传。这种文化包容、民族和谐的精神也让赤康村一直保持着平和与宁静。从唐朝以来的一千多年间，这里从没有出现过战乱和纷争，村民的生活从容悠闲。

正如解说词所说："漫步在这个雪域山村，看到最多的就是笑容。从嬉戏的孩童到休闲的老人，从虔诚的朝拜者到辛勤劳作的农民，那份笑容是如此和谐、自然，而这都是赤康人吸取百家所长、借鉴各民族的文化精髓升华而成的独具特色的和谐之美。"

德胜村

四川德胜村的故事是乡愁工程中具有心灵借鉴意义的一出。整个节目充满着大丈夫气、英雄气。儿子的一只眼睛被人打瞎了，而父亲的态度却是："早不见晚见，不要去计较。它是突然发生的，又不是因为好大仇恨发生的。大家和平地解决，仇人当恩人待，免得仇上加仇。这样解决下来了，现在大家都还是和和气气的。"

更加出乎意外的是，受害者祁永兵不但原谅了好友的错误，放下了心中的仇恨，反而在农忙的时候，主动去刘家帮着刘兴华的老母亲干农活，因为刘兴华伤害了他后离家出走了。听听刘兴华母亲又怎么说："看到我在地头做，他就说我来帮你啊，该了的就了了，该化的就化了，该说的就说了，是不是？就不记仇，永远都不记仇的。"

如此，远离家乡的刘兴华听到后，怎会不感动？因此，他更加诚信做人，更加努力积攒财富。事隔两年后，他回到了家乡，不仅偿还了所有的债务，而且用自己的行动回报乡亲和他曾经伤害过的好朋友。村里修一条路，刘兴华就捐了七千多元，是村里捐款最多的人之一。在他看来，这是他对乡邻最好的回报。

这样的精神传统，肯定不是空穴来风。果然，我们看到，它和五百多年前，金川地区走出去的良美西饶坚参有关。此人一生信奉佛教，学识渊博，智慧高妙。相传，在一次主持修建庙宇的过程中，一伙强盗见香客捐献的财宝众多，便冲进寺院抢夺宝物。但他却用慈悲宽容的心来对付这些强盗，觉得这些东西如果对付他们而言更有用，就让他们拿走。这些强盗觉得良美大师和一般人不一样，又把抢劫的东西全部送回。正是良美大师的宽容之心感化了强盗，使原本一场浩劫之灾变成了劝人向善的义举。后来，良美大师参透佛法，修成正果，被尊为雍仲本教的第二佛陀。

德胜村的先祖们，把良美大师的故事口耳相传，并以他为人生榜样，教导后人。至今，村民之间有了恩怨或是纷争，都会遵循着良美大师的精神和品德，教育子孙后代要用"以德报怨"的方式来化解矛盾。

卓玛的父亲被胥家打死，两家世仇。不想后代恋爱，两家因此和好。和好的办法是两家长辈摆"龙门阵"。一壶热米酒在两个族人中传递，一笑泯恩仇。想想看，当一个人把心里的仇恨清理出去，那该是一种怎样的欢畅。

不记仇，来源于德胜人对生命真相的认识。在他们看来，

103

生命中发生的任何事情，都有前因后果。如果不从因上消除，而从果上计较，那将永远没有终了时。而要从因上消除，就要打掉任何仇恨的念头，念头的种子不存在了，果实就永远消失了，生命中就只剩下来自本体的快乐和祥和。

在中国人看来，善待他人就是善待自己，"以德报怨"不但是对别人多一份理解和宽容，还藏着更深的超越生命的智慧。在德胜人看来，人我一体，物我不分，伤害他人就是伤害自己，原谅他人就是原谅自己。并且，只有以德报怨，才能回归本体，才能从根本上解决问题。

围镇村

广东围镇村的故事是乡愁工程中非常难得的一出，除了捕捉到了人间大爱，还对解决家庭老大难问题婆媳矛盾具有重要启示意义。父子具有血缘关系，尚且多有不和，何况没有血缘关系的婆媳之间。舞被狮的故事，让人看到了围镇村先人的大智慧。这是一种洞悉人的心理秘密之后的睿智，也让我们看到了家庭磨合的难度和超越这一难度之后的美丽。

刘秀银照顾同样没有血缘关系的老人，更是感人至深。"是亲必顾，是邻必护"这句话引用在这里有一种特别打动人心的力量。刘秀银给我们演绎的，已经不是普通意义上的邻里相助，而是一种心灵美景。

本节目还向我们揭示了古代中国非常完备的三级调解体系，让我们看到儒家讲的齐家治国平天下的次第，也让我们深信齐家就是治国。正如《大学》所言："其家不可教，而能治国者，无之。"因此，我们就会明白，为什么古圣先贤都把孝作为第一德。因为孝是治家之本，而婆媳关系则是治家之关键。

而要处理好婆媳关系，舞被狮是一方面。但要解决根本问题，还得从女德入手。这当然是另外一出节目要探讨的话题。

和气致祥，乖气致异。"与人和者，谓之人乐"，"与天和者，谓之天乐"。为什么要和，因为其中有乐。这个逻辑，应该是支撑了中国和文化的核心秘密所在。

和顺村

看完云南和顺村的台本，我突然觉得，人类一旦没有故乡的概念，一切病相就要来了。现代人生活在城里，没有一个共同的地理凝聚力。房子常常在换，漂泊感就来了。漂泊感带来无根感，无根感带来焦虑。目光是断的，思想就是断的，能量就是断的。不像古人，不管走多远，心系故乡，能量是全的，长的，满的。

和顺村的故事催人泪下。编导成功地展示了一种边地力量，那是一种生存之力，也是一种传承之力，当然也是一种引导之力。

他们的教育理念可谓先进，其实恰恰是传统。

他们的儒商文化可谓先进，其实恰恰是传统。

这个传统，就是和。身心和，通过习劳；人伦和，通过互助；天人和，通过环保；家国和，通过爱国。最后结果当然是顺——各种"大王"代出，但他们不骄傲、不自大，保持着花未全开月未圆的境界，故再和再顺，良性循环。

益群中学首任校长寸树声的教育理念值得我们沉思。他主张教育与社会打成一片，教育与生活打成一片。在校是优秀的学习者，出校是优秀的生产者。他特别强调吃苦教育，把艰苦朴素、勤学爱劳作为校风。男生必须统一穿粗布衣服，短裤草鞋，冬天也不例外。如有违反，必定受罚。学生们每周都要到村寨里打扫街道，扶助乡邻。他让有钱的人家多缴学费，让贫苦人家的孩子免费上学。

让人感动的是，作为和顺的一个文化标记，和顺图书馆从萌芽、诞生直到1988年被正式纳入国家公共图书馆之前，其运作管理都是靠乡人、华侨等民间力量在支撑。和顺图书馆现有藏书八万多册，其中不乏古籍善本。由中宣部赠送的"中华再造善本""中华书库"等图书陆续藏于馆内，让这个乡村图书馆的分量变得更加厚重。

让人同样感动的是，2008 年 4 月，在离和顺图书馆直线距离不到两公里的和顺镇大庄村，从腾冲县副县长位置上退休下来的钏本蓁老人牵头在钏家祠堂办起了和顺图书馆分馆。分馆现藏图书达到一万一千多册。仅 2013 年全年就有七千四百多人次来图书馆看书，外借图书将近三千册。

钏老的家人都在县城，但他每晚都会回到村里的老宅住，这样白天就可以去村里的小学看一看孩子们。他一方面想方设法为学校多争取一些外面的帮助，另一方面格外关注孩子们的精神成长。他已经连续两年、每年自掏腰包几千元，为大庄完小毕业班的学生们出一本作文集了。

在钏老看来，教育不仅要在课堂上进行，更要在点滴生活中完成。一年多前，钏老和学校商量，筹钱买了一批火钳，交到大庄完小一百二十多个孩子手里。孩子们每天放学后，回家路上沿途捡垃圾。第二天上学时，同样如此。到学校后，孩子们先把捡来的垃圾统一送到垃圾站，再进教室上课。

正是这样的教育传统，让和顺的后生们能吃苦、能受气、会动脑筋、讲究信誉，让和顺村涌现出一批蜚声中外的棉纱大王、翡翠大王、煤油大王、矿业大王等。同样是这样的教育传统，让他们有了钱不张扬。衣锦还乡后除了修建宅院、宗祠，他们也时刻关注着国家的命运、家乡的发展，逐渐形成一个新儒商群体。李氏三兄弟创立跨国商号"永茂和"，经营玉石、百货、汇兑等生意，光在缅甸就有八个分号，成为侨商翘楚，却一不讨小纳妾，二不雇佣人，三心系国家。抗击日本侵略时捐了一架飞机，抗美援朝时又捐了一架飞机。

寸茂鸿的外曾祖父张宝廷是远近闻名的翡翠大王，生意做得很大，然而家中的祖宅却毫不起眼。原因是他觉得如果房子太好了，它的子孙们就不愿意再出门，也就是不愿意再去"走夷方"，就会贪图在家里享受了。

为了让"走夷方"的后辈学会如何在外安身立命，和顺人想出了自己的教育方法，那就是被称为清末和顺奇书的《阳温墩小引》（又称《华侨宝鉴》）。在今天的翻印本中，还能看到这样的句子："坏事处，非一件，约有八九；第一件，最坏事，柳巷花楼。倘若是，染着那，杨梅疮疚；众亲朋，定将他，逐赶下楼。"

就是这样一本小书，影响了和顺几代人。

和顺人有一个根深蒂固的观念，"富贵难传三代，书香可继百世"。即使出门做生意也不能耽误孩子读书。寸茂鸿四岁半时曾随家人到缅甸生活，在上小学的年纪时又回到和顺读书，足见和顺人对家乡教风的认同。

有意思的是，在缅甸打拼了五年的寸茂鸿，1999年又回到和顺，致力于推广家乡文化。除了号召大家建设图书馆，他还在新居的旁边建设了一个民居旅馆，希望利用手中收集来的资料和各种历史文物，把家族中几代人的经历在其中展现出来，让来到和顺的人了解这段历史，也了解和顺真正的文化意蕴。

芙蓉村

浙江芙蓉村的故事，正如它的村名一样美丽。此出节目对乡愁的独特贡献是突出了祭礼，这可谓抓住了传统的根本。中华民族近当代之所以遭受巨大苦难，有多种原因，但废止祭礼是最重要的原因之一。如果我们承认潜意识的永恒性，我们就要承认祖灵的存在，承认祖灵的存在，我们就要承认祭祀的重要。而现代科学已经证明，潜意识是永恒的，否则催眠治疗就无从说起。既然潜意识永恒，那么祖先的潜意识就永恒，祭祀就成为我们从祖灵那里获得生命能量的通道。

"吾家子弟为士者须笃志苦学以求仕进，为农商者须勤耕贸迁以成家业，即甚贫之亦宜清白自守，切不可习于下流玷坏家声"。想想看，每次，当这样的句子在庄严的祭礼中回响，留在子孙们潜意识中的，该是怎样一种人生指引。这才是真正意义上的号召，真正意义上的动员，真正意义上的鞭策。

芙蓉村的族祭特别，特别在常常在大学开榜之后进行。这里面有太多的道理，一出节目当然讲不清。它包含着告慰、感恩、激励，等等。村子里出过一名状元、二十二名进士、一百多名举人。民国时期，有十八人考上黄埔军校。

其中包括南宋著名学者、永嘉学派的代表人物陈傅良，南宋末年为国捐躯的陈虞之，抗日阵亡的陈时耕等忠臣良将，还有被后人传为佳话的"十八金带"。

历史上从芙蓉村走出的大小官员有近三百人。村民选出其中十八位作为代表，尊称他们为"十八金带"，标准却不是官位高低，而是做官期间因清廉受到过皇帝的表彰，得到过皇帝奖赏的金带。

和祭礼相辅相成，芙蓉村尤其重视婚嫁，它和祭祀、书院建设一样，也是家族传承根本中的根本。在芙蓉村的族训中有这样的规定："婚娶不得论财需择诗礼之家及察妇婿之性情纯良。"

荻浦村

浙江杭州荻浦村的故事是乡愁工程的难得作品之一。难得在捕捉到了一个好儿媳。这在当下中国具有非常强烈的榜样作用。中华民族五千年昌盛，好媳妇的功劳最大。本节目细心地梳理出，邓国香孝敬公婆，感动得儿媳申屠芳也孝敬她和老伴。这是一种非常朴素的逻辑关系，但是却被多少人忽视了，让婆媳关系紧张成为当下中国焦虑之大症。这个申屠芳，不但身孝，而且心孝，"亲所好，力为具，亲所恶，谨为去"。她懂得公公的心事，公公收集古农具，她就帮忙，公公热心，她就帮公公帮衬村人。

一个家族能够绵延四十五代，不可谓不长。这当然是和"永言孝思"的传家祖训分不开的。在这个祖训下，我们看到许多出彩人物。

比如官至户部尚书的姚夔，听母命，为舅舅家修宗庙，建戏台。

比如大孝子申屠开基。他"对父母的关怀无微不至，冬天他用自己的体温为父母捂热被窝，夏天为父母驱蚊纳凉。父亲重病时不惜行走百余里的山路，并且夜宿深山只为求医问药"。申屠开基死后，他的事迹被村里人广为流传。"历经16年，一份由获浦村全村人联名写下的孝子事迹材料经过层层核查，终于被呈递到了乾隆帝面前"。

注重以孝治国的乾隆帝被申屠开基的孝行所打动，批准获浦村兴建一座三间四柱五楼式最高规格的牌坊。乾隆帝还在牌坊上叮咛百姓，孝是百行之冠、众善之始，要让他们永言孝思、继承皇命，才能永保余庆。进出村口的人无不对获浦村的孝风肃然起敬，文官到此落轿，武官到此下马。二百多年间，孝子牌坊几经破坏，村民都不遗余力地修缮。

再比如申屠德福，因为修祖屋几乎搭上性命。不想儿子申屠忠君的孝行让他痊愈，让大夫都吃惊。可见孝行之力量。

杨家堂村

浙江杨家堂村的故事在乡愁工程中非常有个性。它既讲了医道和商道，还讲了孝道和慈道。特别让我眼睛一亮的是，古中国最受人尊敬的从业者之一，医者出场了。有人说，中华民族能够传承五千年，有多种原因，但中医功不可没。这个地球上，有多少民族，都消失在历次瘟疫之中。看了本集节目中的医道、医德、医术，我真为当下医界感到脸红。因此，这集节目，甚至可以作为医德再教育的生动教材。一个医生，早晨起来，先要巡视一圈，看到家家烟囱里都在冒烟，他才放心，否则一定要上门问讯。这是何等美丽的人间热肠。一个医生，遇到穷人，不但不收钱，还要倒贴钱。这是何等美丽的人间风景。

"这一天，宋宏堂挑着柴准备去县城卖。走到半路坐在凉亭休息，意外拣到一个包裹，摸摸里面似乎有一些银两。于是宋宏堂就坐在凉亭里等，来往的人问起来，他只是说坐在这里休息。直到一个衢州商人满面愁容地走来，一副欲哭无泪的样子。宋宏堂断定这就是丢了包裹的人，细问之后果然不出所料。衢州商人打开包裹，里面有两千两银票和部分银两，看到自己多年的积蓄完好如初，他不禁流下了眼泪。"

这集节目以这个故事开始讲述宋宏堂经商的故事，传奇又智慧。就是这样的一个缘起，让他成为失主的学徒，开始了他的生意旅程。这是多么浪漫又崇高的商道。

还有想通过动物之美唤醒人们护生意识从而保护动物的宋世和，放弃挣钱回村花钱保护老屋的宋仁鉴，回村为乡亲义医的宋珈，其人其事，都非常感人。

东风村

福建东风村的故事主题是同舟共济，名副其实。本台本文字顺畅，一如平静的海面，却又波澜壮阔。没有怎么引经据典，全凭人物同期声和解说，但非常有力量。海上生活，不像陆地，需要更大的勇气和侠肝义胆，也更需要团结的力量。其中的故事，不逊色于惊险电影。

"2013 年 8 月，正在海上捕鱼的肖成林，接到了风暴来袭的预警。他带领船员匆匆收拾好网具，准备回港避风。就在这时，突然从通话机里传来求救信号。是驾船回港避风，还是冒险救人？这个看似两难的选择，在肖成林看来却极为简单。他二话没说，顶着九级风浪赶去救援。在他看来，没有什么比人命更重要，即使是让自己处于危险之中"。

渔民中流传着一句俗语："船隔三寸板，板里是娘房，板外见阎王。"在危机四伏的海面上，人显得极为渺小。船只遇难，渔民的生命岌岌可危。等肖成林驾船赶到时，事故船只已经沉没，五个渔民在风浪中苦苦坚持。附近的三条渔船不约而同地赶来救援，这是渔民们世代默默遵守的约定。大家合力营救，五名落水渔民终于化险为夷。

1971年的一个清晨，警报声打破了渔村的宁静。一艘外国商船夜间迷失了航向，在距离葫芦澳不远的地方触礁。当时的风浪很大，渔民还驾驶着简陋的小木船。可是同舟共济的传统，让村里迅速召集到很多经验丰富的渔民，冒着生命危险出海救人。那是一艘万吨级的大船。就在他们把22名船员救出来后不久，大船沉没了。

正是这种同舟共济的精神，让外地船主愿意与他们合作。现在，从东风村走出去的船长和大副有近百人。他们每天航行在中国至世界各地的海运航道上。

钓源村

江西钓源村的故事是乡愁工程中的重头戏。重在：历史上，钓源村先后走出过九名进士，三十多位举人，二十多名五品以上的官员。这其中，有名垂青史的文忠公欧阳修。

重在：76岁的欧阳钟麟，几年如一日地给来村上旅游的人做义务导游，却谢绝一切小费、礼物、招待。在他看来，村庄的文化是属于所有村民的，他不想从中为自己谋取利益。

这句话看似简单，却有着一般人无法理解的内涵。现在，有多少人在借祖先发财，借祖先的遗产发财？讲国学课的出场费有的居然高达几十万元，不知祖先听到这样的消息，该做何感想。对照之下，欧阳钟麟的精神，就太珍贵了。

这段对话平常，却无比感人——

欧阳钟麟："我干旅游工作都十几年了，都是免费的。一天接待的人好多，中午饭根本没有时间吃，你要是让我从早上8点钟讲起，讲到晚上5点我可以不休息。"

记者："不累吗？"

欧阳钟麟："累是累啊，但精神鼓励着我。人家愿意听，我付出的有收获，有这种美好的东西，我就不感觉寂寞。我总感觉祠堂里的挂匾，祖先美好的传说，是我们欧阳氏的骄傲。我现在已经是欧氏四十二代，我是他的后代，能有他的精神真是太好了。我一定要把它继承、传扬下去。"

重在：

上世纪90年代，一棵三十多年的樟树就能卖到几万元。这对于当时年收入仅有一千多元的村民来说，是一笔不小的财富。然而，不仅村里公共樟树林里的樟树一棵也没有被卖掉，连村民自家的樟树，也没有人愿意出售。

"吃点苦也不会去卖樟树。这个就像卖子孙一样，不会去卖这个。菜园里面，田里面、岸上，都有小的樟树苗长起来。建房子都要绕过去，有樟树的地方不能挖。亲戚来到这里都说我们村庄好，热天不用电扇，蚊子也没有。他们有时候还得点蚊香，我们这里什么都不用，好舒服。"

还重在：

"欧阳家祥，就是一位从钓源村走出的节义之士。20 世纪 30 年代，在民族危亡之际，他走出家乡，参加到保家卫国的战斗中，直到新中国建立。1955 年，欧阳家祥被授予少将军衔，成为一位开国将军"。

松塘村

广东松塘村的故事是乡愁工程中的重要作品，有种荡气回肠的感人。崇文尚学、积德行善之风，在此节目中得到充分展示。

在此节目中，我还对"可怜天下父母心"有了新的理解。父母心，就是祝福心。祝福心，就是盼望儿女积福、培福、惜福，从而天长地久之心。无论是"虽无厚产堪遗后，尚有残篇可课孙"的区职修，还是"家有两斗糠，送儿上学堂"的钱洁英，包括大义工、小义工，都至为感人。最后落在"勿以恶小而为之，勿以善小而不为"上，节目完整又有力量感。

节目由为即将踏入小学的孩子们举行传统的开笔礼仪式开始。祭拜过村中最为神圣的孔圣庙，点上代表智慧的朱砂痣，村中五位德高望重的长老带领孩子们步上青云路，穿过翰林门。希望这些即将踏入校门的孩子，可以承接松塘先贤的智慧，迎接人生中最为重要的文化启蒙阶段。

村中的祖祠，是举行开笔礼仪式的重要场所。给孩子们喝上一杯益智茶，是开笔礼中最为重要的环节。喝下由谷芽和麦芽熬制而成的益智茶，寓意自此在孩子们的心田里种下了文化的种子，是沿袭了上百年的习俗。

在崇文尚学氛围的熏陶之下，仅在明清两代，松塘村就出了进士15人，翰林4人。宗祠外一块块功名碑书写着松塘科举历史的辉煌，也成为松塘村最大的荣耀之地。

区猷修区职修兄弟二人的故事引人沉思。

广州首富潘仕成的破产，让区猷修深刻体会到只有依靠文化兴家才可长久。于是他在家乡修建了培元书舍，并且设法买回了108块海山仙馆内的石碑。希望通过石碑上的文章，教育自己的子孙。

其弟区职修晚年得了一场大病，初愈之后，便寻思着传家之道。最后，请来一个画师，画了很多书，包括节目重点介绍的那幅名画———一位长者手执黄卷，一个小孩伏在他的腿上听讲。题画诗是"虽无厚产堪遗后，尚有残篇可课孙"。以此告诉后人：我没有多少遗产留给你，但我有智慧留给你。以此勉励后人好好读书。诗句中的残篇，并不是指残破的书籍，而是借用孔子当年用功、把串连竹简的牛皮带子也磨断了数次的故事。

浓厚的劝学之风，深深地影响着松塘区氏一代又一代的族人。总人口不到两千人的松塘村，每年都会有三十多位学子考上不同的大专院校。

每年的 10 月，松塘村都会举办盛大的祭祀孔子诞辰的活动。仪式上，考取大学的学子都会穿上汉服，接受嘉奖。盛大的祭祀奖励活动之后，便是一桌丰盛的翰林宴。

"古来数百年世家无非积德，天下第一等事业还是读书"。这是松塘村的村训。松塘村民的心中始终牢记，读书并不只是为了考取功名，更重要的意义在于明理。

而最大的理，就是做人要有爱心，不能自私。这从大家为翰林协会的奖学基金捐献善款，可见一斑。

"今天的捐款，共募集款项三万多元。这些钱，既有老人的养老钱，也有孩子的压岁钱。捐款的多少并不重要，在每一个村民心中种下乐善好施的种子才是最为重要的。"

财布施得财富，法布施得智慧，无畏布施得健康，这是古代中国妇孺皆知的公益逻辑。他们认定，只有舍，才有得，只有公，才有益。在松塘区氏族人的心中，为村里的教育基金捐钱，既是崇文，又是布施。这种布施，可以出钱，可以出力，也可以出智慧。

2014 年区绮雯以优异的成绩考上了广东外语外贸大学。每逢周末，区绮雯都会从广州赶回松塘。帮父母做家务之余，她还会抽空担任义工，为村里的孩子们补习英语。

她说："我也不知道我为什么要去做义工，因为我觉得这不是我为什么要去做，而是我觉得我应该要去做，而且我觉得应该要去做好的一件事情。"

于家村

河北于家村的故事是乡愁工程中的重要作品。文学性很强，美学色彩浓厚，结构巧妙，引人入胜。在古代中国，法不及村，村民却成功自治，靠的就是村规民约。本节目非常有效地展示了一个具有典型意义的规约之村。无论是禁伐，禁赌，还是禁贪，都对现实中国具有非常强烈的启示意义。倒序手法中，写下千古名篇《石灰吟》的于谦出场，为节目点了朱。面供、年祭、修改祭礼，男女平等，把节目引向浪漫和美。

有意思的是，赌者一旦被发现，要为村人"写"三天戏。这个"写"，应是下请贴的意思。这戏唱什么，忠孝节义，礼义廉耻。古人懂得，罚重要，但教育更为重要。知耻近乎勇。当一个人的耻心被唤醒，他自然会狠下决心洗心革面，重新做人。为此，罚赌者为村人请戏，真是大智慧。这让他花钱又受教，激发他的羞耻心，让他彻底改过迁善。如果说村规是法制，唱戏就是德治了。

迤沙拉村

四川迤沙拉村的故事不是多么惊天动地的大题材，但读来却非常有力量，感染力非常强。

迤沙拉村坐落在金沙江畔，是一个古朴而神秘的彝族村庄。两千多年来，作为南丝绸之路上的必经之地，迤沙拉村阅尽了岁月沧桑。汉朝文学家司马相如曾在此凿山修路开疆扩土；三国时，一代名相诸葛亮曾由此挥师渡江七擒孟获。如今，这里生活着六百多户、两千多位村民。他们在这里日出而作，日落而息，享受着宁静的田园生活。

在迤沙拉村，每一户人家的正堂中央都供奉着"天地君亲师"的牌位。村民们每天做的第一件事，就是在香案前燃香祭拜。"敬天地自然富贵，报君亲必定荣华"是迤沙拉人恪守了千年的家规祖训。

敬天地，当然要敬天地中的一切，包括动物。迤沙拉村的村民们不吃狗肉、牛肉、马肉和驴肉。根据传统，这些动物死后，村民会把它们安葬在山中的大树下，希望它们能够回归山神的怀抱。迤沙拉村的村民从不砍伐山中的古树，烧柴只用捡来的枯枝。

在毛氏宗族看来，认祖归宗是一件极为慎重而严肃的事情，族谱的对接十分重要。由于族谱中的记录不太详细，毛志品和大姚毛氏族人一起寻遍了毛家湾周边的大山，在散落大山深处的古代石碑中寻找线索。用了一年多的时间，他们最终找到了答案。

根据族谱记载，元末明初之际，毛氏先祖毛太华为躲避战乱，由江西吉水迁往云南，娶妻生子。战争结束之后，毛太华带着两个儿子内迁到了湖南，另外两个儿子及其子孙留在了云南永胜和大姚。康熙十二年，大姚的毛氏家族遭遇匪患，毛志品的先祖一路逃难，来到了迤沙拉村。由于历史上川滇交界处山路险峻，交通不便，三百多年来，两边的毛氏宗亲便中断了联系。

现在，他们终于恢复了联系。对于一个重视亲情的家族，这该是一种怎样的告慰。

在迤沙拉村，如果父母在世，儿女们就算年龄再大也是不能过生日的，只有等到父母百年之后，才能由孩子们为自己庆生。原因是，数千年来，迤沙拉村的先民们一直生活在崇山峻岭之间，与外界交通不便。在缺医少药的年代里，每一个孩子的出生，都是母亲要闯的一次"鬼门关"。为了孩子的顺利降生，有许多母亲付出了自己的生命。子女的生日就是母亲的受难之日，这样的思想牢牢地扎根在迤沙拉人的心中。父母在不庆生的传统便由此而来。

二十世纪六十年代，起万伟一家的生活十分困难，常常缺粮少衣，村民们知道后送去苞谷救济他们，逢年过节时还会扯上几尺布料送到他们家中。可以说起万伟是靠吃百家饭、穿百家衣长大的。如今，起万伟靠着做砚台生意，一年能赚七八万元钱，日子越过越红火。近几年，迤沙拉村准备开发旅游。为了回报村民，回报家乡，起万伟自掏腰包，几乎拿出了所有的积蓄为村里建了一座村史馆。

这种感恩之壮举，真是"上慰祖恩，以承千古家风；下启来者，以期薪火百代"。

无疑，这是一个有大德的村落。"大德者必得其位，必得其禄，必得其名，必得其寿"。果然，生活在这里的老人大多长寿。在迤沙拉村，二百多位65岁以上的老人之中，80岁以上的老人有五十多位，90岁以上的老人有十多位。村中最长寿者享年104岁。

感恩天地万物，其实是一个农耕民族血液里的基因。人从大地上取得财物财宝供养子孙这没有问题，问题是一定要依据苍天的法则，取法于天，有节制。这样大地才能生生不息。所以世世代代的中国农民都相信，善待天地万物、善待众生，这个人就会有好报应。

《记住乡愁》第二季文字统筹笔记

四合村

"热心人乐做热心事，烫手货不收烫手钱"。看完重庆市中山镇四合村的台本有些日子了，但这句话仍然牢牢嵌在我的脑海里。一定意义上，它是这出节目的魂，也是这个村子的魂。

十多年前，糍粑店开张的时候，冯三姐把父亲曾经写过的一副对联重新刻制出来，这十六个字成为她一生的信条。

米价涨了，糖价涨了，但冯三姐的糍粑价格没有涨。有人出一百万元买"冯三姐石板糍粑"的招牌，她也不出手，怕弄不好会坏了她的声誉。

在四合村，还有另一幅奇联：上联是"老秤一斤十六两"，却没有下联。好多人对过，就是对不了。"老秤一斤十六两"，指"南斗六星"，"北斗七星"，加"福禄寿三星"。用秤的人一看到这"十六星"，特别是"福禄寿三星"，就会想到：少别人一两东西，是少自己的一份福；少别人二两东西，是少自己的二份禄；少别人三两东西，是短自己的三份阳寿。所以断然不敢少三两。

由此可见，这是一杆心秤，良心秤。这幅奇联的横联是"天下太平"。用秤人只要按此行事，自己也太平，家人也太平。

对联的主人廖明德在 2009 年过世，他曾经是四合村唯一的秤匠。廖明德性格耿直，最痛恨别人缺斤少两，遇到别人使用做过手脚的秤，就会大发脾气。老秤匠一生以诚信为本，他的秤做工精良，方圆百里的生意人都以廖家的秤为标准。如今，廖明德的妻子李学勤还保留着老人生前做过的秤。

李学勤给记者讲："街上有个卖鱼的，叫陈和儿，拿来一个八两秤，叫他给修。他当时就把秤给他打烂，叫他拿走。他说我不给你修，那是短命的事，缺斤短两的秤他不做，大秤他也不做，小秤他也不做，老师都嘱咐过的，那种是短命的事情，不能做。"

就在四合村的村口，清代光绪年间的米帮立下了一块"禁买发水米碑"。石碑上明确记载了当时一些不法商贩制售劣质大米的方法，以此提醒来往客商共同监督。任何人只要发现制假售假者，可以立刻报送官府，而不法商贩也会受到重罚，永远不得在此地经商。如今，这块七百多字的"禁卖发水米碑"，被看作是中国西南地区保存最完整的古代打假公告。石碑的刻立既彰显了四合村百姓开诚布公的态度，也蕴含了一种不怕自揭其短的勇气。

在四合村，有个"九龄堂"药铺，是百年老字号药铺，他们行医已经到了既治病又治心的程度。从采访同期声我们了解到，诚信既是他们的药方，又是他们的药力。这值得现代医学去深思。

在四合村，遵守诚信和不遵守诚信，纯粹是两种结局。它让我们明明白白地看到，诚信对于人生的巨大"利润"。

板梁村

湖南板梁村这个题材太难得了，这已经不是一个平凡层面上的家族故事，而是了凡成圣层面上的事情了。如果深入考察，这个家族一定有圣贤出现过。他们的起心动念、所作所为，事实上已经是在修行，而不仅仅是生活了。比如对"善欲人见，不是真善"的体认，对"花未全开月未圆"人生境界的践行，都是不得了的修行课程。

就是说，板梁人有着非常强烈的道德自觉。

明代正统年间，临近板梁的平江县因遭受虫灾庄稼几乎绝收，农民流离失所。得知这一消息的刘宗琳将家中的余粮加上出资购得的 1010 石粮食，悉数交到县衙，用于赈济灾民。此事被呈报到了京城，明英宗朱祁镇对乡民刘宗琳仗义疏财、救民于危难的举动大加赞赏。

"以好名为戒，所行善事，每不肯自言"。这是刘氏族谱中的一句话，也是刘氏第26代孙刘检廷的真实修为。他出资数百万元修复和保护板梁村古建筑，要求村人为他保密。他无偿帮扶救助数十位家庭困难的学生完成学业，一直不为人知。

板梁人对"义"的理解已经到达超越的层面。行义之人须先有仁义之心，否则义中会有水分。为此，板梁家训教诫："施义于人，勿念回报。"这样的施义之心，已是没有水分的纯粹的爱心了。而一个以没有水分的爱心为灵魂的家族，自然会百年繁荣。

有爱心，才能行义举；有纯粹的爱心，才能行纯粹的义举；有纯粹的义举，方能兴长久的家业。这个道理影响了几十代刘氏后人。在耄耋老人刘荣贵看来，今天仍然是板梁子孙治家的良方。

作为板梁村第28代孙，刘荣贵1985年离休后就回到了阔别已久的家乡。空闲的时间多了，他便到处走走，四处寻找儿时的记忆。一个偶然的机会，刘荣贵看到村中通往附近学校的小路低洼不平。一到雨季来临，路面便泥泞不堪，孩子们在上面走半天也挪不了几步。

2008年，已是83岁高龄的刘荣贵将村中的长者召集到宗祠，说出了想为村里修路的想法。为了表示筑路的决心，他拿出了事先准备好的3500元钱，作为村中修路的第一笔捐款。

面对刘荣贵的义举，全村人纷纷解囊，仅仅一天的功夫就捐款 25 万元。在外工作和做生意的刘氏族人得知村里要为上学的孩子们修路的消息后，也纷纷响应寄钱回乡。不到一个月的功夫，用于修路的 110 万元款项悉数凑齐了。

全村只有不到一百人的劳动力被分成了几个小组，人人自备干粮，每天轮流到工地上参加义务劳动。在没有大型的机械设备的情况下，大家用镐头和铁锹一米一米地向前推进。刘荣贵被深深感动了，他又自掏腰包去邻村的镇子上为大家买包子和稀饭。

为给在工地上干活的村民买包子和稀饭，刘荣贵每天挑着担子一个来回就是两公里的路程，这一走就是大半年。周围村子也都传开了，说板梁村有个行善举义的怪老头，经常在刚修好的路上来回走。正当一些好奇的乡民想去看看这位怪老头时，刘荣贵又在自家的庭院中支起了一口锅，炒起了花生。

刘荣贵炒花生是源于古村旅游热的兴起。板梁村是一个由血缘关系发展而成的大家族，至今已延续 33 代。村中用青石铺就的两千多米长的街巷将三百六十多栋明清古民居连在了一起。正是板梁村建筑所具有的特殊魅力和人文环境吸引着很多游客纷至沓来。

为人好客是板梁人的传统。刘荣贵每天都会在自己院子的门口摆一张桌子，为走累了的游客免费提供茶水。在一次对游客介绍家乡特产的过程中，他萌发了用家乡的特产花生招待游客的想法。于是刘荣贵从每月退休金中拿出一部分钱来用于购买花生。

刘荣贵用四年的时间做这一件事情——为游客免费提供香脆可口的炒花生。看着游客们品尝自己炒制的花生互相攀谈，刘贵荣内心获得极大的满足和快慰。

他说："有的游客也拿了钱给我。我不是做买卖的，你给，我不能要。他给一百块钱。我不是做买卖的，你硬要给，我也不能要，你给那你就看不起我。"

说这话时，他已经是九旬老人了，但他的神情中，并没有多少老态。

陆巷村

江苏陆巷村是乡愁工程中的一个亮点，亮在挖掘出了中华民族绵延不绝的生命力所在。崇文重教是方法论，深层动机是繁荣家族，建功立业，光耀门楣。"积金积玉不如积书教子，宽田宽地莫若宽厚待人"。"不求金玉种种贵，但教儿孙个个贤"。显然，本节目重点挖掘了崇文重教部分，若继续开掘，肯定还有一个更深的根，那就是"忠"和"孝"。否则，一个村子不会出那么多大人物。

在当下崇金重银的时代，这期节目具有非常强烈的现实意义。

面向太湖的陆巷古村自古就是一片江南富庶之地，地灵人杰，先后走出过46位举人、41位进士和2位状元。近代从陆巷村走出去的院士与教授达六十多位，世所罕见。为此，这里也被誉为"宰相故里""进士教授之村"。

让我惊异的是，这个村里的普通百姓都能够讲朱买臣负薪读书的故事，会讲范仲淹断齑画粥的故事。这种通过读书改变命运的途径，当地人叫"书包翻身"。读私塾的学生，在第一天放学回家时，还真要把书包翻一下，以此暗示自己，要通过勤学苦读成才成人。

据统计，明清两代中国一共有202名状元，苏州地区的状元就有35名，占全国状元总数的17%，真可谓"姑苏文盛出状元"。这种兴文重学的风气，当然会影响到陆巷村。

其中最典型的就是义庄义学。除了免费让孩子上学，对贫穷的家庭还要接济，以保证孩子安心读完学业。

因王鏊考中探花，家族兴修的牌楼，不知在多少学生心中激起过参加殿试的梦想。现在，殿试制度已经成为历史，但牌楼作为一种激励符号，仍然矗立在这片土地上。

杨老师的这段同期声值得记录下来：

"王鏊的祖父，叫王鬼，又叫王惟道。他认为这个家族要振兴起来，光靠有钱不行，还得念书。但是念书要房子怎么办？他把家里面刚好要建的新房，建成祠堂，作为私塾。并定家规：凡是王家子孙，考中府学、县学，奖银子3两；考中举人，奖银子5两；考中进士，奖银子10两。如此，王鏊以后，有7人考中进士。"

这种激励，功效可想而知。

陆巷王氏，真是一个懂得激励的家族。这不，每周六日都会在陆巷村上演的王鏊巡游仪式总是热闹异常。村民和游客都可以穿上古装，或扮演王鏊，或扮演王鏊的徒弟，或扮演王鏊的子孙后代，让陆巷村先贤的故事妇孺皆知，代代相传。再加上巍然屹立的三座牌楼，它们共同成为古村的文化图腾，激励着陆巷子孙刻苦学习。

这种激励，让莫厘王氏在王鏊之后，家运长盛不衰，后代几乎没有平庸之辈，也没有一个败家不肖子孙。据不完全统计，王鏊后裔至今已繁衍到五千多人，绝大多数是社会精英，其中仅中国科学院院士、中国工程院院士、著名大学教授就达五百多人。

2014年10月19日，来自中国十四个省市的二百七十多位莫厘王氏后裔齐聚陆巷村拜谒祖先，庆祝《莫厘王氏家谱续集》修订完成。82岁高龄的王守青老人是这次续修家谱的主要负责人。这次家谱的续修完成意味着莫厘王氏自南宋迁到东山至今王氏宗族的历史得以完整记载。让王守青老人倍感欣慰的是，呕心沥血，十年修谱，不但完成了王氏家族连根养根的巨大工程，更为重要的是向子孙们揭示了积德行善、兴学重教和兴旺门庭、繁荣家族的逻辑关系。

这更是一种天然的激励。

王家还有一种激励方式，那就是不给儿孙多留财富。用他们的话说，就是"不可不留，不可多留"。纯粹不留，子孙的路就窄了；多留，子孙就不求上进了。

以王守觉兄妹为例，我们看看如此激励的效果：

今年已是 90 岁高龄的王守觉是从陆巷村走出去的中国科学院院士，他是中国半导体器件与微电子技术研究的开拓者之一；王守觉的大姐王淑贞是中国妇产科医学的奠基人之一，与中国著名的妇产科专家林巧稚齐名，有"南王北林"之称；大哥王守竞是中国第一位研究量子力学并卓有成就的学者；二姐王明贞是清华大学的第一位女教授，被誉为"中国的居里夫人"；三姐王守璨从清华大学毕业后从事物理著作翻译；二哥王守融历任南开大学、天津大学教授，是中国著名的精密机械仪器专家；三哥王守武也是中国科学院院士，中国半导体事业的开拓者和奠基人之一。

谈及家庭教育，王守觉把父亲的教育方法总结为"三句半"：一是言教不如身教；二是多说不如多看；三是尊重自我发展；最后半句是"少管"。

退休后，王守觉不仅决定回到老家养老，而且为了鼓励家乡的孩子努力读书，他从 2013 年开始在陆巷村所在的东山镇以个人名义设立希望奖学金，连续五年每年拿出 2.5 万元资助学生，每年拿出 5000 元奖励初二、初三各两个学生。

从中学开始就能够取得由中科院院士亲自设立的奖学金，这对莫厘中学的每个获奖学生该是一种怎样的激励。

河阳村

浙江河阳村的故事对乡愁工程有独特贡献，独特在对"耕读""清白"传统的阐释。无论是出仕的朱维嘉，行医的朱法奎，还是经商的朱汝亮夫妇，都在证明这四个字。节目最后以莲花作为朱家的图腾结束，整个结构非常完整，也很有力量。

据我所知，此村很著名，但编导们绕开了"一门八进士"等这些在常人看来的亮点，进行了非常有难度的精神性开拓，非常有价值。

在河阳村的主街道上，"八士门"前摆放着一对造型奇特的石兽。由于它实在怪异，河阳人都称石兽为"稀罕"。石兽有着狮子的身体，又不像狮子；一边是鸟的嘴，一边是蛤蟆嘴；脚又像青蛙的脚，又不像，可谓四不像。没有人知道这对石兽到底是什么动物。但这对不伦不类的石兽，却是明代开国皇帝朱元璋赠与的。河阳朱家十九世朱维嘉曾经官至明代国子监监丞，又任太子老师。国子监监丞掌握着天下举子的仕途之路，权力不能说不大。但是他在任十多年，衣食简朴，勤俭为官。当时河阳贸易发达，商贾云集，民间有"有女嫁河阳赛过做娘娘"的说法。但是俸禄不菲的朱维嘉的女儿出嫁时，却只带了几件素衣服，一个竹条箱。

在河阳村的祠堂里，悬挂着许多朱氏族人出外为官被称颂褒奖的牌匾。让河阳人自豪的是，九百多年间，河阳村朱家出仕两百多人，却没有一人因为贪腐而受到朝廷处罚。

难怪河阳人要以莲自况。莲在河阳人眼里不仅仅是一种水生植物。记者拍片时，正是"九月江南花事休"的时节，但河阳村东边的那片百亩荷塘，仍然有一种"十里锦香看不断"的味道。秋荷虽然已是枝残叶败，但在河阳人眼里却是叶残志不残、花败身不败的象征。

河阳村村北的山包上，安葬着许多河阳村朱姓的先祖。如果从空中俯瞰，就会发现朱清源的坟墓也是一朵莲花的造型。这同河阳先人们把莲雕刻在房屋的梁托上一样，旨在嘱托后人清白传家。

1998年，浙江经历了一次很大的台风。受台风影响河阳村下了三天大雨，随后山洪暴发。村庄南边的小河河水暴涨，水面漫过了村中古老的石桥，让面商朱汝亮存储的50袋面粉进水受潮。他曾尝试着用这种面粉做了一次土爽面。虽然外观和平常没有任何差异，但他最终却没有出售。因为要珍视祖宗传下来的名声，和经商多年建立的信用。最后他与妻子商量，留下这些面粉，自己食用。再向亲戚朋友借了2万元钱，重新购进了一批合格的面粉，进行经营。

在"月洞门"上，游客会看到河阳人自造的"耕读家风"四字。牛入田为"耕"，心口合一是"读"，有屋有人为"家"，云上一撇是"风"。在河阳村，有副广为传抄的对联，上联是"一脉真传克勤克俭"，下联是"两行正事惟读惟耕"。耕读和勤俭，被河阳人看作是实现清白传家不可或缺的左右手。今天的河阳人就是在耕读家风的吹拂下，走到了今天。

耕读传家的"耕"字，最早只是指种田的技能，后来泛指许多谋生手段。河阳人强调有了自食其力的谋生方法，就不会因为贪恋不义之财，而辱没祖宗的清白。朱法奎是一位做膏药的中医，今年已经90岁了，靠着制作治疗疔疮和治疗腰酸腿疼的膏药养家糊口。他的药膏虽然品种少，但方圆百里无人不晓。不仅河阳村人有个疔疮腿疼会找上门来，就是百里外缙云县城的人也会到他这里买药。其实朱法奎的膏药并没有什么特异之处，但是盖上朱法奎的印章后，就会被当地人接受。人们赞誉朱法奎，说他卖的是明白药，做的是清白生意。

在河阳村百年老店怡和堂里，朱法奎每天坐堂销售他的膏药。他的特别之处是膏药明码标价，5元1贴，7贴一个疗程，一个疗程35元。病人用他的膏药，疗效如果显著可以继续治疗。倘若不佳，他就请病人尽快前往城里的医院进行诊治，不要在他这里耽误时间和浪费钱财。正因为如此，朱法奎膏药成了人们诊断相关病症的试纸。朱法奎这种"治之则治之，不治则不治"的医风，既为他赢得了信誉，也为他增加了收益。

朱法奎所做的这一切并非是他独创，河阳行医的人都是这样做的。

90 岁的朱法奎现在和妻子安享晚年的平静时光，他们年轻时恪守的清白，为他们换来的是老年后心安理得的清闲。

对于这种行为背后的心理背景，北京大学王德岩研究员讲得好：

"古人解释耕读是：只耕田不读书猪也，只读书不耕田虫也。耕既是掌握技能还是立家之本，读既是明白事理也是传家之法。河阳先祖告诫后人只有继承了耕读的家风，掌握了技能、明白了事理才能真正做到清白传家。耕是一种自食其力的文化，就是不管你外边怎么说，不管我的地位如何，我靠自己的双手，养自己的家人去吃饭，我不是依赖别人的，是种没有依赖性的文化。所以耕能培养人的自立的精神。而读是人的一种精神的需要。古代的读主要不是知识，也不是功名，因为能够考中功名的人是极少数的，主要的还是做人，读书明理。做人它是一贯的，所以耕读的这种家风它传下来，会造就自食其力，再就是明理本分，然后良善做人。"

文里村

广东文里村的故事名为《行善至乐》，一语道出节目的核心，也道出行善和快乐的关系。

明代正德年间，杨氏家族中的杨琠、杨玮两兄弟相继中了进士，正德皇帝称赞说："兄弟连登科甲，堪称文里。"赐村名为文里。杨琠、杨玮一生为官清廉，为百姓做善事，告老回乡时两袖清风，只带回了一船雨花石，为村里修桥补路。清末到民国初年，社会动荡不安，天灾人祸，民不聊生。杨氏家族中的杨缵文、杨仕添等四户人家便将全村一千余户的赋税全部承担起来，从而使得整个文里村度过了那个艰难的时期。

经历了百年沧桑的大夫第，门楣上刻着的"积厚流光"四个字依旧如新，像是时刻提醒着后人"积累的善行越深厚，流传给子孙的恩德就越宽广"。

文里村的同奉善堂和太和善堂，在潮汕地区有着特殊的地位和意义，是整个潮汕地区同奉、太和各善堂的总堂。清代光绪年间，潮州发生瘟疫，文里村的乡绅们集合全村的力量创建了这两大善堂，施医赠药、救济灾民，自此一百多年，广有善举，饮誉乡里。

在潮州，所有善堂都供奉着同一个祖师——宋大峰。宋大峰生活在北宋徽宗时期。相传公元 1120 年，潮州发生瘟疫，当时已81岁高龄的宋大峰听闻此事，从福建跋涉到此地救灾。懂得医术的他，不顾可能被传染的风险，救下了很多人的性命。灾情消除后，在当地百姓极力挽留下，宋大峰定居在潮州。之后他除了行医赠药，还为当地百姓修建近四百米的"和平桥"。由于他在世时"慈悲为怀，普渡众生"，去世后当地人尊他为"慈善神"。几百年来，潮州百姓不断自发创建善堂，以此弘扬宋大峰悬壶济世的慈善精神。

如今善堂不仅是潮州民系文化重要的组成部分，还遍布到了全国各地，甚至扎根到新加坡、马来西亚等国。每年仅同奉善堂所发放的各类救助金就达到近三百万元，这些资金由文里村村民自愿捐赠。从节目中，我们看到，摆放在同奉善堂一角的红榜上记录着刚刚接收到的善款。对于善款的支配，善堂也有着明确的规定：数额在2000元之内的由会长批准，数额高于2000元的则需要善堂全体会员表决通过。

"把行善作为一种抵达快乐的方式"这句话影响了世世代代的文里村人。村中有大大小小三十多座宗祠。几乎每个宗祠中所保留的族谱祖训中，都有着与"善"有关的记载。

作为村中主姓之一的谢氏，自古就有行善积德的传统。南宋理宗时期，谢氏家族的开基祖谢壶山出任潮州总管。于是他携家眷从福建莆田迁至现在的文里定居。来到潮州后，他剿平盗寇，守土抗元，广施仁泽，善待百姓。宋度宗登基时为表彰他的功劳，赐他"金书铁卷"，于是后人称他为"铁牌总管"。

谢氏第二十七代孙谢世义在世时由于善行卓著，备受村民和族人的敬重，不仅被推选为潮汕谢氏联谊会的会长，同时也成为了同奉善堂的会长。现任文里村党总支部书记的小儿子谢秋强说："特别困难的时候，有一次父亲到集市买大米，路上碰到一个生病的人，他就把那点钱给对方治病，空手回到家里。"我们可以想象，在一家人等米下锅的情况下，他能够把钱给陌生的病人，这种善行，已经是《了凡四训》里讲的"三轮体空"了。

　　如今谢世义的事迹被刻在石壁上，用来教化后世子孙。他的十个儿女也都继承了这种善风。长子谢悦正，退休金每月不到三千元，每年却捐给善堂和慈善机构数万元。如今他更是继承了父亲的衣钵，广行善事，成为同奉善堂的会长。谢秋强曾出资50万元帮村里成立了爱心基金会。

　　同样，悬挂于杨氏宗祠的祖训也是把"善"作为第一条也是最为重要的一条来训诫后世子孙的。

　　文里村人还强调，"行善"不在大小，重在存心。"勿以善小而不为，勿以恶小而为之"已成为妇孺皆知的人生理念。正如《了凡四训》所讲："善有真有假，有端有曲，有阴有阳，有是有非，有偏有正，有半有满，有大有小，有难有易，皆当深辨，为善而不穷理，则自谓行持，岂知造孽，枉费苦心，无益也。"八百多年来，文里村人不仅行善成风，而且一代代把善行效果最大化。百善孝为先，在文里村所有的慈善机构中，最为古老的当属父母社。父母社最早形成于南宋时期，是村民们敬老助老的慈善团体。如今文里村共有大大小小十多个父母社，其中永义轩父母社的规模最大。能够担任父母社社长的人不仅要是村里公认的善人，还要有为老人服务的热心。今年54岁的杨启纯，担任永义轩父母社社长已经近二十年了。一直以来，父母社都实行会员制，一人入会，全家享受会员待遇。而入会会员则不论身份，都要接受父母社统一安排的工作，实行轮班制，轮到谁谁就要照顾生病的老人。

比如，62岁的会员黄俊孝，除了要按照社里的安排去做义工外，还要和兄弟一家长期照顾一位77岁的老阿婆。这位老阿婆名叫杨惠华，是他的邻居，5岁时患了软骨病，生活一直不能自理。四十多年前杨惠华的父母去世，黄俊孝的父母就一直照顾着杨惠华，之后这个担子又落在了黄俊孝这一辈的肩上。陈丽婉是黄俊孝的弟媳，给杨惠华做饭、擦洗身体这样的事情，她每年如一日，从未间断。陈丽婉自嫁入黄家，便主动承担起照顾杨惠华的责任。二十多年如一日照顾杨惠华，并不是一件容易的事，其中也有着难以言说的心酸。然而，她善良的本性加上村里善风的支持，她还是坚持下来了。

在文里村的太和善堂里，陈列着一辆有着一百多年历史的消防车。这是太和善堂创立之初成立的义务消防队留下的。如今太和善堂义务消防队早已变为文里村的义务消防队。新中国成立以来，文里村义务消防队灭火上百起。义务消防队共有队员16人，他们全部是义务兼职，每个人都曾经因为救火而负伤，除了在灭火过程中救人于危难，他们还帮助火灾中受到损失的家庭募捐善款。李喜才经营着一家规模不大的印刷纸制品公司，业务十分繁忙，但他参加义务消防队十多年来，参与灭火二十多起。

"第一等好事只是读书，几百年人家无非积善"。文里村人把行善视为人生最大的作业，而善中善则为开启民智，为此助学奖学之风蔚然成风。文里村各姓氏宗族都设立了奖学金，善堂也设立贫困学子助学金，使文里村没有一户人家的孩子因为贫困而失学。

中山大学教授杨中艺的父亲杨越少年时期家境贫寒，小学三年级就辍学，后来全凭自学成为广东省著名的文学家。少年时求学不得的经历，让他格外重视教育。18年前他出访新加坡的时候，召集了杨氏家族在东南亚的华侨出资创办奖学奖教基金，用来帮助家境不好的学子。基金会的大小事务一直由杨中艺负责掌管。为潮安区所有学校的优秀学生和老师颁发奖金，是他一年中最重要的事。

《礼记》讲："建国君民，教学为先。"同样，善行百种，助学为宗。在潮安区，每年有上千名学生获得"杨文钦杨秀伦奖学奖教基金"的帮助。得到帮助的孩子们在长大成人之后，常常不忘基金会的善举，回到基金会，尽自己的一份力量。

杨铨曾经是文里小学的学生，也曾是奖学金的获得者。他告诉记者，如果不是因为村里各种慈善机构帮助他们，他和他的两个弟弟或许不能完成学业，也就不能有今天好的生活。为了报答村里人对自己的帮助，杨铨大学毕业后放弃了留在大城市工作的机会，回到了故乡，用其所学回报家乡。他还加入了潮安志愿者联合会，工作之余去帮助需要帮助的人。"滴水之恩当以涌泉相报"，无数的文里村人正是因为时刻怀着感恩的心，才让行善之风世代相传。

《记住乡愁》与文化自信

通过两年的艰苦奋战，备受人们关注的中华文化传承工程《记住乡愁》第一二季已经胜利完成拍摄播出任务，其中第二季摘得 2016 年度"金熊猫"国际纪录片最佳人文关怀奖、第 22 届中国电视纪录片系列片十优作品奖，收视人数近十亿，为提高中华民族的文化自信，增强中华民族的文化自觉做出了不可替代性贡献，也为人类可持续发展提供了实景范式，被中宣部领导誉为社会主义核心价值观的最生动实践。

让人欣喜的是，第三季 60 集又要在 2017 年元旦开播了。

在我看来，这三季 180 集节目，是电视人用三年心血编纂的新《四库全书》，筑就的新文化长城，开凿的新文化运河，修建的新文化航母，书写的新精神史诗，是中华文化的一次超常集成和空前博览，是中华民族精气神的跨时空汇聚，也是中华民族文脉的抢救性修复。相对于课堂式宣示、论坛式宣讲、文章式宣传，它更加生动、形象、鲜活、有温度、有情感、有大地泥土的芳香，有人间烟火的气味。通过一个个唯美的镜头，让我们看到了中华大地的好风水，感受到华夏儿女的好风气。它无疑是中华文化优良性、生机性、合法性、不可替代性的最广泛、最基础、最深厚的展示,它让人们确信,中华文化完全可以为打造人类命运共同体这一宏伟历史性命题提供模板。

在廉价的笑声、无底线的娱乐、无节操的垃圾几乎淹没我们的生活的今天,在戏弄历史,亵渎祖先、亵渎经典、亵渎英雄,去崇高、去价值、去意义,用无端的想象去描写历史,使历史滑稽化、虚无化成为潮流的今天,在急功近利,一味标新立异、追求怪诞,炫富竞奢,低俗媚俗的精神雾霾几乎让人们透不过气来的今天,《记住乡愁》无异于一道明媚的阳光,一缕清新的空气。

伴随着先祖们几千年的生存实践,中华文化的精髓早已融入人们的日常生活,成为中华儿女的另一片蓝天和大地、另一种阳光和空气,甚至日用而不觉。现在,编导们通过镜头生活化规模性重现,让人们反观到它的巨大价值,从心底升起对这种根性文化的深厚自信。

作为节目的文字统筹,两年来,我见证了这个拍摄制作团队是如何超负荷工作的。无论酷暑,还是严寒,神州大地上,都闪动着他们寻根的身影;无论边关,还是哨所,都洒下了他们探源的汗水。多少个假期,他们在剧组度过,多少个生日,他们在异乡举杯。想孩子了,看看视频,想老人了,打打电话。没有看到谁在敷衍,没有听到谁在抱怨。整个剧组时常处在一种攻坚状态。用制片人王海涛先生的话说，这是一次电视人的自愿长征，也是一次电视人的文化自觉，带着这种长征精神和文化自觉，他们走进第三季。

不同于第一二季的古村落，第三季的内容是古镇。众所周知，古镇有商贸、戍边、大户聚居等主要成因，那就意味着选题拍摄更有挑战性。在欣赏了已经完成的节目后，我非常欣喜地发现，较之前两季，无论是内容，还是表现手法，本季都有许多新的突破。

既然是古镇，就有不同于古村落的许多看点。如果说第一二季展现了农耕文明日出而作、日入而息、凿井而饮、耕田而食的天然之美，表现了父子有亲、兄友弟恭、夫唱妇随、长幼有序的伦常自觉，表达了资父事君、曰严与敬、孝当竭力、忠则尽命的职分自觉，讴歌了祸因恶积、福缘善庆、厚德载物、自强不息的生命自觉，那么，第三季则在继续深化前两季主题的基础上，侧重表现建章立制、遵约守契、义利有度、合作共赢的工商文明，重点挖掘传统文化中能够在当代有效传承、发展，能够充分融入当代人精神血液，为现代生活提供建设性精神营养的文化要素。

山东大津口镇挑山工的故事，是完全可以和第二季郭亮村媲美的生命赞歌。它让我们真正理解了什么是劳动的光荣。那种劳作之美，坚忍之美，毅力之美，可比江河之永，日月之恒。江苏漆桥镇孔子后人胸怀苍生、重义轻利的善举，在基层社会人们最关心的居民健康管理、留守儿童教育、合作社经营等方面做出了有益的探索和成功实践；江苏同里古镇"明取舍、知进退"的生动故事，让我们看到儒道两家文化在生命进退关口的独特价值，完全可以作为一剂良药开给当下社会被单向思维挟持而苦受焦虑抑郁折磨的人们；曾因考中七十二位进士而闻名天下的山东新城古镇王氏家族世代清正廉洁的感人故事，一定会给当代中国的廉政建设提供新的启示。

老子讲："信不足焉，有不信焉。"没有文化自信就没有文化自觉，没有文化自觉就没有行动自觉。第三季，无论从策划到拍摄到后期制作，都更有文化自信和自觉。这种自信和自觉，无疑是每个编导在茫茫价值大海上航行的心灵灯塔，让他们寻矿探宝的目光较前变得更加敏锐。这种自信当然来自第一二季的学习、浸染、感动和强化。据我所知，近两年，剧组编导对传统文化进行了冲刺式学习，而拍摄制作过程又是一次再学习。试想，一百二十集节目，大家除了要进入现场采访，还要进行集体观看、相互改稿、反复讨论，包括查阅经典，梳理史料，咨询专家，他们怎会不对传统文化生起信心？许多当初对传统文化存疑的同志，在经过两年的现场见证之后，也成为传统文化的坚定认同者。带着这种认同感，他们再次走进采访拍摄现场，其见识、视角、感受，就和第一二季大不相同了。编导们的长足进步，决定了第三季的作品更成熟，更有深度，更有穿透力。

浙江乌镇为什么能够永立时代潮头，成为互联网大会的永久会址？安徽三河镇为什么能够诞生名闻天下的"诚信菜单"名牌？南浔古镇为什么能够创办中国民间历史最长授奖学生最多的奖学金？"中人制度"为什么能在陕西漫川关古镇大受欢迎？"天下兴亡，匹夫有责"的家国情怀何以仍然在江苏千灯古镇得以延续？编导们把目光投向历史深处，作了既让人信服又具有美学享受的解答。

"礼失求诸野"。作为村落和城市的过渡地理形式，古镇成为寻找古今、中外、公私文化价值最大公约数的关键地带，也是仁义思维和利润思维中和的关键地带。生命大义和商业利益如何水乳交融，家国情怀和个人诉求如何妥善平衡，在第三季都可以找到现存典型。

在西藏昌珠古镇，一个夏天，达瓦正在农田干活。突然，他看到一辆正在倒车的拖拉机后面有个看上去不到三岁的小孩。眼看拖拉机就要压倒正在玩耍的孩子，达瓦就在那一瞬间毫不犹豫地扑了过去，把孩子推向一边。孩子的命保住了，但他的一只脚却没有来得及从拖拉机下收回。脚被齿轮卷住的巨痛，让达瓦瞬间失去了知觉，当他醒来的时候，发现自己躺在县医院里，永远地失去了那只脚。那年，达瓦年方二十。如果有缘看到这则故事，我不知道那些只顾自己冷暖不管他人死活的人作何感想。

在江苏漆桥镇的漆桥村，有一座将军庙，里面供奉的是一位曾为当地百姓英勇献身的新四军营长。原来在抗日战争时期，由于漆桥镇地处苏皖交通要道，因此成为国民党军队和日军的必争之地。而新四军为了建立敌后根据地，保护一方安全，也在当地百姓的支持下与敌人进行着殊死战斗。在一次激烈的战斗中，新四军伤亡惨重。一位营长在激战中身负重伤，最后只能半坐半靠在一棵大树底下，准备与扑上来的敌人同归于尽。一对老夫妻冒死将其救回家中，但他还是不治身亡。村民们从家里拿来门板拼成棺材，埋葬了这位不知姓名的新四军营长。半个多世纪过去，村人依然没有忘记这位英雄。进入新世纪，人们的生活越发幸福美满，漆桥人又想起了当年牺牲在此的新四军营长。在当地几位老者的倡议之下，大家决定集资捐建一座寺庙，用来纪念这位无名英雄。这个决定做出以后，古镇一下子就沸腾起来，大家有钱的出钱，有力的出力，所有人全部自发地参与捐钱捐物。只用了短短半个月的时间，一座"将军庙"就建成了。之后，村人自发组织轮流值班，保证每天上午都有两人到庙里洒扫、敬茶、焚香。如今已经87岁的朱克满老人，每天下午三点多钟都要到庙里来转一转看一看，再给英雄敬上一枝烟，两年多来风雨无阻。记者问他为什么要这样做，他说："当兵是好兵，当菩萨就是好菩萨。他是为我们老百姓牺牲的，我们老百姓要尊重他。你不尊重他没关系，我要尊重他，这是我的良心。"

好士兵保卫一方疆土，好菩萨保佑一方生灵。为此，朴素的漆桥人，第一碗新煮出来的米饭，第一笼新蒸出来的青团，第一锅新做出来的豆腐，所有的好东西，都要首先敬献给他们心目中的英雄。

同样，在福建崇武古镇，不到半平方公里的土地上，大大小小的庙宇就有十几座，用于祭奠各个时期为了保家卫国而牺牲的英雄。这其中，就有一座解放军庙。八十多岁的曾恨就住在这座庙里，近二十年来的每天清晨，她都要献上一杯清茶，陪二十七位英雄说会儿话。解放前夕，国民党反攻大陆，离台湾最近的崇武成为重点攻击对象。一天清晨，国民党飞机突然来袭，炸弹呼啸而来，千钧一发之际，几个年轻的身体跳起来，将年幼的曾恨紧紧地护在了身下。空袭过后，曾恨平安无事，五名解放军战士却被炸得血肉模糊。"给解放军盖庙，我有三个心愿——一是让他们住在庙里面，刮风下雨，他们有个家；二是他们像我们的亲人一样，没有他们就没有我们，我们吃什么他们就吃什么；三是我们要做一个榜样给下一辈看，没有解放军就没有新中国。"修改台本时，曾恨的这段话让我热泪盈眶。

也是在这座古镇上，守塔工蔡建泉与灯塔相伴整整三十三年。无论节日还是假期，他都无法与家人团聚。有一年，怀孕三个多月的妻子生病住院。一天夜里，灯塔里的值班电话突然响了，蔡建泉拿起电话，听筒另一头传来妻子流产的消息，家人让他赶快去医院。听到消息的蔡建泉心急如焚，可是他这一走，下个时间段就没有人给油灯充气，灯塔就将一片黑暗。走还是不走？蔡建泉在狭小的屋子里如坐针毡。最终，他选择了留下。当记者问他妻子是否抱怨他时，他说，不会，她很理解，她知道这件事很重要。灯塔上的灯若灭了，来往的渔船就会出事。在读这段文字时，我感同身受。无论是在全国做志愿者，还是季节性入住《记住乡愁》剧组，对家里老小的惦念都让我刻骨铭心，让我体会到什么是牵肠，什么是挂肚。但是一想到受众的需要，我就毅然决然踏上征程。战斗在一线的比我更加辛苦的剧组同志们和那些抛家舍业奔波在全国的文化志愿者，又何尝不是中华文化的灯塔工？

相较于一二季，第三季的选材和表现更加包容。习近平总书记提出的"一带一路"战略构想和"构建人类命运共同体"的倡议，协和万邦、求同尊异、兼容并蓄、共生共荣的理念在第三季节目中得到了充分表现。人类和谐相处的生存画卷从丝绸之路上的驼铃声声、舟楫相望展开，东西方文化元素从碰撞到吸引，从相斥到包容，在一出出节目中清晰可见。

不同于古村落，古镇建筑及其文化内涵和延伸意义不可避免地成为第三季的拍摄重点之一。因为它是凝固的诗、立体的画、贴地的音符。它们不仅仅是飞檐画栋、青砖绿瓦，而是文化融合的见证。每一块砖，每一片瓦上，都有一桩桩文化交流的故事。它们非常有力地证明了中华文化的强大吸收力和包容性。如果用两个字来概括，那就是"中和"，如果用一个字来形容，那就是"中"。因为"中"，左右都需要；因为"中"，上下都欢迎；它既接地气，又通天气，天地贯通。因为"中"，它既有自然性，又有人文性，更有社会性。天人合一的频率，天理人欲的尺度，都在这个"中"字里。

这一点，在漫川关古镇的两座戏台中体现得尤为突出。一百多年前，骡马帮会在漫川关老街上修建了"鸳鸯双戏楼"。两座戏楼高度一致，面积相同，比肩而建，但风格迥异。北边的戏楼飞檐斗拱、庄重大气，被称为雄楼；南边的戏楼雕梁画栋，结构细腻，被称为雌楼。戏楼面对两座庙宇，北楼面对的是北方商人供奉的关老爷，南楼面对的是南方商人信仰的马王神。每逢节庆之日，双方的戏楼都会请来戏班，唱上一出家乡戏，娱神娱己。由于两座戏楼紧紧相连，如果一起开唱，南腔北调就会相互干扰。于是，南北两地的商家们相商，用你方唱罢我登场的办法，有序开演。

特别值得一提的是，第三季更加突出地对革命文化、社会主义文化进行了再审视，对革命理想、艰苦奋斗、爱国敬业、诚信友善和传统文化的内在联系进行了有机展示，让人们感同身受地看到中华民族强大创造力、凝聚力、向心力的源头活水，感受到中华民族几千年不变的生活脉动和生命体温。

危难之时，勇于担当，敢于担当，是当下中国最需要的精神力量。第二季播出的河南郭亮村曾经演绎过这种血性雄风。让人欣喜的是，在第三季山东大津古镇中，我们再次看到了。

1982 年，泰山开始修建中国第一条客运索道。当时设备都从国外进口，各种钢铁构件体积巨大，最大的驱动轮直径达到 2.8 米，重量超过五吨。要想把这些设备全部运到山顶，几乎是一个不可能完成的任务。最初，泰山管委会试着用两架直升机来吊运这些大部件，可是因为运送的东西实在太重，让直升机失重栽落山谷。索道公司的负责人苦思冥想，在尝试了各种办法都无果之后，最后只能借助最古老的人力。他们辗转找到大津口镇，向挑山工陈广武求助。陈广武没有拒绝。十六年的挑山工经验，让他最终发明了"大架子"，把驱动轮绑在大架子上，抬着上山。这种方法，能使所有挑山工在受力均匀的同时各自发力。加上开道和垫后的，总共一百四十八人。行进过程当中，陈广武就坐在"大架子"上面，高声喊着号子，指挥方向保持队形。抬"大架子"不怕路陡，最怕拐弯。云步桥有急弯，人称"三瞪眼"，最难通过。因为经过此处时，分布在不同位置上的挑山工们最容易承受重力不一致。如果稍有不慎导致队形散开，走在后面负责托举的六十四位挑山工就会被五吨多重的驱动轮死死地压在下面。他们就又安装绞盘，用绳吊起来，人在下面托着。那是怎样的一种场面啊！一声声号子，响彻云霄！一尊尊古铜色的脊梁，在盘道上无比艰难地一点一点往上移动，无数颗汗珠顺着古铜色的脊梁滚落下来，摔碎在十八盘的石阶上。泰山的挑山工们，就这样克服了千难万险，最终用自己的血肉之躯，把所有索道配件硬生生地抬上了南天门，也把他们的奋勇精神和动人故事，留在了离天最近的地方。如今的泰山索道，每年都要运送近三百万游客上下泰山，使用的全部都是当年陈广武他们通过肩挑手扛运送到泰山顶上的配件。

当主持人问陈广武："坐在自己建起来的索道上，感觉怎么样啊？"他说："感觉给年轻人造幸福了。""给年轻人造幸福"，多么朴素的语言，却传达了大津人泰山一般的心量。正是这种为子孙后代着想的心量，造就了挑山工精神，造就了"石敢当"气魄，也造就了一个民族的坚韧和顽强。除了索道配件，泰山顶上的气象设备、转播塔以及天街上的巨石等，统统都是由陈广武和挑山工们一样一样扛上泰山的。

在这出节目中，我们看到，挑山工精神化为看林员陈广利的责任心，为了不影响第一时间发现火情，他一年四季晚上不关窗户，哪怕寒冬腊月；化为豆腐供应商宋起军的诚信，即使刮风下雨，为了信用，他也不曾有一天中断过上山；化为园艺师张玉清的执着，为了找齐泰山四大名药，他用了十五年时间，最后又把四大名药的种子用飞机撒遍泰山。

如何才能保持一个家族的生命力，从最基础最核心的要素为实现中国梦提供经验支持，是第三季更加自觉追寻的主题。

江苏漆桥镇的拍摄制作不算最精彩，但选材却具有特殊意义。其中有三位人物是孔子后人。他们骸骨垢浴、执热愿凉、有肝有胆、有情有义、有智有慧的英雄壮举和公益行动，让我们切切实实地体会到什么是孔子讲的宽仁大爱。

　　南宋德佑年间，孔子第五十三代孙孔潼孙，受邀赴金陵府学任教。他带上家眷从浙江迁居南京。正值元军统帅伯颜大肆屠杀汉人。一时间，金陵城中横尸遍野。孔潼孙一家有十口人，他最小的儿子孔文昱尚在襁褓之中，于是家人纷纷劝他携幼子回浙江平阳老家避难。不想孔潼孙不但没有听劝，反而穿戴整齐，怀揣先祖孔子画像，独自一人来到元军帅帐。当伯颜看到这样一个手无缚鸡之力的书生居然还敢冒死独闯大营，不由对他心生敬佩。孔潼孙以理相劝伯颜不要滥杀无辜，最终让伯颜停下屠刀。也正是他的这一壮举，种下了子孙后代七百多年来在此开枝散叶繁衍生息的种子。如今他的子孙人数已接近三万。这里成为除山东曲阜以外最大的孔氏家族集居地。

　　每当旱涝等自然灾害发生，市面上的稻米价格一般都会疯涨。但是据《高淳县志》记载，在过去的七百多年时间里，每逢大灾大难，孔家都会开仓放粮，赈济灾民。明代正统年间，孔氏族人一次性捐出粮食两千石，救活了当地百姓六千八百余人。朝廷大为感佩，对孔家进行嘉奖，敕封了好几位孔氏族人为"义官""义民"。

从小在漆桥老街上长大的孔辉，大学毕业后没有留在城里工作，而是回乡做了一名村官。村里有不少孩子因为父母都外出打工，只能跟着爷爷奶奶一起生活，放学后只知道四处疯玩，不仅作业没有人管，安全方面也得不到保障。看到这样的情况以后，孔辉萌生出要为当地留守儿童办一个免费课外辅导班的念头。他与两个同伴说干就干，把课外辅导班办在了留守儿童家里。四五个家庭一组，他们一家一家轮流去给孩子补课，所有费用都自掏腰包。从那以后，孔辉每个月的工资，有一半左右都花在了为孩子们购买学习用品上。人手不足，他们就每人身兼数职，几乎把所有的业余时间都用在这个课外辅导班上。在一次去学校组织活动的时候，孔辉注意到一个孩子很不合群，有明显的抑郁症状。经过了解，得知她也是一名留守儿童，而且家境十分困难。孔辉立刻把她吸收进了免费公益辅导班，主动承担起了家长的职责，还经常到学校去跟老师进行沟通，关注她的细微变化。六一儿童节时，孔辉特意买了漂亮的衣服送给她，同时邀请她参加免费舞蹈班。看到孩子脸上展露出久违的笑容，孔辉无比开心。后来，孔辉的免费辅导班升级成为"淳文公益文化中心"，成为独立的社会公益组织。公益中心里的孩子，也从最初的三五个发展到将近一百人。很多当年受到孔辉帮助的孩子，在初中或高中毕业后，都回到了公益中心，帮助他们去看护那些更小更弱的孩子。除了漆桥本地的年轻人，南京城里还有十几所高校的数百位大学生志愿者每年自愿来到"淳文公益中心"，免费帮助这些孩子。据不完全统计，全国有六千七百万留守儿童，几乎每四个农村儿童中就有一个是留守儿童，留下了很多家庭问题和社会问题。如何解决这一问题，孔辉团队给了我们有益的启示。

孔祥清是孔子第七十五代孙。他从家乡漆桥考到了南京医学院，后来又远赴德国攻读了医学博士。如今，他已是享誉海内外的心血管专家。2008年5月12日，汶川发生特大地震，震后第二天，孔祥清就主动请缨，带领江苏省医疗队火速赶赴灾区。为了救治更多伤员，他拒绝了上级让他留在安全地带的安排，而是冒着生命危险进入到了重灾区平武县平通镇。当时，抢救生命肯定是最为首要的问题，但是学识与经验都异常丰富的孔祥清，却敏锐地察觉到了现场隐藏着的另一个重大危机——灾后现场没有防疫方面的专家。为了防止发生瘟疫等次生灾害，孔祥清运用自己深厚的医学积淀和精湛的专业技能，在现场实行调度和组织工作。他将江苏省医疗队一半的工作人员布置到防疫岗位，组成了一个临时防疫小组。在专业防疫人员到位之前，医疗人员就先顶上。他们的工作方式立刻得到抗震救灾总指挥部的高度肯定，并将这种方式在整个灾区迅速、全面地推广开来。在孔祥清和他的战友们的共同努力下，整个"汶川大地震"灾后没有发生一次疫情。抢险救灾工作结束之后，孔祥清获得了"全国五一劳动奖章"。

他们在重灾区平通镇采用的工作模式，也被人们总结为"平通模式"。从此以后，凡有大灾发生，防疫问题都被放在与救治伤员同等重要的高度。这件事情以后，孔祥清在医学界的名气越来越大，邀请他出诊和讲学的人也是越来越多。但是，他们都被孔祥清婉拒了。他又进入另一个更为普遍的医疗社会问题领域进行探索。他说，作为医生，我很痛苦，痛苦在哪里呢？相当于我医得越多，因这个病死掉的人也越多。《黄帝内经》讲："上医治未病，中医治欲病，下医治已病。"与其花很大代价去治疗，不如让人不生病。从此，孔祥清将自己的全部时间，都投入到了心血管疾病防治研究工作中。他想探索出一种心血管领域的"平通模式"，让更多的人能够通过预防将病患消除在发病之前。这样的想法一旦成型，他首先想到的就是回馈自己的家乡。孔祥清利用自己的专业技术，四方筹集资金，免费为故乡漆桥的父老乡亲建立起了心血管病和糖尿病健康档案，并对这些档案进行最先进的科学管理。孔祥清的义举让漆桥古镇再次沸腾起来，不仅当地的老人们奔走相告，就连在外打工的年轻人们也纷纷回乡参与。在当地政府的大力支持下，事业有成的企业家们纷纷踊跃出资，乡村医生们更是不遗余力地加以推行。如今，这项造福百姓的工作，已经在漆桥古镇上全面开展起来。

　　2016年秋季开学，北大教授徐凯做了一项调查。调查结果显示北大学生40%有"空心病"，其特点是感到生命没有意义。北大学生尚且如此，其他青少年会是一个什么状态，我们不难想象。看到这篇文章，我的心里特别沉重。就在这时，我看到了乌镇的台本。其中讲道：

　　明末清初著名的理学家张杨园以布衣之身从祀孔庙，尊享后世香火，他留下的一句治学格言——"大凡为学尤须立志"对后世产生了深远的影响。清同治四年，乌镇人创立了立志书院。"先立乎其大，有志者竞成"的对联，在大门两侧一挂就是一百多年。在这里，无数乌镇学子埋下了修身齐家治国平天下的梦想，手握书卷走向更远的地方。这其中就包括一代文学巨匠——茅盾。1896年，茅盾出生在乌镇一户沈姓人家，父亲为他取名德鸿，希望他成为一个道德高尚的人。那时的中国内忧外患，各种新思潮风起云涌。茅盾的父亲尽管16岁就考中了秀才，但却一直向往新学，不但订阅上海的报纸，还自学数理化，希望实业救国。父母的进步思想和教育方法，影响着幼年的茅盾。在他8岁那年，立志书院顺应时代潮流更名为立志小学。茅盾成为这所新式学堂的首批学生。虽然学校引入了很多西方教育科目，但"有志者竞成"的校训却始终没有改变。这也让12岁的茅盾写下了"大丈夫当为天下为己任"的豪言状语，成为他成为一代文学巨匠的精神动力。正是这种集体无意识，让乌镇一直勇立时代潮头。这种精神模式，在生命无意义、职业倦怠成为流行病的今天，具有特殊价值。

除了以上几方面，第三季仍然对清正廉洁的价值作了深入挖掘。山东新城镇王氏家族的反腐故事，最为典型。无论是明时把贿赂者的礼品投进大江的四世祖户部员外郎王重光、清时废除恶习琼花宴的八世先人扬州府推官王渔阳、还是新时代拒收三千元红包的工程技术负责人王学东，从他们身上，我们都能看到穿越时空的廉洁之大美。他们留下的"所存者必皆道义之心，所行者必皆道义之事；所友者必皆读书之人，所言者必皆读书之言""不负民即不负国，不负国即不负所学""建筑质量直接关系到老百姓的生命财产安全。如果这次我让你顺利过了关，以后万一出了事，我们都会受到良心的谴责，严重的话，甚至是牢狱之灾"这些话，让我们知道王氏家族为什么会成为"齐鲁第一大进士家族"。

特别值得一提的是王渔阳为他出任唐山县令的儿子王启汸写的《手镜》，成为这个家族的精神高峰。王渔阳为什么要把"王氏家训"名为《手镜》，其中有着无尽的深意。镜者反照也，意为只有时时反躬省察，从念头处消灭私念，才能不做错事；镜者明也，意为只有点亮心灯，找到根本光明，才能不走暗路；镜者止念也，意为只有止住妄念，安静如无风之湖面，才能映照万物。由此"镜"字，人们可以联想到干净、安静、清静，最后完成的是生命大境界。

而一个人如何才能让心如明镜，《大学》有言，只有"知止"，才能实现"定""静""安""虑""得"。可见心明如镜的大前提是"知止"，也即找到生命的方向。当一个人知道生命的价值在东，他就不会向西去了。

《记住乡愁》给人们提供的，正是生命的方向。

"乡愁"已经成为新的中华文化共同体

自习近平总书记城镇工作会议讲话之后，"乡愁"一词就承担起一个非常重大的文化使命，那就是寻找中华文化的基因链，寻找中华文明有机体的中气，寻找中华巨轮的发动机和压舱石，找到中华民族根本性的幸福底图和运转轴。为此，大型纪录片《记住乡愁》剧组应运而生。经过三年艰苦卓绝地采拍制作和高收视率播出，终于让这一文化使命成功落地。

作为文字统筹，我见证了《记住乡愁》的创作过程。随着节目的热播，"乡愁"一词渐渐完成了它的内涵扩展。现在，大家已经知晓，这个"乡愁"再也不是余光中诗中的那个"乡愁"了，也不是"乡"和"愁"两字相加所指的"乡愁"了，而是一个可以兼收并蓄优秀传统文化、红色革命文化、时代先进文化的新概念了。换句话说，它历史性地融会贯通了这三种文化，成为中华文明的一次大整编、大融合，成为中国文化史上具有里程碑意义的新概念，一个能够让历史和时代牵手进而拥抱的"中华文化同共体"。通常意义的上"乡"和"愁"已经完成了它的美丽蝶变，成为一个可以把一切美好存在、美好精神、美好情感装进去的新家园，具有无限的想象空间、拓展空间。我曾经试过，要妥当承担这一使命，换用"乡音""乡情"等词汇，似乎都没有"乡愁"二字适合、有分量。特别是进入第三季后，革命文化内容铺天盖地而来，让我们始料未及。我们发现，前两季一百二十集，传统文化是主体内容，革命文化和时代文化也有，但只是一部分。到了第三季，革命文化成了主体内容。那是否意味着，到了第五季古街区、第六季历史文化名城的时候，时代文化会成为主体？我们应该如何系统把握、如何进行整体性建构才能让《记住乡愁》成为中华文明的一次全新融会？

　　随着第三季的采拍工作渐近尾声，我们的思路已经很明确了，那就是，我们要找到三种文化的最大公约数。找到古今、中外、公私、内外、上下的最大公约数。就是说，要找到无论是传统文化，还是革命文化，抑或是时代文化的认同者都有共鸣的那部分，把它放大。《记住乡愁》就会成为中华民族不可多得的凝聚力、向心力、感染力。也会为打造人类命运共同体这一宏大工程提供鲜活的文化支持。当然，这三种文化，说到底是从优秀传统文化之根上生长出来的，经过五千年时间检验的优秀传统文化是主线，红色革命文化和先进时代文化是这条主线上的明珠。因此，我们在拟定选题、采点、商讨选题、选择素材的时候，就要努力寻找三者之间的必然联系。把一集节目看成一棵精神性生命树，找它的根、干、枝、叶、花、果，这棵生命树就会很繁茂。这样的生命树集合而成的精神森林，自会为人们确立文化自信提供再自然不过的理由。

比如福建古田古镇，已经被无数的媒体采拍过，可谓妇孺皆知、家喻户晓。那么，作为一出乡愁节目，我们如何立题，如何选材，如何切入，就显得非常关键。换句话说，如何找到我们的不可替代性，也是对古田文化的新贡献。同样，我们用"精神树"去对应，一个非常难以把握的事情就相对容易了。为什么这块土地能够养育出如此著名的革命文化？沿着这个线，我们发现，一千多年前，客家先民来到这里时，种的是高粱、小麦，但有一片田里却自己长出谷子来。一个名叫"五谷子"的先人，发现了这一秘密，就培植种子，最后无偿分送给南迁的客家人，让家家户户从此吃上了大米。这也是古田地名的由来。古田，谷田。《黄帝内经》讲："五谷为养。"它养育了客家人，自然会养育当时倡导为大多数人谋幸福的革命文化。非常有意思的是，在陕北，也是小米养育了革命。

在建于道光年间的廖氏祠堂里，有"北郭清风"四个大字。据《后汉书》记载，"北郭"指的是东汉时期一个叫廖扶的人。他永不出仕，却常以天下事为己任，在家乡设席讲学，著书立说，门下弟子多达数百人。他平素布衣芒鞋，粗茶淡饭，生活非常节俭，却广施义粮，救济贫困乡邻，广布义款，以应四方急需。百姓感于其功绩，尊称他为"北郭先生"，以"北郭清风"表达对他的由衷赞誉。1917年，宗祠经过大规模维修后，又开办了历史上第一所新型小学——和声小学。"文章宗北郭振先生旧家风，学术仿西欧开弟子新智识"。上联是源，下联是流。正如传统是根，养育革命是果。就在廖家的松荫堂里，毛泽东写下了《星星之火，可以燎原》等照亮中国革命道路的珍贵文献。就在廖氏宗祠里，举行了著名的"古田会议"。

在山西碛口古镇，我们发现，至今依然保持着有难同当、有乐共享的理念。就连镇上的旅游产业经营，也有一种小共产主义的味道，这在当今商业竞争非常激烈的今天，的确让我们眼睛一亮。拿"精神树"原理对应，这样的风尚，肯定有一个根脉，一梳理，果然如是。"碛口"这个镇名本身就来源于"大同碛"，那是黄河水域仅次于壶口瀑布的一道险关。在我看来，这是天地设给碛口人的一道考题，就是为了让人们感受休戚与共的价值，就是为了让人们无比强烈地感受到，个体生命只有在群体性中才能找到安全感。没有合作精神，单凭个人力量，几乎不可能闯过大同碛。只有同舟，才能共济。因此，大同碛是一个无比美好的象征，它凶险，但心肠热，现怒目金刚相的目的是为了教育，让人们认识到个体的渺小、群体的伟大。碛口之所以能够成为"水旱码头小都会，九曲黄河第一镇"，正是整体性生命认同结出的美丽果实。

"大同碛"让我不由联想到《礼运大同篇》中的"大道之行也，天下为公，选贤与能，讲信修睦，故人不独亲其亲，不独子其子，使老有所终，壮有所用，幼有所长。鳏寡孤独废疾者，皆有所养"。这种思想源头，形成了中华民族整体性存在的心理结构，也造成了中华民族的集体主义精神。这种结构，这种精神，是和宇宙规律相对应的，也是和天地精神同频的。因此，休戚与共是天赋人性。从本体学的层面讲，"天地与我并生，万物与我为一"。从生存学的层面讲，"天地所以能长且长者，以其不自生，故能长生"。从社会学的层面讲，"天不私覆，地不私载"。

　　采拍这样的古镇风景，现实意义重大。无论是从打造人类命运共同体和实现中国梦的宏大主题角度，还是从提高个人幸福指数的角度。把一个镇的同舟共济、有难同当、有福同享放大，就是人类命运共同体的基本形态。而要实现中国梦，需要提高中华民族的整体能量。而要提高中华民族的整体能量，就需要提高每个人的能量。从心理学的角度看，心量越大，能量越高，而人的健康、幸福，都是能量转变的。从消除焦虑的角度看，自我越强大，和现实的冲突就越激烈，痛苦就越深重；自我越微小，和现实的冲突就越小，痛苦就越轻。只有群体性存在方式才能给人提供安全感。只有安全感，才有归属感。只有归属感，才有幸福感。

　　也正因为如此，《记住乡愁》团队在拼力工作。用执行总编导王峰女士的话说，大家都在超负荷工作。用制片人王海涛先生的话说，这是剧组同仁一次自愿自觉的超越极限的精神之旅。

《记住乡愁》第三季札记

一

中宣部常务副部长、中央文明办主任黄坤明在出席《记住乡愁》第三季创作培训班上强调："中华文化的根本优势，在于有着生生不息、博大精深的中华优秀传统文化，这些宝贵资源铸就了中华民族持久而强大的凝聚力和向心力，滋养着当代中国的发展进步，是我们必须坚守的精神高地，也是我们保持文化自信的坚强基石。"《记住乡愁》就是要让人们在艺术鉴赏中，增进对中华文化的感情认同，充分认识中国文化的独特优势和发展前景，进一步坚定人们的文化信念和文化追求。

和第一二季一脉相承，传统文化仍然是节目推进的灵魂要素。通过对先人们世代遵循乡规民约、行帮规范、伦理道德和行为准则的采集梳理，将千百年来散落于中国古镇上的文化基因和片段有效地联接在一起，把人们由古镇意象生发出来的乡愁与中华优秀传统文化有机对接，以此唤醒社会各界对于中华优秀传统文化的挖掘、重视、坚守与传承，重建海内外华人的精神原乡。

中国古镇的发展起自秦汉，盛于唐宋。二十多个世纪以来，悠久的中国农耕文化和商业文化在古镇上共生共存、包容互鉴，其中也涵盖了与此相关联的开拓进取、精益求精、诚实守信、互利共赢等在内的商业操守和文化内涵，在此基础上形成的价值观和乡土情怀，更加丰富了中国人的精神世界。

为了将这一抹"乡愁"立体化、生活化、追忆化，《记住乡愁》第三季节目组本着"一镇一神韵，一镇一味道"采拍的原则，深入古镇生活，从生活现场和时代土壤中寻珠探宝。

在第三季用60集篇幅书写的中国古镇中，既有小巧精致的水乡古镇群，也有粗犷大气的北方大院建筑群；既有商贾大家的徽派古镇群，也有朴实无华的西北古镇群；既有个性鲜明的岭南古镇群，也有清秀灵逸的湘黔古镇群；既有颇具民族风情的南诏古镇群，也有另类浪漫的西南古镇群等等，丰富多彩，不一而足。这些古镇不仅仅是中国特色区域文化的缩影，更是中国人以道法自然、天人合一、崇礼谦让等价值观念为核心的哲学思想的完美体现。

此外，在古镇建筑特色上，古老的民居建筑（如古街道、古院落等）、宗教建筑（古寺庙、道观等）和公共建筑（宗祠、牌坊、桥梁、戏台和会馆等），大都相连成片。这些遍布精美雕刻与绘画、具有丰富内容的特色建筑，在外形上迥异于千篇一律的现代民居，无不让人眼前一亮。看一眼家乡的特色建筑，游子心头沉睡多年的乡情乡愿，瞬间就被唤醒了。

新的一季《记住乡愁》不仅要带领观众们了解古镇、认识古镇、饱览不同古镇的风土人情，还将探寻和了解它们的历史渊源及其发展脉络，探寻并讲述其中最为感人的真情故事。为此，剧组吸收了专家和观众对前两季的收看反馈，在创作手法上进行了新的探索。比如邀请全国著名主持人走进古镇，通过他们的眼光表现古镇之美、之神、之韵。

二

众所周知，以雄伟著称的"五岳之首"泰山上的一砖、一瓦、一石、一梁，都是由"挑山工"们挑上泰山的。而泰山的挑山工们，大都住在有着"泰山后花园"之称的山东泰安大津口镇上。大津口人世代艰辛劳作，凭着惊人的毅力勇敢攀登泰山，他们既熟知"十八盘"的险峻，也深知"快活三里"可能给人们意志带来的消磨。所以，大津口人在"快活三里"从不多做停留，而是一鼓作气登上山顶。这种坚持的精神也深深地影响了他们，久而久之形成了坚毅、持久的做事风格。所以才有了曾当过二十年挑山工的当地园艺师张玉清，用十五年时间坚持找齐消失多年的"泰山四大名药"

的故事。

江苏苏州同里古镇素以"小桥流水人家"的水乡景致著称，人们不知道的是这里"明取舍，知进退"的独特民风。这不仅表现在隋炀帝时，姓金的秀才将"富土"改名"同里"，让当地百姓免于严苛税赋的智慧，同样表现在今天，罹患癌症的镇政府退休干部计东生，凝聚毕生心血修成《同里镇志》，并且因为内容详实、记录准确，一举成为我国现行地方志中的典范。同时由于调养得当加之心态平和，老人的身体也恢复了健康。

位于青藏高原腹地的昌珠古镇，在静谧的河谷间潺潺流淌了上千年。在昌珠人心中，是脚下的土地让他们的生命得以延续，于是虔诚与敬畏就成为藏族人对这片热土最本质的追随。从公元前二世纪开始，生活在这里的人们就用心守护着农田，以诚心开垦着农田。作为"第一块农田"的主人，昌珠农户格桑旺杰始终坚信，土地既是祖先的荣耀，也是后世子孙赖以生存的根本。守护好了土地，就守住了根脉，守住了心灵的寄托和依靠，只有尊重自然，敬畏自然，世间万物才会因其厚重而备受尊崇。

坐落在河南省西南部的赊店古镇，千百年来流传着重信守诺的厚重民风。历史上，东汉光武帝刘秀赊旗，信守承诺，让这个中原小镇九座城门拔地而起，从此拥有与皇城同等的荣耀。始建于乾隆年间的山陕会馆，各个商号踊跃捐款，负責筹建会馆的商会承诺，所有银两只用于会馆修建，绝不挪为他用。会馆建成后，结余的三千多两白银换成两万五千斤生铁，浇铸成两根高达十七米的铁旗杆。当"大义参天"四个大字被镌刻在铁旗之上，便化作了古镇的一脉商魂。赊店古镇重信守诺的传承千年不变，即便到了今天，镇上年轻的打铁人张文浩也时刻铭记作为赊店人的良心传承，每把刀具两千锤，一锤都不能少，于锤起锤落间铸就了重信守诺的人格。

在有着六百多年历史的福建崇武古镇，支撑起古镇精神脊梁的是忠勇无畏的凛然正气。正所谓"一部崇武史，半部英雄传"。早在明代倭寇来犯之时，早已卸甲归田的千户钱储率众誓死抵御倭寇，一门忠烈战死沙场。崇武人世代演武练兵，早已把对于忠勇义举的尊崇化成了信仰，并且一代一代加以传承发扬。无论是拿起钢枪勤学苦练在海防哨所站岗执勤的惠安女，还是为了过往船只平安出巡三十三年间始终坚守在灯塔岗位上的守塔人蔡建泉，崇武人都以忠勇无畏和质朴刚毅，执着地坚守住了古镇的现在和未来。

位于苏杭之间的乌镇，素以温柔水乡著称。然而千百年来，乌镇人融通兼蓄、与时俱进的文脉传承，也铸就了自强不息、立志进取的民风。古有太子萧统立志向学，编纂中国最早诗文总集《文选》；后有文学大师茅盾深受故乡求新思潮的影响，立志以文报国，先后写下《林家铺子》《春蚕》《子夜》等经典，寻求文化力量上的强国兴邦。即便到了今天，乌镇人依旧坚持进取求变的时代精神，致力于古镇的传承与发展。于是我们看到乌镇人矢志不移地投身乌镇旅游业的保护与开发；我们看到祖上四代都从事竹编工艺的手艺人钱鑫明，为了把"竹编"这项老手艺传承下去而不断坚守、四方奔走；我们也看到拥有不服输性格的乌镇民宿房东穆穆，进取求新、大胆尝试，成功地推广了乌镇民宿。乌镇，正以其勇立潮头的姿态，向世人展示着它在时代与历史交汇处的新生。

自古以来，陕西商洛漫川关古镇就是兵家必争之地，后又因其商业重镇的地位，享有了"小汉口"的美誉。商业蓬勃发展，既是机遇也是挑战。古镇居民制定起井然有序的商品贸易协定，有争议就相互协商，力求共生共赢，而协商互利就在古镇世代沿袭得到传承。在漫川关古镇，秉公处事的调解人（中人）杨品发坚守"相商有则"的祖上传承，不偏不倚解决镇上的大小纷争。做服装买卖的商户杨文洲遵循市场法则，同其他商户一起默守各自差异化的经营理念，把镇上的服装买卖做旺做大。漫川关人在纷争中学会协商和谦让，在先祖们协商共赢的质朴教诲下，守护着古镇的幸福和安康。

以义为利，让位于太湖之南的南浔古镇成为历史上江南地区最富庶的地方，也让古镇人时刻自省，谨记这一精神传承。古镇上曾流传过这么一句话——"四象八牛七十二黄金狗"，用以形容财富的等级。作为"四象"之首的刘镛，白手起家，做生意却始终坚守一个"义"字，不坑骗百姓，积极投身赈灾，广设义仓，开办义学，仁义之行广为流传。蕴含人世情理的"骑楼"，建成后既满足了董家的结亲需求，也为过往百姓提供了出行方便。这是南浔人割舍不断的道义之情。这种"以义为利"的精神也深深影响着后人，他们世代遵循对祖先、对社会的承诺和信义。因此也就出现了顾乾麟即使变卖首饰也要坚持创办奖学金的义举，出现了更多"得诸社会，还诸社会"的南浔人将仁义精神加以继承和传扬的感人故事。

江苏千灯这座千年古镇，就是曾经提出"天下兴亡，匹夫有责"的顾炎武先生的家乡。受顾炎武精神影响的千灯人，积极抵御外敌抗争，血洒疆场，用一缕缕忠魂不断演绎"天下兴亡，匹夫有责"的人生使命。抗美援朝老兵沈振东坚守着保家卫国的奉献精神，从他开始一家三代从军。在他看来，每一代人都有自己的责任和担当，哪怕为此付出生命也义无反顾。顾炎武的思想不仅在战争年代鼓舞了一代人，今天依旧影响着千灯人。他们为了国家和民族无私奉献。周火生老人带领千灯人捐款一千两百多万，用于帮助失学儿童。音乐老师徐允同为了延续昆曲艺术，更好地诠释民族文化，十多年来孜孜不倦，誓将这一古老的艺术形式传承下去。家国情怀，匹夫有之，千灯人在发扬光大这一精神的同时，也将它深深印在了心里。

"仁爱为本，诚信立世"，是扎根于每一位安徽三河古镇人内心的精神给养。古镇上的人们在商业文明的发展进程中，时刻信奉和恪守"仁义为本，诚信立世"的为商之道，久而久之就形成了古镇里仁义诚信的良好风气。所以，各种仁爱之举在三河镇上源源流传。"中和祥"老掌柜心怀仁爱之心，每到年关都会挨家挨户上门去送银两，借此帮助生活贫困无钱过年的贫苦人家。受先祖德行好施的影响，施家后人也始终坚守诚信仁爱的信念，将"中和祥"这家百年食品老字号经营至今完好如初。受"内诚于心，外信于民"的道德规范影响，古镇人也把诚信仁义的商业规范落实到了古镇发展的各个角落。信守诚信、兼顾仁爱之心的三河人，用自身的规范和自律，守护起了古镇的现在和未来。

这些发生在各个古镇上的真情故事，就如同散落在民间的珍宝，经过《记住乡愁》第三季的记录和传播，将会成为感动华语世界更多人们的脉脉温情，成为提振人们文化自信与自觉的力量源泉，世代流传下去。

三

当代中国，科学与经济飞速发展，而地方古镇在历史发展中天然形成的工商文明，即使放在当下，也依然可以为现代商业的发展提供扎实的理论基础和实践依据。众所周知，中国古代商人们的经营之道，依附的是中国传统文化的深厚土壤。勤勉、持之以恒、精益求精的工匠精神，浸润到了手工业者的生产生活中，而诚信、公平、重誉的行为伦理准则，则被移植到了商业经济领域。开拓进取、精益求精、互利共赢的精神为工商业者所恪守。古人数个世纪以来所奉行的以义为利、因义用财、必要时舍利而取义的商业文化训示，即便是在经济高速发展的今天，依旧彰显着它强而有力的借鉴价值，时至今日，依然是一种可参考的文化资源，给后人留下了宝贵的精神财富，令后世景仰。

传承千百年的古镇，一街一巷、一砖一瓦都有其可追溯的静谧岁月。古镇包容着岁月的变迁，既能向世人滔滔诉说它的历史奇遇，又能如潺潺流水，以其开阔和善的胸襟将中华文化的万家灯火传递到人们的心头。

在这包容并举、天下日趋大同的新时代，或许人们都将终老他乡。在这特殊的时代背景之下，就让《记住乡愁》第三季用生动讲述、客观记录的方式，带你走进中国古镇，走进当地乡民保留了千百年的生活意蕴；带你品尝当地传统美食、感受当地传统民俗文化、学习体验传统手工技艺、了解古镇里各色老字号的传承故事；带你跟随镜头亲眼见证古镇的根基与文化。让人们在古镇温情四溢的情怀里，在心头那抹被勾起的故土情怀中，缱绻辗转，渴求和期盼着心灵上的落叶归根。

用心守护中华文明的万家灯火

是谁

在如此深情地打量一片土地

她的名字叫华夏神州

是谁

在如此用心地描绘一道风景

她的名字叫家国情怀

从古到今

精心探寻

祖先的宝藏

从春到秋

细细打理

千年的文脉

天地之心

生民之命

往圣之学

万世太平

这份祖先的行囊

又怎是我等能够扛起

青灯下

我们体会守候

黄卷里

我们感受嘱托

键盘上

行走着我们的感动

镜头前

流淌着我们的泪水

从村落

到古镇

是一百二十集的长度

从乡情

到乡愁

是一百二十集的温度

街头的叫卖

就像田野的庄稼

码头的风帆

就像村里的炊烟

变了的是岁月的衣裳

不变的是灵魂的色彩

至此，我才明白

天地间

有一种情怀，叫

记住乡愁

岁月里

有一种感动，叫

不忘初心

正如中宣部常务副部长、中央文明办主任黄坤明在出席《记住乡愁》第三季创作培训班上强调的那样："中华文化的根本优势，在于有着生生不息、博大精深的中华优秀传统文化，这些宝贵资源铸就了中华民族持久而强大的凝聚力和向心力，滋养着当代中国的发展进步，是我们必须坚守的精神高地，也是我们保持文化自信的坚强基石。"《记住乡愁》就是要让人们在艺术鉴赏中，增进对中华文化的感情认同，充分认识中国文化的独特优势和发展前景，进一步坚定人们的文化信念和文化追求。

举世瞩目的中华文化传承工程，大型纪录片《记住乡愁》前两季已经成功完成拍摄播出任务，实现了30%的观众到达率，立下了中国纪录片的又一个丰碑。2007年1月2日，第三季又要在中央电视台中文国际频道开播了。算上第三季60集，《记住乡愁》已经拥有180集的巨大体量。

　　在我看来，这180集节目，是电视人用三年心血编纂的新《四库全书》，筑就的新文化长城，开凿的新文化运河，修建的新文化航母，书写的新精神史诗，是中华文化的一次超常集成和空前博览，是中华民族精气神的跨时空汇聚，也是中华民族文脉的抢救性修复。相对于课堂式宣示、论坛式宣讲、文章式宣传，它更加生动、形象、鲜活，有温度，有情感，有大地泥土的芳香，有人间烟火的气味。它无疑是中华文化优良性、生机性、合法性、不可替代性的最广泛、最基础、最深厚的展示。

　　在廉价的笑声、无底线的娱乐、无节操的垃圾还在争夺文化市场的今天，在戏弄历史、亵渎祖先、亵渎经典、亵渎英雄、去崇高、去价值、去意义，用无端的想象去描写历史、使历史滑稽化、虚无化还没有完全降温的今天，在急功近利、一味标新立异、追求怪诞、炫富竞奢、低俗媚俗的精神雾霾仍然占领一些传媒平台的今天，《记住乡愁》无异于一道明媚的阳光，一缕清新的空气，透进受众的精神世界。

　　人们普遍认为，《记住乡愁》为华夏儿女走出精神低谷提了神，补了钙。它是电视人通过镜头语言对中国文化的一次主体性彰显，是电视人对中国文化的一次规模性进场和整体性发扬，让受众看到中国文化的主干性价值、主体性形态和一贯性方法论，有效地唤醒了中国人的意义世界，为时代进步提供了真实有效的精神底图和文化支撑。

随着采编的一步步深入，编导们心中的敬意和温情越来越浓烈。当镜头有了敬意，当话筒有了温情，再次面对这一艰巨的文化工程，就不觉得怯场，反而豪情万丈，担当精神就会油然而生，就会自觉肩负起这一神圣的文化使命，为弘扬中华民族的民族性精神、民族性生活、民族性情感而忘我工作。

对于一个从《诗经》里走出的民族，诗性本应是她的生命底色。因此，在第三季，挖掘展现神州大地的美丽和诗性，就成为导演们的自觉追求。比如还乡精神和忍让人格。

原来人们只能在古人的文字中读到的桃花源理想国，在第三季成为事实。比如重庆偏岩古镇，勾画了一幅难得的士人还乡群像。他们纷纷放弃城市生活，回到故乡，做起乡贤。公元1144年，巴渝第一状元冯时行从官场隐退后，回到曾经寄读的缙云山下开堂设馆。有意思的是，当年被他收留的贫困学生陈某，在中举后也拒绝为官，回到偏岩，开办了当地最早的义学。这种传统延续到近代。

民国初年，曾任川南督学的唐祝山从官场隐退后，为家乡投资兴办了一所集图书馆、平民夜校和茶馆一体的客栈。1998年，王凤炳退休后，效仿唐祝山当年的义举，把孩子们给他的赡养费两万八千元全部拿出来，不顾孩子们留他在城里生活的愿望，千方百计回到家乡，想方设法建了一个阅览室。之后，又建了一个图书馆。

1944年，经美国总统罗斯福的推荐，蒋介石两度派人邀请在哈佛大学留学归来的唐建章出仕，都被唐建章谢绝。教育部长陈立夫心有不甘，仍然电话动员。唐建章就干脆把电话掐断。唐建章拒绝出仕，在干什么呢？在给家乡修建铁路，勘探河流，接通电话，建立气象测候所。之所以要建立气象测候所，是缘于1939的夏天，在一次突如其来的暴雨中，三十多位老乡连同屋舍，被突如其来的洪水冲走。这在他心头留下了巨大创痛。

滇南西庄镇给我们讲述了丰富多彩的忍让故事。

在古代，"忍"是一种十分重要的人格修炼的方法。从内容上讲，可以归纳为：害忍、苦忍、欲忍、无忍。一是对他人的毒害我能忍，二是对一切自然苦痛我能忍，三是对一切私欲我能忍，四是无我之忍——既然我没有了，哪里还有怨恨和苦痛呢？因此，无忍是看破世事真相，放下一切烦恼，也就是承认生命中没有可忍之事，没有可忍之人。因为一切不生不灭，一切都是整体，你就是我，我就是你，你伤害我，就是伤害你自己，同样也是我自己伤害我自己，还需要忍吗？

《金刚经》云："如我昔为歌利王割截身体，我于尔时，无我相、无人相、无众生相、无寿者相。何以故？我于往昔节支解时，若有我相人相众生相寿者相，应生嗔恨。"

从字义上看，"忍"是"心头一把刀"，但这把刀在生命的不同阶段，价值是不一样的，它的功用会随着生命主体的变化而变化。起初它给生命被动性力量，接着转为主动性力量。用古人的话说，先是顺转五行，继是逆转五行。就像一个婴儿，先要以呵护为主，刀锋要背对他，接下来就要雕琢，刀锋要面向它。

从境界上讲，可以归纳为忍耐、忍受、容忍、宽忍、忍让、忍念、忍心、忍无可忍，层层递进，心量依次变大，能量依次提高。第一个层面是忍耐、忍受。意思是接受难以接受的事情，即使把刀插在心上，也要接受。要耐得住，受得住。那把刀是让心流血的，让主体经受痛苦的，也就是除娇的。第二，容忍、宽忍。"忍"和"容"联系在一起，和"宽"联系在一起，成为"容忍""宽忍"，就是能容人，能容事，那把刀是除霸的。第三，忍让。不但能容，还能主动让出去，那把刀是除吝的。第四，忍念。除欲心，除私心，意即心里的欲念、私念一产生，就要一刀把它铲除，保持心底的纯洁，那把刀是除念的。第五，忍无。也即忍无可忍。因为忍者不存在了，"我"消失了。"我"消失了，"心"当然消失了。"心"消失了，心里的那把刀也消失了。古人把这个层面叫无生法忍，是"无生无灭之忍"的简称。没有什么可以生，当然就没有什么可以灭，当然就无苦的生，也无苦的灭，忍就不存在了。由有为，到达无为，"忍"就完成了，圆满了，究竟了。

相较之下，前三个层面是事上理上忍，是粗忍，后两个层面是心上忍，是细忍。前三个层面要做到，需要忠恕功夫，即"己所不欲，无施于人"。也就是老百姓常常说的"不忍心""将心比心"。我不愿意接受的，也不要施加于人。我不愿意被人伤害，我们就不要伤害他人、他物。这个不忍心，事实上就是良心。所以，"忍"是古人致良知的方法论，完成人格的方法论，回到本体的方法论。孔子的耳顺境界，就是无忍境界。老子的无为境界，就是无忍境界。佛陀的涅磐境界，就是无忍境界。

从节目中我们看到，唐时张公艺家九辈同堂，一百多个人住在一起，左邻右舍却听不到半句争吵。唐高宗封泰山时路过张家，听到他们九辈同堂，十分好奇，就给他出了一道难题，赐他两只外国上贡的凤梨，看他怎么分配。不想张公艺先拿它上供祖先，然后捣成汁，做成汤，让大家品尝。唐太宗听说后，非常赞赏，就宣他讨教治家的秘诀。张公艺没有急着回答，而是要来纸墨，写了一百个大字，呈了上去。唐太宗一看，全是"忍"字，恍然大悟。治家要忍，治国更要忍。于是他挥笔写下"百忍堂"，赐于张公艺。这就是西庄镇上著名的"百忍堂"的来历。

张公艺分梨是"忍私"。我们可以想象一下，皇上赏的梨一定非常难得、非常新鲜、非常好吃，通常情况下，拥有权力的人会私用私享，但是张公艺没有这么做，而是让大家分享，这是大忍。它带来的结果是什么呢，大家的敬服，敬服反过来又让大家主动忍。如此，我们就不难理解为什么这个一百多人的大家庭里没有半句争吵之声了。

从张树元的母亲身上，可以看到"忍"的不同方面。张树元出生不久父亲就去世了。母亲凭着坚忍的性格，一边抚养他，一边孝敬公婆。这其中，有多少艰难困苦需要忍耐忍受，可想而知。消息传到朝廷，准许张树元在官马大道为母亲建一座功德牌坊以示昭彰。不想就在张树元备好石料，准备停当，就要开工时，却遭到邻寨人的反对。就在两寨人僵持时，张树元的母亲朱氏站了出来，让儿子放弃这个光宗耀祖的工程。邻寨人先是惭愧，后是感动，便在原地修了一座谭张两姓祠堂。而那些备好的石料就在那里静静躺了一百个春秋，成为两族世代和好的见证。在过去，一家人能够获得修建功德牌坊的资格，这对家族来说是天大的荣誉，一定意义上也是一个人用生命换得的成就。朱氏能够放下，说明她的心里已经没有"我"了，至少能够放下"我"了。否则，是忍不过去的。再说，既然朝廷能够赐建，他完全可以借皇家之势压迫对方，但是朱氏没有这么做。她有势不用，更是"无我"的表现。显然，她老人家已经修炼到"无忍"的境界了。

在西庄古镇，我们看到人们不是愚忍，而是智忍。对于自己的得失，他们能忍，对于民族大义，他们绝不无原则地忍让。这从他们筹资修建中国第一条民营铁路可以看得出来。当年，清政府和法国签定了不平等条约，其中就有修筑滇越铁路这一项。谁都知道这是一项侵略计划，意在掠夺资源。就在这时，张氏家族会同镇上乡绅找到时任云南总督的蔡锷，表示愿意捐资入股，自修铁路。1936年，投资二千余万银元的个碧石铁路全线通车。为了奖励西庄人的大义，铁路在西庄镇设了站点。

相比之下，发明高效环保汽锅的张时迅的故事，让我们更加体会到忍让在现代商业社会的时代价值。当年，他和几个朋友各自拿出五十万元投资了一个紫陶坊。不想随着生意壮大，大家的经营理念发生了分歧，无法有效合作。他要撤股离厂，对方不同意。后来他又提了几个更加宽容的方案，仍被拒绝。他就下决心一分钱也不要，净身退出了。这意味着他要放弃几十万元资金，即便这是他抵押房子筹集的资金。但他仍然决定不要了。后来，他向亲朋好友借钱再创业，借钱发工资，同时还要给对方还贷款。"天道无亲，常与善人"。不久，张时迅发明的新锅在市场上一鸣惊人，赢得用户的青睐，很快从负债过渡到赢利，真可谓"退一步海阔天空"。他的忍，有些把刀锋藏在心里的意思了。

正因为如此，镇上在拆迁改造时，三百七十多户居民几乎没有人不配合。就连生子刚满月的谭雪花，也不顾刚生下孩子不能搬家的习俗，通情达理地把房子让了出来。如此，短短两个月的时间，古镇街道的改造就完成了。这种速度，这种规模，在中国古镇改造史上，也不多见。真是"一勤天下无难事，百忍堂上有泰和"。

走向纵深：《记住乡愁》进入第四季

　　如何把五千年的经典传统、民间传统和革命文化、时代文化熔为一炉，通过乡愁深加工，变为一种浑然天成的电视版的"新传统"，是《记住乡愁》团队四年来的不懈追求。这就要求乡愁团队在遵守电视规律的前提下把新闻思维转化为哲学、史学、文学、人学思维，把"风物传说""英雄传奇""新英雄传奇"思维改变为具有启发性和建设力的文化表达和人格展示；在认知方式上更加整体化，在价值观上更加核心化，在采编理念上更加生活化，在传播手段上更加时代化，有效解决广度、深度、高度、纯度、传播度的问题。在"同尘"的同时"和光"，在"和光"的同时"同尘"；在保证思想内涵和整体风格的同时，力所能及地进行一些形式感实验，比如在第三季增加了著名主持人出境，在第四季增加了名人还乡内容，同时增加许多新技术手段，力求思想精深、艺术精湛、制作精良。第三季收视比第二季提高了百分之七十，在五十二个城市位居第一，被中宣部领导誉为弘扬社会主义核心价值观最接地气的精品力作。这无疑证明以上创作理念是正确的。到了第四季，这种理念向纵深发展。

　　一是把全救视域和本土表达相结合。近年来，国家通过一系列强有力的措施，重建文化自信，拯救文化危机，使中华民族特有的传统文化资源，通过创造性转化，成为生机勃勃的现代建设力，使信仰危机、价值失落、道德滑坡现象得到有效扭转，使中华民族基因性的文化力量越来越发挥主导作用。对应到《记住乡愁》这部作品，即试图通过影视作品使引导社会风气的着力点，渐渐转移为鲜活生动的个体精神性、人格性塑造。从国际视野来看，随着全球化进程加剧，经济一体化步伐加快，文化全球化就不可避免。通过已经播出的180集创作实践，乡愁团队渐渐萌生了一种自觉的"乡愁意识"，那就是打造全球文化背景下的本土精神品牌。这个"本"就是本土的文化传统，这是一种开放的本土意识，是一种人类命运共同体视域下的本土自觉。

　　比如贵州青岩镇、河北伯延镇等集讲述的故事，就很好地体现了这一点。

　　先说青岩镇。明朝天启年间，水西土司安邦彦起兵叛乱，兵围贵阳城。时任知县的青岩人周思稷与七千多名将士一起坚守。叛军截断了粮道，进行了十个月的封锁，让贵阳城渐渐绝粮。城中最后连树皮、草根都被吃得干干净净。周思稷多次率军突围，都未成功。一次战斗中，他身负重伤，自知难愈，就决定自杀殉国，留言把他的遗体作为军粮。这就是周氏族谱中记载的著名的以身飨军的故事，可谓真正的为国捐躯。

清朝末年，社会动荡，战火四起。为了保护百姓，担任青岩镇团务总理的赵国澍决定重修城墙。他当众立下誓言，六个月内如果修复不成，便自杀谢罪。他把自家积蓄的十万两银子全部投入到城墙的修复中，不分日夜，在规定日期前完成了工程。两年后，敌军攻打青岩城，连攻五日，始终没有撼动青岩的防御，最后只能放弃。后来，赵国澍在一次外出征战中，战死沙场。乡人为了纪念他，建了一座赵公专祠，镌刻对联"畏地畏天畏百姓，多仁多德多贤良"以志。

1988年，青岩开始大规模的古建修复工作。在修复定广门时，拱门顶部的合拢处需要嵌入一块石料，且必须毫厘不差，才能修旧如初，坚如当初。为此，工程师吴祯祥试验了上百种方法，经历了上百次失败，终于取得了成功。

这种敬业，这种职守，在讲述精益求精的安徽万安镇，以"诚毅"二字得到概括。他们为什么精益求精，一方面是因为人口稠密，生存压力大；一方面来自从小接受的家庭教育，"人一能之己百之，人十能之己千之"；更重要的是生命"止于至善"的需要，只有把事业做到百分之百的圆满，生命才能圆满，如果稍有懈怠和差错，就无法完成生命的晋级。从第三个层面来讲，职业和事业已经不仅仅是为了赚钱，而是为了完成人格。这就像一台机器，如果一个螺丝出了问题，很可能就会给使用者造成灭顶之灾，这是从对方讲；如果从自己的人格建造上讲，如果缺一块砖，整个人格大厦就很可能无法通过验收。足见中国人从生存到生活到生意再到生命的梯次性超越格局。由此，我们就不难理解，为什么中国人能做到一不怕苦，二不怕死。

挖掘这些宝贵的本土精神资源，既有利于爱国主义和大国工匠精神的弘扬，又能为解决全球性职业敷衍和倦怠提供良方。

一是把固守传统和创新表达相结合。要想枝繁叶茂，必须根深蒂固，要想充分创新，必须走进中国文化传统深处。这就要求乡愁团队努力补课，把文史哲打通，来寻找生活的最佳样式，让意义流和生活流严丝合缝。从源头上看，中华生活样式既不同于古典印度的丛林态，也不同于西方的城市态，而是综合了二者优点的乡村态。从古老的五行文化来讲，丛林态木、火偏多，城市态金、水偏多，普遍缺土，唯独中华文化土足。土足就有生长性、包容性、安全性。土居中央，木火金水分居东南西北。这也是中华文化为什么是乡土性、中华文明为什么具有超强稳定性的原因之一。如此，在作品把握上，乡愁团队就主动出击，从纷繁复杂的采访线索中寻找能够为人类带来生机、包容、安全性启示的内容，思路就

189

一下子敞开了，手脚就一下子解放了。渐渐地，一种全新的文史哲一体化的乡愁表达体就趋于成熟，这就为节目的创新打开了无限可能性，文体空间大为扩展，叙事自由度大为舒张，从而生产出一出出电视版的古镇"人物志""精神志""风物志"，但叙事方式却是文学的、诗性的、人性的。

比如河北伯延镇，用乡愁风格生动有趣地解读"实事求是"，包括周恩来总理的故事，让人耳目一新。这还引起党史研究专家的兴趣，他们称乡愁团队为党史研究提供了新思路。

比如福建嵩口镇，在讲述传统的义举时用了充满悬念的小说手法。清代康熙年间，嵩口邻县仙游遭遇旱灾，庄稼颗粒无收，许多人都饿死了。嵩口富商陈长仁听到这个消息，拿出家中全部积蓄赈灾。然而，嵩口周边高山环绕，常有土匪出没。为了确保义粮顺利送到仙游，陈长仁请人在运送粮食的担子上插了一面旗，上书"陈长仁义米"五个大字，告诉土匪这是赈灾义粮。从嵩口前往仙游要走两天两夜，五六十里的陡峭山路，时已73岁高龄的陈长仁亲自押送。土匪深为感动，让他安全将义粮送到仙游。仙游百姓感谢陈长仁，雕碑送到嵩口。民国初年，军阀混战，仙游籍军阀占领了嵩口，扬言要杀嵩口族人。当族长给他讲了当年先人义救仙游百姓的故事后，他还不信，族长就带他去看当年的石碑。军长顿时羞愧不已，说："险些开罪长者于地下。"命令军队从此不得惊扰当地百姓。如是，在讲了义渡、义施、义葬、义捐的故事之后，节目带观众走进别有情趣的民俗博物馆。让人感动的是，馆里陈列的四百多件展品没有花费一分钱，全部是由嵩口百姓自发捐赠的，其中许多都是他们家中珍藏的宝物。

一是把精神高度和通俗表达相结合。任何一种文化样式，如果不能有效地找到一条与广大受众沟通的道路，都难以走远。因此，乡愁工程必须从传播学意义上重新打量传统、革命和时代内涵。这个"传统"，已不是三年前乡愁团队心目中那个有些让人生畏、摸不着头脑的概念性传统了。结合拍前集中辅导，播后集中讨论，编导们积极学习，特别是在近千次的选题讨论、初审、再审、终审中五位审片人结合具体作品的"说戏"，让年轻的编导们对三个文化系统和当代人的生存状态、生活方式的关系，有了越来越贴近生存、生活、生命本身的认识。这样，他们就能够迅速地在理论和生活中辗转腾挪，在精英文化和大众文化中找到结合点，在雅文化和俗文化中找到共鸣点，特别是在百姓日常生活习俗和民间文化中披沙拣金。

湖南芙蓉镇用当地俚语"吃得苦，霸得蛮"作题，就是很好的典型。

这种"吃得苦，霸得蛮"的精神通过诸多生活化细节被表现得淋漓尽致。二十世纪七十年代末期，随着水电站建设和铁路的开通，曾经繁盛的百年码头萧条了，以船运为生的人们的生计都有了问题。此时，杨崇贵提出了一个大胆的设想，开发猛洞河溶洞发展旅游。当时，六个只有三十几岁的年轻人自发组成了突击队，驾着一艘机动小船开进了猛洞河峡谷。洞内无路可走，需要沿河修建栈道。突击队员们就泡在十几米深的水里，在河边的石壁上凿出一个个方形石孔，然后浇筑横梁、铺设桥板。溶洞里的温度与外界差异极大，即使是在夏天，水温依然冰寒刺骨。他们只好喝酒暖身，每半个小时左右要换一班人工作。一个石孔要几天才能凿成，一段栈桥要几个月才能完工。六人就长年累月住在船上，渴了喝洞中水，累了在船上伸伸腰。1986 年，小龙洞第一期开发完成，首批客人坐船来到洞里，古镇沸腾了。在小龙洞三年多的施工过程中，六个汉子往洞内背运了 96 吨水泥，24 吨钢材和三万多块青砖。他们磨破了双手，背肿了双肩，但从未抱怨过。小龙洞开发完成后，正值谢晋导演筹拍电影《芙蓉镇》。他已经苦苦寻找了很多地方，但都不满意。一次偶然的机会，他来到古镇，立刻被这里的风土人情所吸引。芙蓉镇人"吃得苦，霸得蛮"的不屈性格，正是对剧中人物坚忍执着、自强不息精神的真实写照。于是，谢晋导演在这个当时还被称为"王村镇"的地方拍摄了电影《芙蓉镇》。如此"吃得苦，霸得蛮"的故事在本镇比比皆是，编导精选了几则，进行了生活化展示，之后，借助专家之口把它上升到"天行健，君子以自强不息"的高度，为观众树立了一个既具象又抽象的精神坐标轴。

一是把抢救性心态和建设性心态相结合。抢救性心态让人生发责任感，让人有胆；建设性心态催生智慧，让人有识。如此，乡愁编导虽然年轻，但普遍具有使命感。用制片人王海涛先生的话说，这是一支浑身冒着爱国主义精神的战斗团队。这样，乡愁作品在叙事策略上就把焦点打量和散点透视相结合，把史诗性的重大题材、宏大叙事和描绘市井生活画卷相结合，从对传统文化的式微反思转向回温反映，从对中华文明失落的揭示转向对回潮的展示，始终聚焦对当下社会的烛照感和建设性。

在讲述青岛琅琊镇保护古城墙的故事时，就很好地体现了这一点。

节目在叙述视角上，既激发人们的抢救热情，更打开人们的建设思路。解放初期，村里分配宅基地，把一段城墙分到了杨茂兴的院子里。从那时起，老杨就把古城墙当成宝贝一样看护了起来。虽然经过六百多年的风雨沧桑，城墙仅剩下一点残垣断壁，但为了保护它，老杨想了很多办法。老杨家有四个儿子。1974年，大儿子杨玉革准备结婚。当时，家里只有三间小屋，两间住人，一间做饭。妻子就和老杨商量，能否推倒城墙，在院里建几间房子。可是她的话刚一说出口，老杨就急了。最终，老杨说服了家人。杨玉革结婚后，和全家人一起挤在了三间小屋里。在他看来，父亲这一辈子，与城墙有着一种割舍不断的"情结"。他总是对孩子们说，杨家的祖上是戍守古城的功臣，守住这段老城墙，就是给子孙后代守住了家国的历史。弥留之际，杨茂兴还不忘交代儿子们，一定要好好照看城墙。在去世前几天，他不时过去看看，摸摸。他给后人说，不管谁，不管怎么着，要千万把它保护好。之后，政府帮助维修，再后来，琅琊镇的居民自发建起了一座夏河城公园，所有留存下来老城墙都被保护了起来。

一是把理性高度和诗性表达相结合。如何让现实主义叙事既有理性高度，又能诗性表达，一直是乡愁团队努力的方向。节目到了第三季，剧组发现刚性的不屈不挠、大义参天的主题集中，像一二季那样柔性的充满烟火气息和岁月温暖的片子少了下来，也许是古镇形态本身的军事化、商化和杂居背景的缘故。作为一种民族精神气象，这是我们希望的，但是接下来的六十集节目如果持续保持这种气象，就会给观众造成审美疲劳。为此，第四季剧组策划层就必须进行"辩证施治"。

宁夏将台堡镇就是成功的范例。

在讲述了将台堡镇作为历朝历代的军事后方地位和持续性的供给史、特别是红军长征胜利会师的壮丽画卷之后，节目重点介绍了两个人物，一位是 41 岁的火彦红，一位是 38 岁的谢宏义。让人惊喜的是，他们二位都对土地有着诗性的理解，都匪夷所思地作出了在当今社会堪称传奇的还乡之举。特别是谢宏义，他要探索在乡亲们不离土不离乡的情况下，如何过上好日子。而和他们进行理性呼应的居然是一位对"农历"和"安详"有着彻骨热爱的作家，真是有些天造地设的味道。将台堡镇天然的农历底蕴和安详气息滋养着作家成长。那些充满着大喜悦、大狂欢，让人着迷、让人陶醉的美好岁月，一直萦绕在他的脑海中，让他萌生了写一部既能给大地带来安详、又能给读者带来吉祥的"吉祥之书"的强烈愿望。通过十二个春秋的打磨，一部被誉为具有"中国符号"味道的长篇小说《农历》终于出版了。节目把这部长篇小说称为"文学庄稼"。并说，如何让我们的生活不再平面、泡沫、冰冷、脆弱，而是具有质感、诗性、温度、活力，《农历》给了我们新的启示。最后作家说，和中华大地上众多古镇一样，这片土地给我们的启示是：

"传统文化是根，红色文化是枝干，那么在今天就变成枝叶和花朵。要记住我们的传统文化，两千年的奉献和牺牲，人的牺牲，土地的牺牲和奉献。要记住革命先烈给我们留下来的这种乐观主义精神，英雄主义精神。"

在作家看来，传统文化就像每个人的心灯，不但照人前行，同时还给人幸福感、崇高感，特别是安全感。

还 乡

将军和战士在马蹄和军号声里还乡，农民和企业家在泥土里还乡，作家和读者在文字里还乡，这是大地和岁月的共同召唤，也是一个全新时代高贵的诗意和浪漫。

——题记

如何让百姓在"望得见山，看得见水，记得住乡愁"的生态格局中诗意地栖居在大地上，十九大绘出了蓝图："实施乡村振兴战略。要坚持农业农村优先发展，按照产业兴旺、生态宜居、乡风文明、治理有效、生活富裕的总要求，建立健全城乡融合发展体制机制和政策体系，加快推进农业农村现代化。"2017年12月，习近平总书记在江苏徐州调研时又指出："实施乡村振兴战略要物质文明和精神文明一起抓，特别要注重提升农民精神风貌。"近年来，经济、社会、文化、生态统筹的"美丽乡村"建设，可谓空前绝后。那么，我们应该建立什么样的乡村文明？作为从此出发的乡愁团队，就一定要做出合乎历史逻辑的回答。

用城市形态改造乡村形态思维肯定会水土不服。西方单线进化论把人类带向困境的事实为我们带来前车之鉴。乡村与城市，是大地上两种不同的庄稼，自有其生长规律。如何走出一条生态、生产、生活契合，文化、历史、自然和谐的美丽乡村建设之路，在180集节目的采拍、制作、播出过程中，乡愁团队有了越来越清晰的认识。

城市和乡村，各具其不可替代性。城市，让生活更方便。乡村，让生活更诗意。城市文明和乡村文明，同是大地母亲的儿女，不存在谁亲谁远。

这是一种文明平等观。在这种平等观烛照之下，对当今社会特别重要的文明融合观就得以建立。

众所周知，在商业大潮的影响下，村庄边缘化、空心化日益加剧。但《记住乡愁》从一开始就防止了牧歌式怀旧和幻灭性伤逝，而是以大调研的姿态给乡村文明提供建设性，尽可能地回答如何让乡村更像乡村，如何吸纳农耕文明、城市文明的精华，重建一种崭新的乡村地理和人文伦理的时代问题。这是一个长达三年的艰苦探索过程。前三季都有不错的典型，到了第四季，将台堡镇更让我们眼前一亮。

节目在讲述了将台堡镇作为历朝历代的军事后方地位和持续性的供给史、特别是红军长征胜利会师的壮丽画卷之后，重点介绍了两个人物，一位是41岁的火彦红，一位是38岁的谢宏义。让人惊喜的是，他们二位都对土地有着诗性的理解，都匪夷所思地作出了在当今社会堪称传奇的还乡之举。而和他们进行理性呼应的居然是一位对"农历"和"安详"有着彻骨热爱的作家，真是有些天造地设的味道。

火彦红祖上世世代代以务农为生。二十多年前，当时还年轻的他进城打工，收入很不错。2007年，父亲生了一场重病，他赶回家探望。没想到，父亲在病床上说的一段话让他的人生就此改变。父亲希望他回乡种地，靠粮食养活人，把家里的粮仓装满。在将台堡，有这样一句谚语："人养地，地养人，土地不亏勤劳人；多出汗，勤用心，土中自然有黄金。"千百年来，这里的人们始终在这片土地上耕耘。然而，改革开放后，这种情景却悄然发生改变。和火彦红一样，越来越多的年轻人选择外出打工，家乡的土地日渐荒芜。看到这样的情景，古镇的老一辈人心里都不是滋味。是继续在外打拼，还是顺从父亲？火彦红想了很久。看着父亲期盼的眼神，他最终下定了决心，在自家的18亩地里种起了西芹。经过几年的艰苦探索，改良后的土地终于开始给他回报。2015年，火彦红成立了蔬菜合作社，把自己的经验无偿分享给大家。如今，一亩地的利润能有上万元，乡亲们的收入一年下来不比外出打工赚得少。看着家乡发展得越来越好，很多年轻人也纷纷选择回来创业，这座沉寂一时的千年古镇又开始焕发出新的生机与活力。

如果说火彦红的返乡是一个被动性结果，那么当时36岁的谢宏义的返乡就具有主动性。2015年，在杭州把生意做得顺风顺水、公司年销售额上千万元的谢宏义做出了一个让很多人难以置信的决定：结束城里的生活，回乡再创业！采访中，他说："我想，回来以后，做一件事情，引导大家在不离乡不离土的情况下，有更好的生活。"他把这个想法和老师进行了交流，在老师的帮助下，思路逐渐明确，那就是引导乡亲们重归土地，在耕读传统中寻找幸福。他承包下古镇旁一条面积达九百多亩的荒沟，在里面规划了耕读项目。几年间，他先后投资了五百多万元，改造梯田、扩建道路、修复旧屋、收购老物件。然而，没过多久他就发现，自己的积蓄用完了。有一次收一个小东西，是一个老的柜子，就二三百块钱，却得向人借。巨大的反差让谢宏义一度怀疑自己的选择。但每当想要放弃时，他总会想起当年乡邻们给予他的无私的帮助。这种记忆如一股暖流，一直滋养着他。现在，他要以实际行动，把这种暖流还给这片土地。如今，谢宏义的基地里养殖了绵羊、骆驼，种植了玉米、马铃薯、藜麦和苦荞，山上的旧屋正在改造成磨坊、油坊和书院。按照他的计划，下一步他要打造一个旨在重建乡村美德的耕读教育基地，开设寻找安详的系列课程，让乡亲们不离土、不离乡，都能过上好日子，由此探索一条新时代乡村由庶到富再到教的新型道路。

第三位还乡人物是一位作家。他写过几本书，读者比较认可的有两本，一部是长篇小说《农历》，一部是随笔集《寻找安详》。在回答主持人采访时，他说："我也常常回想这片土地，影响我最深的应该是两个关键词，一个是农历，另一个就是安详。《寻找安详》由中华书局出版之后，现在已经重印十三次，从中能感觉到人们潜意识里面非常渴望安详。而我在这一本书里面传递出来的那种心境，其实就是这片土地给我的。城市给你的焦虑，人事给你的纠结，只要你回到这片土地，就全部消灭了。"

将台堡天然的农历底蕴和安详气息滋养着他成长。那些充满着大喜悦、大狂欢，让人着迷、让人陶醉的美好岁月，一直萦绕在他的脑海中，让他萌生了写一部既能给大地带来安详、又能给读者带来吉祥的"吉祥之书"的强烈愿望。通过十二个春秋的打磨，在分章以短篇形式获得"人民文学奖""鲁迅文学奖"等奖之后，长篇小说《农历》终于出版了，并以"茅盾文学奖"评奖得票第七名的成绩，引得人们想象，到底是一片什么样的土地，能够生长出这样的文学庄稼。

有人这样评价《农历》：如何让我们的生活不再平面、泡沫、冰冷、脆弱，而是具有质感、诗性、温度、活力，《农历》给了我们新的启示。

除了写作，这位作家还到全国做文学志愿者，宣讲他的安详生活观、祝福性文学观。他说，文学的本质是祝福，作家的文字要给岁月和大地、祖国和人民带来祝福，带来吉祥如意。

在这位作家看来，传统文化就像每个人的心灯，不但照人前行，同时还给人幸福感、崇高感，特别是安全感。

至此，节目收尾：

"金秋的将台堡，皮影戏剧场里，锣鼓阵阵、秦腔声声，精忠报国的故事让人荡气回肠；红军会师纪念碑下的广场上，矫健的孩子们在演练刚柔并济的太极；阳光下的小院里，两代人同读《农历》。这古老又现代的一幅幅人间图景，不正是美丽中国的生动缩影吗，不正是人类在大地上诗意栖居的真实写照吗？"

从中国梦到人类梦

"从中国梦到人类梦",这是我听完习近平总书记十九大报告后的最强烈感受。

"中国特色社会主义进入新时代,意味着近代以来久经磨难的中华民族迎来了从站起来、富起来到强起来的伟大飞跃,迎来了实现中华民族伟大复兴的光明前景;意味着科学社会主义在二十一世纪的中国焕发出强大生机活力,在世界上高高举起了中国特色社会主义伟大旗帜;意味着中国特色社会主义道路、理论、制度、文化不断发展,拓展了发展中国家走向现代化的途径,给世界上那些既希望加快发展又希望保持自身独立性的国家和民族提供了全新选择,为解决人类问题贡献了中国智慧和中国方案。"

这一论断,既有历史逻辑,也有现实证据。由中宣部等单位组织实施,中央电视台组织拍摄的最能反映中国人群体性生存广度和精神深度的大型纪录片《记住乡愁》,就是最好证明之一。

在山西碛口古镇，我们发现，至今依然保持着有难同当、有乐共享的理念，就连镇上的旅游产业经营，也有一种小共产主义的味道。这在当今商业竞争非常激烈的今天，的确让我们眼睛一亮。拿"精神树"原理对应，这样的风尚，肯定有一个根脉，一梳理，果然如是。"碛口"这个镇名本身就来源于"大同碛"，那是黄河水域仅次于壶口瀑布的一道险关。在我看来，这是天地设给碛口人的一道考题，就是为了让人们感受休戚与共的价值，就是为了让人们无比强烈地感受到，个体生命只有在群体性中才能找到安全感。没有合作精神，单凭个人力量，几乎不可能闯过大同碛。只有同舟，才能共济。因此，大同碛是一个无比美好的象征，它凶险，但心肠热，现怒目金刚相的目的是为了教育，让人们认识到个体的渺小，群体的伟大。碛口之所以能够成为"水旱码头小都会，九曲黄河第一镇"，正是整体性生命认同结出的美丽果实。

"我们生活的世界充满希望，也充满挑战。我们不能因现实复杂而放弃梦想，不能因理想遥远而放弃追求。没有哪个国家能够独自应对人类面临的各种挑战，也没有哪个国家能够退回到自我封闭的孤岛。"

"大同碛"让我不由联想到《礼运大同篇》中的"大道

之行也，天下为公，选贤与能，讲信修睦，故人不独亲其亲，不独子其子，使老有所终，壮有所用，幼有所长。鳏寡孤独废疾者，皆有所养"。这种思想源头，形成了中华民族整体性存在的心理结构，也造成了中华民族的集体主义精神。这种结构，这种精神，是和宇宙规律相对应的，也是和天地精神同频的。因此，休戚与共是天赋人性。从本体学的层面讲，"天地与我并生，万物与我为一"；从生存学的层面讲，"天地所以能长且长者，以其不自生，故能长生"；从社会学的层面讲，"天不私覆，地不私载"。

在《记住乡愁》已经播出的 180 集节目中，这样的图景比比皆是。当时，我在想，把这个镇的同舟共济、有难同当、有福同享放大，不就是人类命运共同体的基本形态吗？他让我们有理由相信，只要中国人把这种生存状态人类化，打造人类命运共同体，将具有非常鲜活的模式依据。

在任中央电视台大型纪录片《记住乡愁》的文字统筹、撰稿、策划的过程中，我和剧组的同道们反复研习近平总书记提出的"中国梦"和"构建人类命运共同体"的思想。随着学习和踩点的深入，我们越来越清晰地认识到，中国文化是维护人类永久性存在的文化，维护人类群体性生活的文化，维护人类共和的文化。她的最大特点是整体性和安全感。由此整体性和安全感，生发出守中用和的基本生命态度。这种生命态度，细化为人格，就是君子之风，中庸之道；深化为信念，就是厚德载物，自强不息；体现在日常生活，就是仁义礼智信忠孝勤俭廉。依此思路采拍的 180 集节目播出后，不仅频获各种专业奖项，也受到观众热烈欢迎。第三季收视率比第二季提高了 70%。原计划拍摄 100 集的节目，被追加到 480 集。已经播出的 180 集节目，事实上是 180 个文化载体，无论是古村落里的大家族，还是古镇上的大企业，但凡能够保持永久生命力的，都在守中用和，都在敬天爱人，都在奉行积善之家必有余庆的生命逻辑，都在习惯性地应用守望相助、天下为公的大同思维。

当年新华社约我以银川的城市性格为题写篇散文，思索再三，觉得没有一个非常合适的名词概括她。一天，当我在大街上，看到有位摊贩在非常投入地阅读《寻找安详》时，一个词组自动冒了出来——安详银川。

这一刻，当我倾听总书记讲话的时候，也有词组冒了出来——安详中国，安详世界。

"安"，人们的普遍解释是女人待在家里。在我看来，它更是一个暗示，那就是，只有母亲在家，孩子才有安全感。一个孩子，如果母亲不在他的视野里，他马上就会恐惧。这些年，我在全国做志愿者，发现一个普遍的生命原理，那就是"诸事不顺，皆由断根"。目前多发的抑郁症、焦虑症、孩子厌学、婚外恋及健康、事业等方面的问题，都与原生家庭的亲情断裂而导致的恐惧、怨恨心理有关。拙著《寻找安详》

在中华书局出版后，受到了读者欢迎，现在已经重印十三次，证明了读者对这种观点的认可。许多焦虑症抑郁症患者从中走向健康，也证明了重建安全感的重要性。

"详"通"祥"，在我理解，它是一种"安"的状态，那就是仁爱、和平、智慧、喜悦、自在、自足、吉祥、如意。

相对于枝叶花果的时尚，根干也许显得传统守旧，但是没有这种传统守旧提供安全性、统一性、整体性、平衡性，特别是持久性，枝叶花果也就没有依凭。所谓"君子务本，本立而道生"。中华文明五千年的基本稳定和繁荣，非常有力地证明了这一点。借用大唐长安之名来说，只有"长"，才能"安"。反之，只有"安"，才能"长"。如果一天一个主义，两天一个主张，不可能长治久安。

"中国共产党从成立之日起，既是中国先进文化的积极引领者和践行者，又是中华优秀传统文化的忠实传承者和弘扬者。"

英国著名历史学家汤因比在深入研究了人类五千年的各种文明后说，未来属于中国。他认为，拯救人类的希望之路是世界必须走向统一，希望就在中国。因为历史上出现过的所有文明中，只有中国文明历经三千年始终保持了根本性质的一贯性，他把中国文明的这一特点称为稳定性。他甚至表示，中国如果不能取代西方成为人类的主导，那么整个人类的前途是可悲的。罗素、池田大作等不少学者同意他的观点。之后，《未来属于中国》被日本学者山本新、秀村欣二整理出版，陕西人民出版社 1989 年出版过杨栋梁、赵德宇先生的译本。无独有偶，1988 年，全世界 75 位诺贝尔奖金获得者在巴黎集会，认为："如果人类要在二十一世纪生存下去，必须回头两千五百年，去吸取孔子的智慧。"再看美国，2005 年 5 月9 日的《新闻周刊》以 21 个版面从不同方面论证《中国世纪》。在总结中国崛起经验时，有一条特别醒目，那就是"中国的目标不是冲突"。东西方的著名学者和传媒非常一致的把目光投向中国，让中国方案的意义显得格外重要。

诸事不顺，皆因断根。无根的花朵再艳丽，也会很快凋谢。相比西方文化过分强调民主、自由、创意，中国文化更强调安全、稳定、和谐。中国人知道，没有安全、稳定、和谐的民主、自由、创意，往往意味着纷争和灾难。纵观历史，西方各种主义的轮流上市，其后果是无数的生命要不断为之试错，不计其数的鲜活生命要无辜地为之付出血的代价。中国尽管也有兴衰治乱的历史周期，但相较西方，人民总体享受稳定安宁的时间要比西方长得多。

显然，中国文化更具有母性。在孩子春风得意的时候，母亲只好静立门头守望。她知道，总有一天，孩子们会累，会苦，会无助。这时，她就伸出她的臂膀，把他们揽入怀中。

在我看来，人类命运共同体文化之源，"一带一路"文化之根，就是这样的臂膀。

有人把"妈妈做饭的味道"和"机器面"这两个意象贴在水杯上，然后结晶，发现贴着"妈妈做饭的味道"的水结晶非常漂亮，贴着"机器面"的水结晶非常恐怖，这无疑是人类心灵的寓言。

愿人类的主导价值和核心精神从"机器面"渐渐回到"手工面"，回到"妈妈做饭的味道"。

愿母性的大度、包容、体贴、坚韧、慈爱，藉由乡愁精神，通过血脉相连的丝绸之路，普济人类已经再疲累不过的心灵。

"这个新时代，是承前启后、继往开来、在新的历史条件下继续夺取中国特色社会主义伟大胜利的时代，是决胜全面建成小康社会、进而全面建设社会主义现代化强国的时代，是全国各族人民团结奋斗、不断创造美好生活、逐步实现全体人民共同富裕的时代，是全体中华儿女勠力同心、奋力实现中华民族伟大复兴中国梦的时代，是我国日益走近世界舞台中央、不断为人类作出更大贡献的时代。"

《记住乡愁》第五季开播随想

新年的钟声就要敲响，《记住乡愁》第五季开播的大幕就要拉开了。

在纸媒纷纷向融媒转型，传媒普感压力之时，大型纪录片《记住乡愁》收视率的稳定攀升大大提振了媒体人的信心。这被人们称为"记住乡愁现象"。已经播出的240集节目，观众规模达一百亿人次。被中宣部领导誉为弘扬社会主义核心价值观最接地气的精品力作，节目进学校，进机关，进企业，深受欢迎。

《记住乡愁》给我们的启示是，尽管面临着新媒体的强大冲击，但为时代提供主营养的传统媒体会永远保持生命力。原因很简单，只要生命永恒，心灵的渴求就会永恒，心灵的渴求永恒，服务于心灵的传统文化产品就会永恒，正如田地永远不会休刊，庄稼永远不会下架一样。

这是一个大自信，有了这个自信，我们就理解了老子讲的"信不足焉，有不信焉"。转型的焦虑究其根本正来自于人们对生命本身的茫然。

前些年，不少人说，随着远程教育的发展，传统课堂就要过时了，但我说，远程教育越发展，传统课堂越重要。现在，百度里可以搜索到任何知识，却无法搜索出安静，而生命力恰恰藏在安静里。当下如火如荼的论坛和讲堂兴起，证明了我当年的观点是对的。相反，时下能够带大家进入安静的老师成了稀缺资源。

文化越多元，专业人才就越值钱。我给《记住乡愁》团队的朋友们讲，我看重这一档节目，更看重四十个摄制组年轻编导的成长。当他们对人、对社会、对天地的认识到达自信层面的时候，作品就能够传达自信；作品能够传达自信，定会得到受众的欢迎。因为自信会点燃自信，恐惧会点燃恐惧，而规避恐惧，向往自信，是人的本能。

经过五年的探索、无数观众反馈我们发现，人们是看重技术手段，但更看重精神含量。频道领导把播出晚会交给剧组自己编排，就是觉得再熟练的形式感，也比不上内容本身的感染力。

因此，到了第五季，《记住乡愁》更加注重精神吸引力。清华大学彭林教授和诗人张海龙先生的加盟，让节目研发更是增加了历史审美和诗性审美的味道。

当然，坚守不等于不变。《周易》三次讲"与时偕行"，强调的正是变的重要。一定意义上，变就是守，守就是变。日月交行，但光明永恒。问题是，守什么，变什么，如何守，如何变。《记住乡愁》五年来走过的探索之路，值得用心总结。

提供安全感很重要

这些年我在全国做文艺志愿者，得以和最广大的人民群众接触，发现人们有一个共同诉求：寻找安全感。改革开放给社会带来高速度，这是好事，但是高速度如果没有安全感做保障，往往会让人紧张。这个时候，为人们提供安全感就成了重要的民生。如果没有安全感，获得感和幸福感就成了空中楼阁。安全感的另一面是恐惧，恐惧派生占有欲、控制欲、表现欲。而占有欲、控制欲、表现欲往往会把人带向焦虑和抑郁。因此，在今天，传媒人能够给读者选编具有安全感的稿子，就成了大善。

五年来，《记住乡愁》从选题报送到后期制作，始终坚守中华文化立场，传承中华文化基因，展现中华审美风范，紧扣中华文化的整体性、根本性、永恒性、辩证性，为受众提供安全性关怀，让受众在任何时候打开电视，登录《记住乡愁》公众号，播放《记住乡愁》光盘，都能获得一份安全感、放松感、轻松感，特别是唤醒感。为此，剧组特别注意在"我们共同的情感"大前提下，通过生命的长度、广度、高度、密度、亮度多角度审视题材，选择人物，打磨故事。和短度思维相比，长度思维容易让人释然；和狭窄视角相比，广度视角容易让人释然；和低度审视相比，高度审视容易让人释然；而密度和亮度，直接关联着生命能量，一定意义上，安全感本身就来自能量。五年来，剧组同道始终把是否有益于观众生命能量的提升作为切入点，是否有益于助力实现中国梦和建构人类命运共同体作为落脚点。

虽然第五季由第一二季的古村落和三四季的古镇走向历史文化街区，但文化主题没有变。

一线课堂很重要

《记住乡愁》能够取得巨大成功，有中宣部等发起单位支持等天时地利人和的原因，也跟剧组有一套独到的团队建设方法不无关系。在这里，我重点介绍一下每周进行的选题会和看片会。有编导给我讲，他们五年来在选题会和看片会上学到的，一定意义上超过大学四年所学。在编导汇报选题或者播放节目后，节目主编、制片人、频道领导和专家，都要一一点评，主编周密和制片人王海涛先生从专业方面进行梳理，我和刘伯山、彭林、张海龙等专家从文化方面给予建议，最后由节目领导王峰女士进行总结。这样的选题会和看片会，如果用 45 分钟课时来算，每年要进行二百课时左右。在我的记忆中，只要有这样的会，就没有在十二点之前吃过饭。评审组五人讲得细心，编导们听得虚心。每逢报选题和看片，在家的编导无论有没有自己的节目，都来旁听。这种一线应用性学习，能够让博大精深的中华文化迅速转化为生产力。从编导们海绵一样的目光中，我体会到一种习近平总书记讲的让中华优秀传统文化活起来的大喜悦。

越是如此，我就越感觉自己的学养不够，不能最大限度地供给他们。因此，这五年，我停止了创作，全身心地投入学习，在山东教育电视台、海口电视台、北京孝行天下等平台录制传统文化节目，利用节假日到全国义讲，逼自己学习、温习、理解传统文化，同时体察民情，感受民意，以便在选题会和看片会上结合节目讲给大家。因此，在中宣部召开的《记住乡愁》第四季总结会上，节目主编周密在发言中非常真诚的讲，是我把他们这些年轻人领进传统文化大门时，我真是比获得任何奖励都幸福。

中华文化的效用，首先在《记住乡愁》剧组团队精神状态上体现出来。特别是核心层，亲如一家，没有是非，没有抱怨，心往一处想，劲往一处使，互相体谅，互相激励，荣誉面前让，担当面前争，可谓"团结紧张，严肃活泼"。

第五季开播特别节目录制第二天接着审片，制片人缺席，王峰主任说，是她让他补会儿觉再来，这几天他神经太紧张了。我们才知道这三天他只睡了五个半小时。但没过多久，他还是来了。我们表扬他。他说，他这不算啥，他的两位副手这三天才睡了两个小时。这台晚会，是在剧组推进1月2日就要在中央广播电视总台中文国际频道20点开播的第五季60集常规节目的同时并行承担的，相当于一班人马同时在两个战线作战。

与人方便很重要

从2012年开始，我大面积向全国捐书，仅中华书局、长江文艺出版社、浙江文艺出版社、华文出版社四社的书，已经捐过总价值二百多万码洋。为什么我要这么做，有对生命的认识和童年的经历等多种原因。还有一个重要原因，就是我体察到，时下能够主动买书读的人越来越少了。可是，如果这本书正好在他的案头，当他焦虑时，抑郁时，就会打开。只要打开，能够让人放松的文字就会粘上他。这样，书的价值就体现出来了。对于一个作家来说，最幸福的事莫过于他的文字能给读者提供心灵关怀。因此，近年来，我的书渐渐集中在几家有志愿者精神的出版社出版。因为一次次按我提供的地址往全国寄书，是需要耐心和爱心的。

还有一点，心理学告诉我们，人的热情保持，往往超不过一周。一周之后，当时听课带给他的激情就降潮了。也就是说，一周之内，你的书正好在他案头上，会使他在课堂上点燃的热情持续下去。否则，他的热情很快就会被信息流淹没了。因此，课后赠书，就成了课程的一部分。

《记住乡愁》的运行，也证明了这一点，央视国际中文频道首播，纪录频道重播，综合频道精选部分节目进行展播。全国各省级卫视及地面频道也安排播出。加上新媒体和光盘书籍发行以及剧组同仁在全国的宣讲，让节目最大限度地出现在大家面前，为观众提供"方便"。特别值得一提的是，只要全国教育机构课程需要，剧组都第一时间提供光盘。

深井思维很重要

《记住乡愁》成功的经验还有一条，那就是特别注重打深井。打深井的好处是，有利于形成文化定力。《大学》讲："定而后能静，静而后能安，安而后能虑，虑而后能得。"可见，安全感是获得感的基础，定力是慧力的基础。五年来，一班人，一个方向，一种方法。通过 240 集节目的磨砺，编导已经有了文化和技术上的功夫。正如主编周密所讲，对于传统文化，编导们从生硬引用，到精神性化用，节目就更加具有了润物无声的力量。为了让节目价值更好的延伸，我和一些编导也抽空到全国去宣讲，推动节目进校园，进家庭，进机关。

朋友们也许不理解，我不厌其烦地在朋友圈大量转发一些读书群小孩读我的书的音频，其实也是出于同样考虑，就是为了鼓励这些孩子养成读书定力。经过一段时间的鼓励，以前特别不爱读书的孩子，现在读上瘾了，有些孩子把我的几本书都读完了。四岁的小孩都能把我的书通读下来。有的孩子，上小学之前，识字的问题基本解决了；一年级升二年级时，自己提出来直接到三年级，因为二年级的内容全会了；到了三年级，也基本保持着全班第一名的成绩。可见从小培养孩子学习定力的重要。

　　我当然知道，这样参差不齐的朗读在荔枝和喜马拉雅上传会伤害作品。但我认为，几十位有定力的孩子被鼓励出来，也许比千千万万的普通读者更重要。李开复大病后讲过一句话，与其让千万人过目即忘，还不如使一两个人铭记在心。

　　对此，我也常给《记住乡愁》同道讲，收视率是重要，但使用率更重要，节目水平是重要，但团队的成长更重要。每次过选题，看片，我都像打了鸡血一样兴奋。因为当我看到编导们小小年纪开始扛大梁，我就打心底里高兴。往小里讲，这是节目的希望所在，往大里讲，这是中华文化的希望所在。

　　打深井有个好处，它不单单能够在本系统取得生命力，还可在全国甚至全球取得不可替代性。我的书被签约译向二十多个国家，大家看重的，也许就是乡愁、农历、安详主题的不可替代性，而这三要素，正是时下最需要的人类性关怀。

2018年12月20日，"中国文学的宁夏现象"研讨会在中国作协召开，宁夏自治区党委常委、秘书长、宣传部部长赵永清先生用"四小四大"总结了宁夏文学，得到了中国作协领导李敬泽和与会专家的高度评价，宁夏作家之所以能够得到中国作协如此重视，有一个重要原因，就是大家不媚俗，不跟风，不做市场的奴隶，用心很专，用情很正，用功很深，在守正的前提下创新，在家国情怀大前提下进行个人审美表达。对此，《文艺报》头版头条以《在新起点上实现新突破新跨越》为题作了报道。

　　这个题目真是好，这也正是《记住乡愁》团队应该秉持的心态。

　　回顾过去的一年，内心瞬时被感动充满。这一年，我们迎来改革开放四十周年，来年，我们将迎来共和国七十年诞辰。七十年，我们在共和国温暖的怀抱中成长。七十年，乡愁正浓。

　　谁言寸草心，报得三春晖！

　　新年的钟声就要敲响，衷心祝愿祖国昌盛，人民幸福，人皆吉祥，事皆如意！

人类何以永续

2020 年 1 月 2 日，《记住乡愁》第六季第一集《平遥古城》再次以同时段全国纪录片收视率第一的佳绩再获开门红。至此，此档节目累计收看观众规模超过 170 亿人次。

本节目何以六年长播不衰，创下纪录片历史上体量和收视的双高峰，作为剧组一员，有些浅见，愿同关心这档节目的朋友分享。

在我看来，这档节目之所以成为纪录片历史上的常青树，源于它能给观众带来安全感、归属感、永恒感、价值感、自信感、放松感、幸福感。这里，我重点说说安全感。多年的志愿者经历告诉我，不少抑郁症是父母的占有欲、控制欲、表现欲造成的，父母的"三欲"又源自其内心的恐惧，内心的恐惧又源于安全感缺失。因为恐惧，所以抓取，无助的孩子就成了"猎物"。父母的安全感因何缺失？由于他们的父母缺位。这是一个长长的链条。见过孩子晚上找妈妈的情景，就知道安全感是如何缺失的。母亲一旦缺位，夜晚就是恐怖。无论是身缺，还是心缺，还是爱缺，都会让孩子的心灵出现"黑洞"。这种"黑洞",吞噬孩子的精气神。可见,干预抑郁症不是一件简单的事情,因为它是两代甚至更多代人的问题。据"学习强国"发布的数据,目前全国终身罹患抑郁症的比例是 6.8%,而我近年到一些高校调研,发现事实远远超过这一比例。于此巨大的精神缺口,该需要一块怎样的补天之石?

在拙著《醒来》一书中,我讲了一个观点,上苍按照人的心量配给能量,能量的配置是通过缘分实现的。这不,美丽的缘分就如此美妙地成长。就在全球抑郁症以 18% 的增速疯狂扩张的几年里,一味神奇的良药正在紧锣密鼓地生产。那就是先以 100 集立项,后因观众热追,被扩容为 540 集的大型纪录片《记住乡愁》。大量数据显示,《记住乡愁》具有很好的抗抑郁功能,她以母亲怀抱一般的姿态,让无家可归的精神游子扑个正着,一旦相拥,就再也不愿离开。亿万心灵,从中找到了归属;亿万生命,从中找到了安全。当我意识到这一点之后,就在一些抑郁症患者身上实践,其效果之好,让人惊叹。

仔细一想,并不奇怪。老子讲:"我无为而民自化,我好静而民自正。"《记住乡愁》的精神气象,正是"好静",正是"无为"。相比于吸引人们眼球的娱乐性节目,我们追求"安静的精神"。我们深知,真正的力量藏在安静里。《大学》讲:"知止而后有定,定而后能安,安而后能静,静而后能虑,虑而后能得。"相比于直奔主题的"有为",

我们追求润物细无声的"无为"。这种"安静"和"无为"，还体现为六年不改弦，不更张，不变调，守初心，记使命，打深井。这种"安静"和"无为"，体现在方法论上，就是"守正创新"。

在《天水古城》这出节目中，我讲过，先祖伏羲给我们留下的最为可贵的传家宝就是"根文化"，要想枝繁叶茂，就要根深蒂固。这种"根叶辩证"，体现在操作性上，就是老子讲的"无为而无不为"，就是儒家心法"人心惟危，道心惟微；惟精惟一，允执厥中"。这个"中"，就是天地交泰，就是阴阳相依。体现在易理中，就是不易前提下的变易，变易前提下的简易。体现在操作性上，就是"守正创新"。因为"守正"，"创新"有根；因为"创新"，"守正"有气。

节目伊始，中宣部领导就把"厚德载物、自强不息"的大原则讲给我们。六年后，在天水古城，在先人"仰则观像于天，俯则观法于地，观鸟兽之纹，于地之宜，近取诸身，远观诸物，于是始作八卦"的地方，更能体味什么是"地势坤，君子以厚德载物"，什么是"天行健，君子以自强不息"，什么是"以通天下之志，以定天下之业，以断天下之疑"，什么是"立天之道曰阴与阳，立地之道曰柔与刚，立人之道曰仁与义"，什么是"凡益之道，与时偕行"，什么是"夫《易》，开物成务"。所有这些，正是《记住乡愁》的着眼点、落脚点，都化为乡愁团队为时代画像、立传、明德的自觉追求，都成为编导们让世界更好的感知中国、了解中国、读懂中国的创作动力。

节目从古村古镇古街到古城，已经播出三百多集，所守之"正"，正是载物之厚德，不息之自强。没有厚德，自强无继，没有自强，厚德无续。无论是中华优秀传统文化，还是革命文化，还是社会主义先进文化，都因之而立，而达。此德之厚，可以为构建人类命运共同体立证。在"天人合一"的福建培田村、"三军会师"的宁夏将台堡镇、"立志进取"的浙江乌镇、"千古忠义"的河北正定开元街区、"为天地立心"的西安三学街区、兼容并畜的武汉昙华林街区、铁血柔情的凤凰古城、众志成城的嘉峪关古城等节目中，都有鲜活的实例。

在名闻天下的浙江东明村，郑氏家族，因十五世同居同食，被誉为"江南第一家"。从中，我们看到了《礼运大同》篇中讲的"选贤与能，讲信修睦，故人不独亲其亲，不独子其子，使老有所终，壮有所用，幼有所长，鳏寡孤独废疾者，皆有所养"的"天下为公"愿景已经不是理想，而是现实。这种休戚与共的人间奇迹，在新时代，以山西碛口镇的"有福同享"、宁夏单家集村的"回汉一家亲"等主题呈现。

这种厚德，这种自强，源于中华文化的整体性。这种整体性，体现在伏羲那里，就是能生两仪的太极，体现在老子那里，就是"人法地，地法天，天法道，道法自然"的自然，体现在孔子那里，就是"吾道一以贯之"的"一"，就是"忠恕之道"，体现在张载那里，就是视万物为同类的"民胞物与"，体现在王阳明那里，就是"心外无物"，体现在"三百千"等训蒙养正教育中，就是"凡是人，皆须爱"。这些古圣先贤的智慧，节目都作了重点采拍。

能量来自心量，心量产生力量，力量创造奇迹。这种奇迹，在河北郭亮村，山东大津口镇等节目中，体现得淋漓尽致。

中华文化的整体性，让人们深知，浪花离不开大海，花朵离不开根枝，孩子离不开母亲。之于浪花、花朵、孩子，大海、根枝、母亲，就是安全感。为此，福建和平镇黄氏子孙要"朝夕莫忘亲命语，晨昏须荐祖宗香"；为此，福建铜山古城中，谷文昌在弥留之际，口中一直说："我要回东山，我要回东山。"

因此，从第六季开始，展现能给人带来安全感、给人类带来永续感的整体性价值观之成因、成长、传承、发展、应用效果，就成为《记住乡愁》团队更为自觉的追求。

有正可守的民族是幸福的，因为"正"是"一"之"止"，这个"一"，是人类共同的故乡，共同的母亲。而"让城市留住记忆，让人们记住乡愁"，正是中华民族守正秘要的诗性嘱咐。

七年乡愁路

国家主席习近平在 2021 年新年贺词中说，惟愿山河锦绣，国泰民安，和顺致祥，幸福美满！

听到这里，不禁热流盈眶，这不正是《记住乡愁》的初心吗？

2021 年元旦，《记住乡愁》第七季在央视中文国际频道首播，创下了收视率 0.49%、观众规模 1764 万的收视佳绩，为同时段全国纪录片收视率第一，足见观众对它的喜爱。在各频道开年节目纷纷登场、晚会和娱乐节目竞屏的情况下，一部纪录片，能够创下如此收视佳债，真是难上加难。

节目由中宣部等单位发起，中央广播电视总台承制，每年拍摄 60 集，名为一季。第一二季讲古村落，第三四季讲古镇，第五六季讲古街区，第七八九季讲古城。央视四套首播，一套、九套、中国教育电视台和地方卫视随后播出。

在中国纪录片历史上，《记住乡愁》创下不少纪录，无论是体量，还是受欢迎程度，都是鲜见的。前六季 340 集观众规模达 170 亿人次。黄坤明部长赞誉它为"弘扬社会主义核心价值观最接地气的精品力作"；进入北师大国培班课程，被不少学校和公益课堂作为教材；被一些心理诊所作为抑郁症和焦虑症的干预手段；宁夏司法厅把它作为改造服刑人员的课程，在所有监狱播放，收到很好的效果，有许多极端的服刑人员看了节目后主动接受改造。

尤其让我高兴的是，节目被写入"十三五"文学成就，被列入"十四五"文学规划。

蓦然回首，我已经在这个剧组度过了七年时光。为之，我暂时放下了创作。但为这档节目，我却写了五十多篇宣介文章，差不多每一篇都在《人民日报》《光明日报》《文艺报》的重要版面刊登。

为什么对它情有独钟呢？在我看来，它是以电视方式总结历史规律、揭示历史趋势，是从历史根基、当代价值、国际视野、人类高度故事化地审视中华优秀传统文化，是对总书记"四个讲清楚"的生动回应，是为推进社会主义文化强国建设提供精神力量，是对中华文化合法性的审美性证明，是中华民族电视版的"四库全书"，是以电视方式，进行中华优秀传统文化、革命文化、时代文化的价值对接，从百姓日常层面为人类解决现代性问题做出探索。我在给《人民日报》的随笔中写到：记住乡愁就是记住根本，记住乡愁就是记住春天。七年之后，这种感觉越来越强烈。

有意思的是，在我担任节目文字统筹的第二年，小儿子出生了。老年得子，实在舍不得离开，但是又觉得这档节目太重要了，剧组太需要我了，就强忍着思念，投入到工作中。我常给爱人说，咱照顾天下的人的孩子，老天就会照顾咱的孩子。在我看来，《记住乡愁》的众多价值中，就有童蒙养正功用。一定意义上，它就是一部很好的教科书。后来的家庭式热播，证明了这一点。

节目在成长，编导在成长，儿子也在成长。

剧组的同志大多数是年轻人，给他们讲传统文化确实比较艰难。加上我是编外人员，所讲不能深、不能浅、不能急、不能缓，要非常恰当妥善地把中华优秀传统文化的精髓融到故事里面去，难度极大，要"致广大而尽精微，极高明而道中庸"。当初，大家可能觉得我有些"迂腐"。两年之后，编导们都说，从中受益了。让我感动的是，监制王峰、制片人王海涛、主编周密，在中宣部领导参加的总结会上，以发言的方式肯定了我对节目的贡献，也肯定了我对年轻编导成长的影响。

不懂历史做不了乡愁，不懂传统文化做不了乡愁，没有家国情怀做不了乡愁，没有国际视野做不了乡愁，没有公益精神做不了乡愁，没有文学修养做不了乡愁。监制王峰多次讲，乡愁编导尤其要把总书记文艺座谈会讲话吃透。

渐渐的，一种不同于其他纪录片的乡愁体在编导心目中成型。一些其它频道的纪录片高手，到了剧组，会晕头转向。没有一年的熟悉，是很难一下子进入本档节目的创作状态的。

寻找故事的文化逻辑，成了乡愁人首先要练就的功夫。比如第七季嘉兴古城，编导首先就要讲清楚，红船精神为什么诞生在这里，"开天辟地、敢为人先的首创精神，坚定理想、百折不挠的奋斗精神，立党为公、忠诚为民的奉献精神"和古城的历史和文化传统有什么渊源关系。这样的节目做多了，当我再讲，共产主义为什么在中国取得成功，而没有在德国，正是因为共产主义的核心价值跟大同理想是一致的，编导们就很认同。就这样，《记住乡愁》像串珍珠一样把五千年的历史给串了起来，让我们看到了中华文化的一贯性。到此，编导们自然就会理解，为什么总书记要讲，"文化自信是更基础、更广泛、更深厚的自信"。

以宁夏三集为例，讲讲在各省市推荐目录基础上遴选拍摄对象的过程。

宁夏因为鲜有适合节目古建形态的村镇，目前只拍了三集，依次为单家集、南长滩和将台堡。这三个村镇，如果严格按节目形态要求，是不达标的，但经我力荐，最终编导和制片人通过了选题。没想到拍出来效果非常好，特别是单家集回汉团结的故事把编导和审片领导看得掉眼泪。这出节目如果放在联合国播出，对人类走向和平都有重大贡献，把它作为构建人类命运共同体的教材也非常好。踩点的时候，我们被村支书单正平打动。这一出节目我们想绕开新闻性节目主题，即使红色主题也试图以乡愁视角切入，就想找一些有陌生感有烟火气息的故事。调研时，单正平书记一见面就给我们讲汉族老乡非常感人的故事，采访汉族老乡时他们又讲回族老乡的感人故事，讲得特别自然真诚。作家的直觉告诉我，我们遇到了非常难得的大题材，但导演认为形态不达标，就放弃了。回县城的路上，我继续游说，从民族团结的角度，从构建人类命运共同体的角度，终于打动了编导。第二天，我就带着编导再次进入单家集采访，终于通过了。

南长滩的规矩仪式对当今社会也有很好的借鉴意义，但当时的采访非常不顺利。不知为何，村上最有发言权的拓校长对采访有种本能的抗拒，编导准备的采访提纲根本无法进行下去。好在我跟了去。我纯粹绕开采访提纲，而是从亲情进入，当我问到他母亲的时候，他一下子把话匣子打开了。我捕捉到了一个细节，他家房子盖得很漂亮，但家具都是旧的。问他为什么，他说，所有的家具和物件都是按他母亲在世时的格局摆放的，这样，他就觉得母亲还在。由此切入，他就给我们讲了这个村子的历史。

将台堡镇除了拍摄红军会师等重大主题，还拍摄了两位返乡青年。他们在外拼打有了一定的资本积累后回到家乡，在不离乡不离土的情况下带领乡亲们发家致富。难能可贵的是，谢宏义把红军会师纪念碑旁的一个村子买了下来，建书院，续文脉，教化一方。这无疑对美丽乡村建设，具有重要启示意义。如果没有一部分有识之士返乡，空巢空村的问题将很难解决。我随编导走过一些乡村，发现一些新农村建得比城里的房子还漂亮，但不少院门挂着大铜锁。如何让这些美丽乡村人气旺起来，将台堡镇这一出节目给了我们很好的启示。让我感动的是在将台堡镇这一集中，制片人给了我两分钟半的镜头，让我出生成长的老堡子也进入了节目。有意思的是，今年，宁夏早教协会把它进行了开发，把《记住乡愁》的剧照悬挂在屋墙上，和谢宏义兴建的书院一起，让研学旅行的家长和孩子参学。央视美丽乡村的导演徐凤兰随团采访后感言，这无疑是美丽乡村建设的一个好样板。

由这三集节目，可见前期采访的不容易，也见编导政策水平、文史哲修养的重要。需要忏悔的是，由于精力有限，我不能随编导更多地到一线采访，只能在选题阶段，给予建议。

接下来，制片人听取采访汇报。通过后，编导撰写选题报告，上选题会。选题会上有四五位专家听汇报，我是其一。如果结构不合理，主题不到位，故事设计不到位，都要打回去。大多选题，要上两三次选题会，少数要上四五次，还有一些，最终被否决了。事实上，选题文案已经是可操作拍摄台本了。这样做的目的就是为了保证拍摄过程高效、经济。

第五季之后，选题难度明显加大，多位第一至四季的优秀编导，一下子捉襟见肘。因为从村镇到古街区、古城，时空一下子扩展了很多倍。特别是古城，要在不到 30 分钟的节目里，讲清楚它的前世今生，难度可想而知。因此，每当领导批评编导的时候，我都替他们抱打不平。我说，要让编导在短短的一两个月吃透杭州、开封这些古城，找到五六位人物以及各种故事，真如大海捞针。一出节目事实上就是一部电影。一部电影要拍出来需要准备多长时间？《记住乡愁》每年 60 集，相当于 60 部电影。可一个电影团队有多少人？《记住乡愁》每出节目也就一位编导，两位摄像，不超过十人，工作量超大。

片子剪成之后先在小组初审，小组初审通过之后才拿到专家组进行审片，几乎有一半片子要打回去修改。

到了第三年，编导团队基本上掌握了中华优秀传统文化的精髓，对中华优秀传统文化和革命文化、时代文化的关系也有了一定理解，制片人王海涛先生体谅我的家庭情况，让我从文字统筹渐渐向策划和撰稿过度，从微观向宏观过度，让我北京银川两边跑。

我也就变成一位"空中飞人"。每年后半年，差不多每周都要飞一次北京，行李箱就没有收起来过。我在驻地的一些洗漱用品都寄存在前台，服务员都认识我了。

越做越觉得这一出节目的历史意义、现实意义之重大。我常常给编导们讲，如果把孔子和老子时代人们的生活方式拍下来，在今天真是价值连城。《记住乡愁》是国宝。有了这样的认知之后我坚持了下来。从第五季开始，新的干部管理规定要求每次出银川都必须请假，每次都要央视发邀请函。我感觉太麻烦市委领导，就向剧组写了辞职报告。但是制片人无比恳切真诚的一封回信，让我不得不再次返回剧组。

2020年底，看到新出台的公务员法，综合考虑家庭身体包括节目的需要，我向市委写了提前退休报告。后得到领导理解，先是退居二线，再也不需要每次出银川都请假了。

有人问，《记住乡愁》为什么有这么强大的生产力，我说，原因很多，但最重要的是王峰、王海涛、周密三人的亲密状态，那种和气，真是少见。他们的认知方式、思维方式、行为方式高度一致。七年来，我没有发现他们出现过价值观和方法论裂痕。我也常常看到他们在听选题和审片的时候，一阵切切私语，那肯定是心灵深处的一种默契和会意。有时，王峰也会像长辈一样校正一下王海涛的观点，王海涛常常是认账地一笑。但这种校正和认账，恰恰说明他们之间没有生分，没有客气，只有和谐。

喜欢听他们三人说选题，评节目。我常想，如果录下来，将会是非常珍贵的电视档案。有时候，一出节目，他们会讲一节课。

　　七年中，安徽大学的刘伯山教授、中国传媒大学的沈�教授、清华大学的彭林教授、曲阜师范大学的夏静教授，诗人张海龙先后以专家和撰稿身份加盟团队，或者一年，或者两年，但从他们的发言中，我长了不少见识。

　　三十分钟节目，坐在电视机前，会很快看完。但拍摄过程，却是千辛万苦，二三百个镜头，每一个都要挪动机器，布置场景，甚至组织活动。

　　在拍天水古城的时候，我作为天水籍作家出镜。有一天，在八卦山上拍了八个小时，结束之后，我一屁股坐在山头，再也不想起来，只想就此睡过去。站久了，只感觉腰都不存在了。我是空手配合，尚且如此，编导扛着重重的设备上山，找位置，其辛劳，可想而知。有时候为了拍落日，抓光线，根本顾不上吃饭。

　　不同于编导们，我一边参与节目创作，一边尝试把它应用化，通过我的手寄到全国应用性平台的光盘占了很大比例。比如经我牵线，剧组就给教育部、北京师范大学、复旦大学等高校和宁夏司法厅等单位捐赠了大量图书、光盘，供他们研究和开发。

　　在海口电视台录制的 52 集《郭文斌解读弟子规》中，我引用了大量《记住乡愁》案例，随着中国教育电视台的播出和学习强国的推送，受益人群逐渐扩大。

寻找安详小课堂、文明十二家等团队，每周一集，播放节目。北京易生康集团的刘广平先生到小课堂学习后，自愿向全国有联系的学习群发送节目，每天一集，常年不断。尤其让人感动的是，每一集，他都要写一篇观后感，一集不落。要写成这样一篇文章，至少要观看三四遍节目。《黄河文学》编辑部的编辑李杨佳蓓把前四季每一集节目里的五个故事都挑出来命名，便与检索。这些应用性价值反馈，给编导以很大的激励，让编导在做节目的时候，就前瞻到它的济世功用。

我在全国讲课，常常引用四川德胜村的故事。两青年打架，一个把另一个的一只眼睛打瞎了，肇事者逃逸。不想受伤者祁永兵不但没有计较，反而去帮肇事者的妈妈种庄稼。记者问他怎么做到的，他说："心怀仇恨，他不快乐，我也不快乐，把仇恨忘掉，他快乐，我也快乐。"在云南芒景村，有一个叫女江的女性。她的先生被第三者勾引跑了，没想到在途中遇到车祸一命呜呼。这位名叫女江的女性不但没有计较，而且筹资给她的前夫办了一场很体面的葬礼，筹资给她的前夫还清了十一万元的外债。同样记者问她怎么做到的，她说："我的前夫背叛了我，是他做人的失败，但是我作为一个妻子，我应该尽到我的责任，我在为他做这一切的时候，我感觉到很欣慰。"这些年我用这个故事劝和了许多夫妻，用祁永兵的故事劝和了许多抱怨的人、仇恨的人。这种乡愁故事和电影不一样，电影是虚构的，纪录片是可以作为论据使用的，而且是央视这种有公信力的媒体拍的纪录片。

广西有个罗凤村，每天早晨，大家在上工前会把要卖的菜拿到这个市场悬挂在树上，在旁边放一个收钱的袋子，标明菜的价格。需要的人拿走自己想买的菜，主动地把钱放在钱兜里面。也就是说，卖家和买家是不见面的。一百年来，没有发生过谁多拿了菜、谁少给了钱的情况。这是在我们中华大地上真实存在的事情。所以我一直在讲一个观点：把《记住乡愁》认认真真地看完，那些民族自信心的丧失者会找到信心，文化虚无主义者会找到真实感，道德悲观主义者会找到乐观，迷茫无助的人会找到人生方向。我们可以想象，当社会上每一个村落、村镇，每一个商店、社区都能做到这一点的时候，这个社会不就是大同社会吗？

应该说，节目进入第七季，杭州、开封、九江、高邮这些古城展开在编导面前，除了体量变大，难度变大，编导也进入了疲劳期。该用的词都用完了，该用的结构也用完了，该用的方法论也用完了，怎么再上台阶？黄坤明部长批示要"坚持下去，不断创新"。我给制片人建议：一档节目如何变成国家的刚需、百姓的刚需、文化传承的刚需、人类走出困境的刚需？这既是坚守也是创新。就像我们再怎么创新还是要晒太阳、再怎么创新还是要吃大米、再怎么创新还是要喝水、再怎么创新还是要呼吸空气一样。创新是重要，但守正最重要。

创新主要是在形式感上创新，在方法论上创新，而它的精神价值一定是守恒的，这也是《记住乡愁》和其他节目相比，能够持久性的被观众认可的原因。

我也常给剧组的同志讲，在今天，无论是教育，还是文化，还是传媒，一定要走"社区推送"的道路，也即精准推送。在做节目的时候，就要想到和缘分内的受众精准对接。对于这部分观众，广告性传播意义不大，主要靠口耳相传，和受益性传播，就像在我的书里，为什么《寻找安详》能够重印十五次，主要是受益者在回报性推广。那些抑郁症和焦虑症患者看后，康复了，他们自然会向亲朋好友介绍，有的甚至批发几百册几千册捐赠。《寻找安详》的发行给我的启示是：把作品变成受众的刚需。这就需要我们对社会、对底层，特别是对当代人的心灵到底发生了什么，心灵到底需要什么做出准确的诊断、判断、感知。所以要提高对社会的感受力、判断力，要知冷知热，用心体会当代人心中的坑洞和缺项。

多年的志愿者经历让我知道如何走进真正需要我们的受众中间去。我发现，在信息爆炸的今天，特别需要精准服务，比如建群，比如线下课堂；也特别需要服务者保持定力和耐力，一场接一场的不厌其烦反复讲一个观点，反复推送一部经典，用文火，把一锅馒头蒸熟。

那些爆炸式火爆的节目，一时很热，但大多很快就会凉下去。能让观众作为精神营养观看的节目，一定会保持恒温。我常讲，没有病的人是不会进药店的，没有饥饿感的人是不会进餐馆的。一出节目，一本杂志，一份报纸必须走刚需路线，就是带着问题意识，带着前瞻性，带着爱和情怀，精准推送。

每次过选题和审片的时候，大家都会议论一下社会现象。比如讨论：现在的抑郁症比例为什么这么高？有人说是因为社会压力大，有人说是因为物质发达精神营养没跟上，有人说现代人自私，有人说孩子的抗击打能力弱，有人说这是一个时代病，还有人说跟独生子女有关系等等。讨论到最后大家常常用一句话总结：要好好看《记住乡愁》，我们要好好做节目。只要大家每天能心平气静的看一集《记住乡愁》，大多抑郁症会缓解或者康复。

也会讨论：现在的离婚率为什么这么高？有人说现代人讲究自由，有人说现代人没有安全感，有人说现代人心中火大、仇恨深，有人说是社会贫富差距加大，有人说是社会诱惑太大，有人说是道德崩溃，也有人说这个社会没有廉耻观。到最后大家还是会用一句话做结语：还是要好好看《记住乡愁》，我们还是要好好做节目。

有根之人皆得欢喜

这是 2015 年的最后一天，在央视大型纪录片《记住乡愁》第二季的制作现场，我接到了《新消息报》名编倪会智的电话，说是领导让她约我给新年专版写些文字。不知为何，竟觉得有一股浓烈的乡愁从电话那头传来。呵，要过年了。正是她的这个电话，把我带回被自己忽略了的时光隧道里，让我陡然意识到，最大的乡愁，也许正是这过于匆忙的时光脚步。

眨眼之间，从年初到了岁末。

突然对《周易》里的一句话有了新的感受，"天行健，君子以自强不息，地势坤，君子以厚德载物"。正因为"天行健"，正因为"地势坤"，君子才要厚德载物，才要自强不息。只有这样，才能给荏苒光阴以意义感。

如此，再看案头的一集集乡愁台本，就觉得它们不再是一行行文字，而是一串串脚印，是中华民族万姓先祖留下的时光宝珠，也是一个再好不过的象征。去年元旦开始在央视中文国际频道面向全世界播出的 60 集节目，主旨以厚德载物为主；今年元月 2 日将要在同一频道黄金时间播出的第二季

60集节目，内容则以自强不息为主。

这一主题递进，正好可以概括这两个不同凡响的年份。试想，如果有那么一个人，站在时光之塔的顶端打量这个地球。他一定会发现，有一个叫中华的民族，正在因为厚德而复兴；有一个叫中国的国家，正在因为自强而强大。最后，这位打量者一定会发出这样的感叹：这是一片有乡愁的土地，这是一个有乡愁的民族。她的强大，意味着这个美丽的星球将要迎来安详和幸福，将要奏响人类和谐共生的主旋律。

没有厚德，难以载物，没有自强，难以不息。《记住乡愁》第二季的60集故事，无疑是中华民族的自强精神缩影，可谓感天动地。就在这种大感动里，回过神来看《新消息报》的编辑从宁夏大地上采集到的二十则新年感言，不知为何，我竟觉得它们是另一个版本的"乡愁"。在这些无比朴素又无比美好的语言里，同样"看得见山，望得见水"，同样能够让人"记住乡愁"。一个个故事，是那么本分；一桩桩心愿，是那么美好。显然，他们的心里有故乡、有根本。一个有根本有故乡的人，自然会让日子天高地厚、山青水秀，自然会让生活枝繁叶茂、果实累累。透过这些语言，我们能够感受到宁夏这片充满着乡愁的热土给老百姓带来的祥和、安宁、踏实、幸福，包括无限美好的可能性。

就像我自己，在这一年，就从未有过地感受到，一种来自天地、国家、社会的厚爱，来自亲人、领导、同事、同道的体贴。这让我的内心时刻充满着感恩。

一个人，人到中年，还有双亲相伴，还能呼爹叫娘，还能吃到老娘亲手擀的面条，喝到老娘亲手熬的热粥，这是一种怎样的满足和幸福；一个人，年届天命，还能够被一个可爱的小天使重新唤醒柔肠，教会爱和牵挂，这是一种怎样的满足和幸福；一个人，能够让作为农民的兄嫂双双走进传统文化课堂，和他的儿子一起诵读经典学习礼仪，这是一种怎样的满足和幸福；一个人，能够通过他的文字和演讲，让人们放下抱怨和仇恨，结束焦虑和抑郁的生活，这是一种怎样的满足和幸福；一个人，能够被邀请参加黄帝清明国祭，沐浴华夏先祖的德风，这是一种怎样的满足和幸福；一个人，能够获得自治区最高人才荣誉，并代表获奖者发言，这是一种怎样的满足和幸福；一个人，能够和他的同事一道，通过一个文学赛事，让全国的目光注目生他养他的这片热土，这是一种怎样的满足和幸福；一个人，能够精选他的作品，被国家名社精装出版发行，这是一种怎样的满足和幸福；一个人，能够和他喜欢的人在一起从事他喜欢的事业，这是一种怎样的满足和幸福……

这一年，我更加强烈地体会到，真正的幸福就在天伦之乐里，就在敬天爱人里，就在感恩奉献里。因此，在向全国大量捐赠《寻找安详》的基础上，我再次委托中华书局向全国公益平台捐赠了三十万元的《郭文斌精选集》。新的一年，

238

我将量力继续捐赠。

　　《老子》讲："天地所以能长且久者，以其不自生，故能长生。"可见，真正的"厚德"和"自强"是"利他精神"。愿我们在新的一年里，通过践行这种精神，体会新的乡愁，实现新的梦想！

传媒的守和变

和去年一样，在收到《新消息报》专刊部主任闻海霞代副总编张虹邀我写元旦祝辞的电话时，我同样在中央电视台《记住乡愁》第三季剧组做文字统筹工作。

通过两年的艰苦奋战，备受人们关注的中华文化传承工程《记住乡愁》第一二季已经胜利完成拍摄播出任务。其中第二季摘得 2016 年度"金熊猫"国际纪录片最佳人文关怀奖、22 届中国电视纪录片系列片十优作品奖，创下了首播收视人数达二十亿人次、重播加新媒体观众达一百亿人次的纪录，为提高中华民族的文化自信、增强中华民族的文化自觉做出了不可替代性贡献，也为人类可持续发展提供了实景范式。

让人欣喜的是，第三季 60 集又要在 2017 年元旦开播了。

在我看来，这三季 180 集节目，是电视人用三年心血编纂的新《四库全书》，筑就的新文化长城，开凿的新文化运河，修建的新文化航母，书写的新精神史诗，是中华文化的一次超常集成和空前博览，是中华民族精气神的跨时空汇聚，也是中华民族文脉的抢救性修复。相对于课堂式宣示、论坛式宣讲、文章式宣传，它更加生动、形象、鲜活、有温度、有情感、有大地泥土的芳香，有人间烟火的气味。通过一个个唯美的镜头，让我们看到了中华大地的好风水，感受到华夏儿女的好风气。它无疑是中华文化优良性、生机性、合法性、不可替代性的最广泛、最基础、最深厚的展示，它让人们确信，中华文化完全可以为打造人类命运共同体这一宏伟历史性命题提供模板。

在廉价的笑声、无底线的娱乐、无节操的垃圾几乎淹没我们的生活的今天，在戏弄历史，亵渎祖先、亵渎经典、亵渎英雄，去崇高、去价值、去意义，用无端的想象去描写历史，使历史滑稽化、虚无化成为潮流的今天，在急功近利，一味标新立异、追求怪诞、炫富竞奢，低俗媚俗的精神雾霾几乎让人们透不过气来的今天，《记住乡愁》无异于一道明媚的阳光，一缕清新的空气。

伴随着先祖们几千年的生存实践，中华文化的精髓早已融入人们的日常生活，成为中华儿女的另一片蓝天和大地、另一种阳光和空气，甚至日用而不觉。现在，编导们通过镜头生活化规模性重现，让人们反观到它的巨大价值，从心底升起对这种根性文化的深厚自信。

作为节目的文字统筹，两年来，我见证了这个拍摄制作团队的超负荷工作。无论酷暑，还是严寒，神州大地上都闪动着他们寻根的身影；无论边关，还是哨所，都洒下了他们探源的汗水。多少个假期，他们在剧组度过；多少个生日，他们在异乡举杯。想孩子了，看看视频；想老人了，打打电话。没有看到谁在敷衍，没有听到谁在抱怨。整个剧组时常处在一种攻坚状态。用制片人王海涛先生的话说，这是一次电视人的自愿长征，也是一次电视人的文化自觉。带着这种长征精神和文化自觉，他们走进第三季。

不同于第一二季的古村落，第三季的内容是古镇。众所周知，古镇有商贸、戍边、大户聚居等主要成因，那就意味着选题拍摄更有挑战性。在欣赏了已经完成的节目后，我非常欣喜地发现，较之前两季，无论是内容，还是表现手法，本季都有许多新的突破。

既然是古镇，就有不同于古村落的许多看点。如果说第一二季展现了农耕文明日出而作、日入而息、凿井而饮、耕田而食的天然之美，表现了父子有亲、兄友弟恭、夫唱妇随、长幼有序的伦常自觉，表达了资父事君、曰严与敬、孝当竭力、忠则尽命的职分自觉，讴歌了祸因恶积、福缘善庆、厚德载物、自强不息的生命自觉，那么，第三季则在继续深化前两季主题的基础上，侧重表现建章立制、尊约守契、义利有度、合作共赢的工商文明，重点挖掘传统文化中能够在当代有效传承、发展，能够充分融入当代人精神血液、为现代生活提供建设性精神营养的文化要素。

之所以写下这些文字，是想给《新消息报》及一切传统媒体送上一份信心，以此表达我对传统报人及读者最由衷的新年祝福。在我看来，任何事物要保持它的生命力，总不离处理好"守"和"变"的关系。《谏太宗十思疏》中讲："臣闻求木之长者，必固其根本。欲流之远者，必浚其泉源。"如果说，"求木之长"是"变"，那么"固其根本"就是"守"。无疑，在自媒体迅速发展的今天，传统纸媒如何走出困境，是一个时代性话题。但是今年央视中文国际频道收视率跃为全国第一，远超一些时尚性频道，包括那些曾经非常火爆的娱乐性地方卫视，给了我们新的启示。特别是大型纪录片《记住乡愁》的空前成功，让我们对传统媒体存在的时代合法性和不可替代性有了更大的信心。当初在论证《记住乡愁》选题的时候，专家们争论得非常激烈。不少人认为这样的选题，肯定没有几个人收看。我个人对传统文化的热情甚至成为一些学者冷嘲热讽的对象。但是三年之后，事实说明了一切。这也许能给《新消息报》和同类传媒一些启示。的确，在手机已经成为第一阅读载体的时候，《新消息报》已经不可能成为"新消息"。但我们可以从另外一个角度重新去理解这个"新"，那就是当快餐败坏了人们胃口、伤害了人们身体的时候，"慢餐"将重新成为读者渴望的"新"。这就是老子讲的"有无相生，难易相成，长短相较，高下相倾，音声相和，前后相随"。就像现在在一些大都市，恰恰有人拒用手机改用座机一样。因此，报纸要寻找真正属于它的心灵需要和情感共鸣点。正如我在公益论坛上常常讲到的，在今天，知识的获取已经不是一件难事，百度里一搜什么都有了，但是我们无法在百度里搜到安静。而给一个人提供生命力和幸福感的不仅仅是知识，更是安静力、和谐力。同样，当一份报纸能够给读者提供自媒体无法提供的安静、温暖、祥和、存在感、安全感、放松感时，其磁性自会把读者吸引到身边。在《记住乡愁》第三季重庆偏岩古镇这一集节目中，有一位叫王凤炳的老人创办了一个阅读室。他将分门别类的剪报本挂了一墙。其情其景，感人至深，这也从另一个方面给了我们节目存在的理由。相对于虚无缥缈的自媒体，纸媒至少会给人提供存在感、书香感。仅此，也会有一个十分稳定的订阅群。正因为此，传统纸媒就更要扬长避短，去制作特定读者需要的不可替代的真正属于自己的蛋糕，让人们值得订、值得藏、值得传。如此，就对报纸的公益性要求很高，因为公益性是心灵共振的最持久频率。关于这一点，《新消息报》有非常好的传统，今后可以百尺竿头，更进一步，籍以走进受众的心灵深处。

只有"生机"，才能"勃勃"，而人心所向，是最大的生机。

谨以拙文真诚祝福宁夏大地和父老乡亲们新年吉祥如意，祝《新消息报》及一切传媒、传媒人和读者朋友们新年吉祥如意！

从幸福感到安全感

已经给《新消息报》写了三年新年贺词了。每年这时，都在《记住乡愁》剧组，都是冲刺的时候。友人的约稿让人感慨，也让人感动。感慨的是，岁月匆匆，转眼之间，一年已过；感动的是，朋友的情深意厚，年年相约，岁岁相守。这，本身就是浓浓的乡愁。

回想2017，就觉得2018年的元旦有些真正的"元"和"旦"的味道。2017，中华文明进入新时代，中国特色社会主义文化被提至前所未有的高度。"文化兴国运兴，文化强民族强，没有高度的文化自信，没有文化的繁荣兴盛就没有中华民族伟大复兴"。"文化自信是一个国家、一个民族发展中更基本、更深沉、更持久的力量"。足见文化自信之重要，也见传媒之重要，因为文化自信的树立离不开传媒。

一定意义上，文化就是传媒。那么，传媒如何才能有效地完成这一历史性重任？

在我看来，首先要有一种文化自觉，这种文化自觉，体现在操作层面，就是判断力，就是前瞻性。党的十九大召开之际，央视记者到我的老家将台堡采访，问我，是什么因素让我取得今天的成绩，并在国家文化传承工程中作出贡献。我说，因素很多，但最重要的一条，就是我在二十年前就认识到传统文化的重要性，在连根养根上先行一步，从中华文化的根部获得源头的力量。从文学的技术训练角度，我远不及其他作家。当时，一种普遍性的茫然感让知识界陷入深度焦虑，我也不例外。用学者王晓明的话说就是："人们丧失了对人、人类的存在意义的把握，在基本的价值观念方面两手空空，自己没有基本的确信。没有基本的确信，精神立场就东倒西歪。"

倍感幸运的是一种特别的缘分把我带进安详里，这个过程我写在《寻找安详》的引言里。走出焦虑之后，我就坚信，"农历"和"安详"将会成为人们走出现代性困境的道路，付诸写作实践，不想得到意外的收获。短篇小说《吉祥如意》、长篇小说《农历》先后获得中国文学最有影响力的奖项"鲁迅文学奖"和"茅盾文学奖"提名。长篇小说《农历》被中央电视台《中国年俗》制片人王海涛先生看中，约我担任文字统筹。合作不但成功，而且愉快。翌年继续邀我承担由中宣部等单位组织实施、中央电视台组织拍摄的大型纪录片《记住乡愁》的文字统筹。原定100集，因为播出后国际国内反响极好，频频获得全国大奖，不断扩充。在成功播出前三季180集之后，第四季60集于2018年1月2日20时黄金时段，又要在央视中文国际频道首播了。这是"农历"线。

"安详"线上，《寻找安详》被中华书局首版后，同样得到了各级领导的鼓励和支持。读者的喜爱程度也出乎我的意料。现在《寻找安详》已经重印十三次，平均一年重印两次。因为《寻找安详》的发行业绩，中华书局相继出版了我的随笔集《〈弟子规〉到底说什么》《醒来》，还有精装七卷本《郭文斌精选集》。由山东丰金集团、宁夏兴泰公司、河北弘贤教育集团等公益平台向全国大面积捐赠。被刘广平、张潇月、朱永利、陈奕帆、郭盛阳等同志全本朗诵，发布在荔枝 FM 和喜马拉雅 FM 上。在 2013 年 4 月 23 日由国家新闻出版广电总局等单位主办的"2013 书香中国"全民阅读电视晚会上，主持人朱迅向读者推荐了《寻找安详》，推荐理由是"如果这个时代寻找不到内心的安详，就无幸福感可言"。之后，在多个平台上，王志和朱迅联袂推荐。2016 年 5 月，中国作协主席铁凝到宁夏调研，我陪同。途中她说，一位领导给她推荐《寻找安详》，说是这本书让她走出睡眠障碍。2017 年，宁夏党委常委、政法委书记徐广国先生把《寻找安详》作为彰显银川内涵的文化符号写进他的长诗《献给银川的美好祝愿》里。在 2017 年 12 月 22 日召开的宁夏自治区文艺界学习贯彻十九大精神座谈会上，宁夏党委常委、宣传部部长赵永清先生从多个方面肯定了"安详"的时代价值，以理性高度让人们对"安详"有了新的认识，给我以更大的信心。

受人滴水之恩，当以涌泉相报。既然祖先留下的这些精神宝藏能让我走出焦虑，并且获得成功，既然拙著能够给读者带来一些帮助，我就用稿酬和奖金向全国大量捐赠，截止年底，仅中华书局反馈给我的捐赠码洋已近一百五十万元。每次让出版社把书发往指定地点，每次收到受益者的来信来电，那种快乐，真是无以言表。这种快乐，反过来又加强了自己的文化自信。

2018年，海口电视台将以一年的周期播出我有关中国人的教育智慧的课程。向22个国家翻译《郭文斌精选集》的工程也将由智慧宫文化传媒公司全面展开。根据拙著《农历》改编的同名电影也将由银川市委宣传部会同北京谷天传媒、北京果园影视等公司联合投拍，将会有更多的读者和观众从中获益。

值得一提的是，2017年12月，以中国商旅全程管家服务为核心内容的北京金色世纪公司要给全国享受贵宾服务的乘客赠送一万册书籍，让他们带上飞机、带回家阅读。董事长李梓正先生认识到，飞机上成了现代人最好的阅读环境，因为手机被关掉了。借助空中飞行，人们暂时从地面的信息狂潮中抽身。他们在做了大量调研的基础上，最终选择了《寻找安详》。理由是本书不但能给现代人提供幸福感，更重要的是能够提供安全感。这让我联想到十九大报告，要"使人民获得感、幸福感、安全感更加充实、更有保障、更可持续"。

为什么"农历"和"安详"能够为人们提供幸福感和安全感，就是因为它们是从根文化上开出的花朵，结成的果实，自然就不会有风雨之急、飘萍之惧，能让我们朝着认定的目标，坚忍不拔地走下去。甚至，"无故加之而不怒，猝然临之而不惊"。

要想让更多的人对中华文化和传统传媒产生自信，"创造性转化，创新性发展"很重要。以我的经历，无论是已经播出的180集《记住乡愁》，还是长篇小说《农历》、随笔集《寻找安详》，之所以能够被观众和读者接受，除了内容的原因外，就是因为它们把深奥的中华传统文化通俗化、故事化、文学化、现代化，让她们有人间烟火味，有日常人情味。对此，在2017年10月17日宁夏党委宣传部给我安排的理论学习中心组专题辅导会上，我以如何让传统文化被现代人"可用、愿用、常用、广用"作了汇报，得到了领导和同仁的肯定和认可。这"四用"，是我在多年的志愿者实践中摸索出来的。

要想让更多的人对中华文化和传统传媒产生自信，认识到不可替代性很重要。随着网络和手机媒介的发展，传统传媒是受到了冲击，但是，任何时候，发行商都代替不了生产商。发行商的生存靠优质服务，生产商的生存靠品牌产品。无疑，《新消息报》已经成为宁夏大地上重要的传媒品牌之一。如何守护并擦亮这一品牌，就显得格外重要。在我看来，要想守护这一品牌，最好的方式就是找到新媒体不具备的功能。《新消息报》开辟的许多"深度"栏目,开展的许多传媒化公益行动,都是成功的范例。

正如西方技术的发达不能代替中华传统文化的功用,新媒介的发达同样不能代替传统媒体的功用。快餐是方便,外卖是快捷,但永远代替不了母亲手擀面的味道。

愿《新消息报》在新的一年里为广大读者守住中华文化"手擀面的味道",让读者从品牌媒体提供的特有的"农历"和"安详"中获得不可替代的幸福感、安全感。

也借贵报向祖国和人民,向大地和岁月,向所有读者朋友,致以深深的新年祝福!愿新时代新年景,国泰民安,吉祥如意!

有一种创新叫"现代化传统"

十五灯节，天心月圆。由中央电视台重大主题宣传新媒体平台"1号线上"制作的七集动画片《六月说过年》也圆满收营。从媒体和社会反响看，这出节目成了鸡年春节文化的热点之一。在中央网信办的推动下，节目迅速在网上传播。长江文艺出版社社长尹志勇先生在看完节目后，当即表示要生产延伸产品。众多感人的反馈信息，让我渐渐明晰一个问题，在中央已经为我们勾画好复兴中华民族优秀传统文化的宏伟蓝图后，行动力就成为关键因素。如果没有行动，只是层层转发文件，层层开会布置，家家热议，户户讨论，一切仍将在原地踏步。

实事求是地讲，如果按我以前的做事风格，这套动画片我会建议"1号线上"在一年后播出。因为还有许多可以改进提高的空间，应该用一年的时间好好打磨，然后再推出。现在这个水平，对原著或多或少有点伤害。但是我知道，这是一种自私的想法。追求完美固然重要，保护原创固然重要，但第一时间为受众提供精神食粮更重要。

不说别人，就我家不到两岁半的小家伙来说，春节期间，别的动画不看了，就要看《六月说过年》，还有我从网上给他下载的动画片《元日》。不好好喝小米粥时，当我模仿《元日》中先生的口气——"一箪食，一瓢饮，在陋巷，人不堪其忧，回也不改其乐"他就端起来喝。剧中，前去给先生拜年的学生看着师母准备的贺年羹，实在寡淡，纷纷皱起眉头。先生看在眼里，却没有指责他们，而是一边吟诵夫子的名言，一边有滋有味地喝起来。学生们只好作出同样有滋有味的样子，举起碗来。一般情况下，小家伙会先让爷爷吃，自己再吃。但碰到他特别想吃的，手就先伸过去了。这时我说，小心灶王爷不高兴，他就回头往厨房看一下，说："上天言好事，回宫降吉祥。"这是他刚从《六月说过年》第一集《送灶神》里学的。说完就克制自己，等爷爷动筷子再吃。

模仿是孩子的天性，也是孩子的快乐。看了祭灶，他也来祭；看了做面祭，他也来做；看了《拜大年》，他也给爷爷和妈妈跪在地上磕头。可见这些节目在小孩子养成教育中的作用。一些照片我上传到微信上后，一时间被各种留言刷屏，也可见家长的关注点所在。除了孩童世界，在成人世界，我特别注意到传统文化圈在以极大的热情推广这出节目。比如在看了《祭财神》后，有一位信友在转发时写道：几十年来，我们根本没有理解祭财神的意义，也根本不知道财富从何而来，不想被《六月说过年》讲明白了。还有一位信友写道：没想到一个普通的"转丈人"，其中竟然包涵着如此丰富的天地精神。还有一位信友写道：当人们把元宵节等传统节日消遣化时，这出节目却让它回到人的心灵安妥意义上来，对人们消除焦虑、获得幸福、找到生命意义，有了实实在在地引导作用。

我注意到，中宣部领导在就两办《关于实施中华优秀传统文化传承发展工程意见》答记者问中，特别肯定了《记住乡愁》在复兴中华优秀传统文化大业中先行一步的工程性举措。而《六月说过年》，在意见出台时正好推出，真是相呼相应、珠联璧合。加上《记住乡愁》剧组把2013年我们合作采拍的八集《中国年俗》在微信平台和年节进行时同步播放，让这个春节有了一种不一样的感觉。这种感觉，如果一定要找个词句来形容，就是"现代化传统"吧。是的，我们要全面回到实体传统民俗中，有些不大可能了，但是我们可以在精神层面，享受一种现代化介质提供的传统味儿，这对我们的心灵，也是一种莫大的安慰和滋养。可以预想，终有一天，人们会生活在一种介质生活里，从心灵学意义上来讲，这种介质生活，也许和实体生活是同构的。

回头再说《六月说过年》的诞生过程。2016年初冬，中央电视台"1号线上"主编唐经刚先生给我来电，说看过中华书局出版的我的文集，很感动，非常想在春节期间在"1号线上"传播一下，问我有什么好想法。不知为何，我随口说可以考虑做动画。事实上可选项目还有发布文章、配乐朗诵文章，包括把我原来和宁夏卫视等几家单位合作的"说大年"之类的节目挑一些碎片化处理等等。但当时脑海里冒出的念头就是做动画，于是我就给唐先生讲了。接着我就扎到《记住乡愁》剧组忙碌起来，把这事忘掉了。谁想就在春节前半个多月时，唐先生发来动画文案，说他把动画公司都找好了。这让我非常感动。这些年，有多少团队，不断找我商量传统文化推进项目，但大多都说说而已。谁想他却说干就干，还真要做这件事了。于是我帮他把文案重新理了一下。好在每集只有七八百字，总共不到一万字。之后，他就一集集发来样片，我也就一一给他提出一些修改意见，他基本都采纳了。应该说，最后推出的作品，要比我想象的好得多。制作团队的速度和水平，着实让我惊叹。唐先生曾经说如果推出效果好，将来要把整部《农历》做成动画，让孩子观看。现在看来，这个计划他们是有实力完成的。

谁都知道，传统文化要从孩子抓起。但是怎么抓，据我所知，除了背诵经典，大多家庭都让孩子观看内蒙古一家影视公司出品的《德育故事》。那套光盘确实做得不错，但毕竟都是古代的故事。如何把活在当下的传统文化开发给孩子观看，就是一个新课题。对此，"1号线上"给了我们许多新的启示。

254

爱国首先要爱文化　爱文化从传统节日开始

一

现在很多"洋节"大行其道，很多年轻人对外来节日的了解甚至多过本土的传统节日。造成这种现象的原因，在于西方的文化输出战略、我们自己的文化态度、经济态度和教育态度四个方面。偶像文化推波助澜，文化搭台、经济唱戏，西方式教育一家独大，这些都为西方文化提供了"得天独厚"的气候和土壤，洋节获得了合法性、合理性，自然就乘势而入，并大行其道。

特别是留学风，多少孩子成长在外国，学习在外国，当然也就"节日"在外国。回来之后，西方节日就成为他们的情感寄托。

"留学"首先要"学留"，把自己的文化先留住，再留学。换句话说，留学应该是在扎下本土文化根之后，在形成自己的认知方式、价值观、行为模式、学术范式之后。换句话说，先认亲爹，再认干爹，先吃娘奶，再吃洋奶，这样孩子的生命系统就会健康，免疫系统、修复系统就会健康。如果孩子本土的感受力、判断力、行动力、持久力、反省力没有形成，两套认知方式、价值观、行为模式、学术范式就会在孩子内心形成混乱，互相干扰。

当然，这就要求主导教育的人先弄明白，何为源，何为流，何为本，何为末。既然我们降生到中国，我们的基因就是"中国"。就像庄稼长在土里，鱼生活在水里，一个是土性，一个是水性。这种生命基因体现在文化上，就是五千年历史长河中积淀下来的中华优秀传统文化，就是我们这个民族的标识、命脉、精髓。

在这里，我们要处理好中华文化和西方文化二者的关系。原则是，一定要把根留住，把源头护住。小麦一定要落土，水稻一定要入水，鸟儿一定要升空，鱼儿一定要归流。我们的祖先引进佛教文化，前提是有助于巩固孝悌文化，结果，佛教文化和孝悌教育文化双赢。当儒家文化发展到心学，儒释道三家已经不可分。但中国文化的道统之根没有变，天人合一的学统之源没有变，孝悌文化的根脉没有变。这是一种吸和收的关系，而非变和换的关系。

《大学》讲："物有本末，事有终始，知所先后，则近道矣。"要想从根本上改变洋节以压倒性之势进入的局面，就得从根本上转变我们的态度。

党和国家早就认识到这个问题，已经从根本上着手解决。

十几年前，中宣部就启动了"我们的节日"工程。6年前，央视以破冰之势拍了8集《中国年俗》。5年前，史诗性纪录片《记住乡愁》正式开拍，目前已经播出260集，百姓额手称庆。

二

在全国宣传思想工作会议上，习近平总书记指出："中华优秀传统文化是中华民族的文化根脉，其蕴含的思想观念、人文精神、道德规范，不仅是我们中国人思想和精神的内核，对解决人类问题也有重要价值。要把优秀传统文化的精神标识提炼出来、展示出来，把优秀传统文化中具有当代价值、世界意义的文化精髓提炼出来、展示出来。"在我看来，传统节日就是中华文化的精神标识之一，就是具有当代价值、世界意义的文化精髓之一。

节日是日常生活的一部分，但却是优雅化了的一部分，精致化了的一部分，精神化了的一部分，诗化了的一部分。它改变了生活节奏，丰富了生活，美化了生活，提升了生活。

《农历》2010年10月由上海文艺出版社出版，2016年由长江文艺出版社再版。在第八届茅盾文学奖评选中，60位评委投票，最后一轮得票第七。有人说，《农历》是"中国符号"。事实也证明了这一点。《农历》首版8年来，每年重印一次，说明这个选题是对的。我常说，《农历》的写作，就是一个作家的爱国主义行动。一个人不爱自己的文化，要说爱国，是需要考量一番的。

从另一方面来讲，说明读者越来越重视传统节日。前年由中央电视台总编室根据《农历》改编的动漫《六月说过年》，在央视重大宣传平台"1 号线上"推出后，一时成为新闻热点。第二年节目重播，现在已经被不少幼儿园和中小学作为视频教材使用。

而我和央视国际中文频道联手，也是《农历》的缘分。由此，我先是担任了 8 集大型纪录片《中国年俗》的文字统筹。因为播出反响强烈，第二年大型纪录片《记住乡愁》开拍，我又被制片人邀请担任文字统筹。不想首两季播出空前成功，节目也不断扩充。目前，节目已播出 260 集，观众达到近 100 亿人次，被誉为弘扬社会主义核心价值观最接地气的精品力作，已经摘得近 10 项全国性大奖，包括中国电视最高奖项"星光奖"。

《记住乡愁》中，相当一部分内容就是传统节日。不少节目都是以传统节日作骨架的，特别是少数民族部分，传统节日不但是其精神载体，还是其文化符号，尤其是其识别符号。

推而广之，正好可见中华传统节日在中华文化中的地位和角色。传统节日既是中华民族的精神载体系统，也是符号系统，更是识别系统。打个比方，如果传统文化是承载智慧的书本，那么传统节日就是承载智慧的课堂。课堂没有了，书本也就束之高阁了。《农历》中，五月和六月两个孩子虽然没有接受专业教育的条件，但是有仪式性传统节日在，教育的核心部分就在习习如风的节俗和仪式中得以传承。

中国文化讲究化文成俗，文化只有约定成俗，成为风尚，成为具有仪式感的国民行为习惯，才能传之久远。而传统节日正是文化的俗成部分，习成、仪成部分。锦绣中华一旦"锦"没有了，"绣"将无处着附。正如土壤没有了，再好的种子也将无用。关于这一点，我在长篇小说《农历》的创作谈《想写一部吉祥之书》里，通过经典教育和民间教育的关系，展开讲过。

今年，由拙著改编的同名电影《农历》将由北京谷天传媒有限责任公司牵头摄制，相信小说的荧屏化，会让人类通过中华传统节日的特有视角和不可替代性价值思考重建心灵故乡的意义。

三

近些年来，国家对传统节日日益重视，传统节日作为传统文化的载体，首先能给人以安全感、归属感、家园感。十九大报告中指出，要持续提高人民群众的获得感、幸福感、安全感。在我看来，安全感是基础，没有安全感，获得感和幸福感就无从谈起。

传统节日为什么能够给人提供安全感？一则，它已经成为中华民族基因般的集体意识。集体意识和个体意识就像大海之于浪花，浪花离开大海，就会蒸发，个体意识离开集体意识，就会恐惧。

而人一旦恐惧，第一，就要向外在世界抓东西以填充内心的恐惧感，占有欲、控制欲和表现欲就随之到来。一旦满足不了，人就会抱怨、生气。之于个人，则会伤害身心健康，之于社会，就会造成动荡和灾难；第二，内心就会焦虑，就会抑郁。目前居高不下的焦虑指数，背后隐藏着十分可怕的心理危机。许多人自杀都与此有关。

传统节日之所以能给我们安全感，和古人对它的设计有关。

古人按宇宙节律、生命节律设计节日，节日就像竹子的节，正好是时令和生命的关键处，让人们在紧张的劳作中休息一下，休整一下，给生命充电。无论何种电器，功能再好，如果电没了，一切功能都无用。就是说，传统节日，是古人按照宇宙和生命节律做出的科学设计。

大多传统节日都和日月星辰的运行规律有关，初一和十五居多，而初一和十五正好是阴阳二气的交汇处，让人们以过节的方式休息、休整、充电，让细胞在放松中更新和休整，让因过度劳累而损伤的生命在安静中得以修复。

大多传统节日，都有连根养根的功能。祭祀天地是人和宇宙、大自然进行能量交换；祭祀祖先是人们和祖先进行能量交换。现代心理学证明，人的潜意识是永恒存在的，既然人的潜意识永恒存在，那么祖先的潜意识也应该在，既然祖先的潜意识还在，祭祀就不但是一种怀念，而具有能量交换的意义。

我们知道，没有根的树会死掉，没有源的水会枯掉。在传统节日中，一族人往往要在祠堂聚会，集体阅读家谱，集体温习家训，集体教育孩子，"立身行道，扬名于后世，以显父母"。小孩在这种氛围中长大，就会洁身自好，不敢作奸犯科。

现在，人们教育孩子，往往从效率着眼，却很少有人从安全感着眼；往往从成功着眼，却很少有人从不败着眼。而古人对传统节日的设计，就用心良苦，正是要让后代既有效率感，又有安全感，既成功，又不败。

从幸福感的角度讲，传统节日往往注意礼节性的人情往来，叔伯姑姨要走动，这有利于人心相通、感情交流，有利于战胜冷漠。现代科学已经证明，冷漠是健康的杀手。城市人患癌比率高于农村，和人心不通、人情冷漠不无关系。

更为重要的是，通过传统节日，文化得以机制性保障性传承，就像没有科举，中华文明的经典传统就会断档，没有传统节日，中华文明的民间传统就会断档。近些年，我们在生活实践中发现：一个十分焦虑的人，一旦把根连上，焦虑就会缓解；一些叛逆的孩子，一旦把根连上，叛逆就会缓解；一些想入非非的人，一旦把根连上，幻想就会缓解。

传统节日还具有祝福功能，如果人们一旦认识到传统节日的祝福性，我们就不用担心它会衰微。

这一点，《中庸》讲得很到位："郊社之礼，所以事上帝也。宗庙之礼，所以祀乎其先也。明乎郊社之礼、尝之义，治国其如示诸掌乎。"对于古人来说，天地都是人格化的。在《易经》中，乾为天，为父，行健；坤为地，为母，势坤。乾坤运化，产生万物，因此要尊祭。古人祭天于冬至日，祭地于夏至日。冬至夏至即复姤二卦。冬至一阳生，复卦行令，从这一天开始，整个上半年，天地阳气回升，是阳气主宰的时段，冬至祭天，表示时令已到了乾阳主宰的时期。夏至祭地，地代表阴，夏至一阴生，姤卦行令，阴气一天比一天盛，阳气渐渐收藏，直到冬至日。古人通过祭天和祭地，提醒人们时令上的阴阳变化，以便更好地安排生产、生活。

宗庙之礼是怀祖先，颂祖德，育后人。近年，国家举行各种庆典和公祭仪式，就起到了类似的效果。

天坛地坛就是古代祭天祭地的，是中华民族精神凝聚力的重要平台。古人认为，如果国家能够理解并应用好郊、社、禘、尝之大仪，通过这些神圣的仪式，让国民内心充满感恩敬畏，以庄敬之态生产、生活、做人、行事，人心就会得到净化，社会就会安宁。

四

　　随着社会的迅速发展变化，不少传统节俗丢失了，一些传统节俗加入了新的元素。在我看来，风俗的演变是必然，但变的是形式。这就像现代人用电饭锅蒸米，古人用土灶蒸米一样，工具性内容肯定会随着社会的发展产生变化，但再变，人还是要吃饭，米面、蔬菜、水，这些基本的食物是不会变的。节日也同样，只要是人，就有安全感的需要，就有怀念的需要，就有祝福的需要，就有亲情交流的需要。因此，我是一个传统节日的乐观主义者。

　　即使不少人没有故土了，回不去了，但也有不少人通过诵读《农历》的形式，观看《中国年俗》的形式，在城里温习春节，温习中秋，温习端午。这几年在城市兴起的年节诗会，也是证明。

　　现在，每当节日到来，不少朋友圈就转发我的长篇《农历》和散文集《还乡》中的篇章，编发这些文章的媒介点击量很高。有一次，《清明不是节日》获得点赞近二十万人次。

　　还比如，我们银川有个"寻找安详小课堂"，每逢节日，十几家人，或者一个团队，集体连根养根，效果非常好。

既然传统节日的目的是为了增强人们的安全感、归宿感、家园感，那我们就要把节日精神、节日气氛放大，通过创造节日气氛，为人们提供"三感"。

我还一直倡议，应该设立中国化的孝节、悌节、忠节、信节、礼节、义节、廉节、耻节，包括民族团结节、环保节，等等。每个节日选择一个代表性人物，以他们的生日设节，借之弘扬和传承中华优秀传统文化的核心要素。

我已经长达十年建议把春晚提前或者推后一天，把真正的除夕夜还给百姓，还给祝福，还给怀念，还给亲情，还给祭祖；还建议把传统节日的假期再延长一些。我当年在一个小城工作，不过元宵节基本不上班。到了银川，初七就得上班，一下子感觉不适应，感觉到了另外一个世界，感觉就像有谁一把把我当年那种绵长的享受感、温馨感、诗意感、生活感、幸福感拦腰折断了，有一种小孩子正玩在兴头上，被大人拎着衣领提回家的感觉。为此，我曾经一度都动过重新调回小城工作的想法。幸亏我的工作性质让我不必坐班，还可以自主性地延长这种享受，如果是其他职业，也许真就调回去了。我有几位好朋友，我曾经动员他们调到银川，他们不来，说他们喜欢小城的那种节奏，喜欢整整一个正月唱大戏看大戏的诗性生活。当然，春节长假不可能放到元宵节，但至少可以再延长两天，从社会管理的角度讲，也可以缓解交通压力，拉动消费。

春节是中华民族的集体约会

一

这些年我一直在建议，把春晚提前或者挪后一晚上，把除夕夜让给人们守岁，让给纯粹的"守"，就是纯粹的进入时间，进入空间，进入祝福。现在，四个小时的春晚一看完，守岁的感觉就没有了。

我在长篇小说《农历》里描述过吃完年夜饭之后的那一段时间，现在想来就像是童话。正如"守"字所意会的那样，时间在一寸一寸的过，我们在一寸一寸地守。

你都能感觉到时间的质地，非常紧张、非常安静。紧张的是你觉得时间马上要过去了，安静的是你能感觉出时间的芬芳。

夜深了，忙碌了一天的父母依在炕角打盹，我和哥哥蹲在房台上看着院子里的灯笼。那是我们自己剪的窗花，上面贴着喜鹊啄梅。如果遇到雪打花灯的那个夜晚，想想吧。

那是一种真正的天人合一。

那种感受一年只有一次，只有在除夕夜，五更分二年、一夜连双岁的那个特殊时刻，用整整一年盼来的那个特殊时刻。

那时，没有现代交通工具，没有现代传媒工具，人们对土地的感觉、对天地的感觉、对宇宙的认识更加有诗性。就像有了望远镜，月亮就不再美丽了一样。

在央视"1号线上"改编自拙著长篇小说《农历》的动画片《六月说过年》里，大家看到，大年初一是给本族人、本村人拜年，大年初二要去给岳丈家拜年。一大地的毛驴车，一大地的女婿都向岳丈家走去。它是一种脚踏大地的祝福，做女婿的，要当膝跪地，给岳丈岳母行礼。

二

"年"的意思是五谷成熟，是粮食对生命的润泽。但是现在来到我们面前的全是包装食品，食品和食物感觉是不一样的。食品是工业性的，食物是农业性的。

感情是需要时间提供热量的，甚至跟时间一体两面，失去了时间含量的祝福纯度就降低了。我们可以想象，在古代社会，一对恋人想要见面，从南国到北国要经过半年时间，那个过程是刻骨铭心的。现在，一天就"飞"过去了，肯定没有当年那种相思的感觉了。同样，适当地放慢脚步，加一些时间含量进去年味会更浓。

每年春节，我都要去几位老首长家里坐一坐。谁都知道，他们并不缺那一份物质上的表达，但是你去坐一坐，喝喝茶，聊聊天，本身就是意义。也就是说，这种走动本身就是意义，仪式感本身就是意义。

按照现代心理学的说法，仪式感本身就有能量。因此，过年也是连根养根。漂泊在天涯海角的游子，回到母亲的身边，回到故土，回到师长的身边，本身就是连根养根。花朵离开了根就会枯萎。

大年是乡土文明之树上开出来的花朵，乡土性保持得越好，年味就越浓。我这几年协助中央电视台做纪录片《记住乡愁》，发现了同样的道理——乡愁味最浓的地方恰恰是现代性进入得比较晚的地方。随着社会的发展，那种诗性的芬芳的温暖的带有泥土味的年味就没有生存的土壤了。大多数城里人，家里摆不下一个供桌。过大年如果不请祖先，没有那一炷香，没有那一个供桌，年的象征性，时空上的暗示性就没有了。有一个供桌，你就会感觉到平常的屋子一下子"年"了，因为有无数的祖先同在。

现代心理学认为人的潜意识是永恒的。既然人的潜意识是永恒的，那么，祖先的潜意识也是永恒的。有了这样一个理解之后，年味就不一样了。

有一年，因为在电视台做春节节目，没有回家过年，找不到年味的感觉让我特别失落。在书房里摆了一个供桌，但还是找不到那个感觉。为什么呢？没有窗花，就拿了一张彩色的报纸贴在窗子上，一下子有感觉了。

写对联时，找不到买红纸的商店。看到人们在水泥马路上请祖先，显得很紧张，好像城管马上就来了一样。不像在老家，在漫山遍野的鞭炮声中，阳光懒洋洋的晒着，时光就像流动的黄金一样，在那种气氛中请祖先，感觉祖先真的在你的邀请中回到了那个小院。

三

我理解的年有二个层面。第一是物化层面的，享受物质的美好；第二是精神层面的。大年是中华民族的精神狂欢，是中华民族带有基因性的集体记忆，是祈福的演义，感恩的演义，敬畏的演义，狂欢的演义，教育的演义。就拿教育来讲，一家人在祠堂里过年，颂祖德，育后人。教育子女荣耀祖先，为后代造福。想想看，当一家人把族谱打开，面对着祖先，感觉就不一样了。

被朱元璋命名为"江南第一家"的郑家，宋、元、明三代给国家贡献了七百三十位县长以上的大臣，却没有一位因为贪赃枉法被罢官，这和他们的严格家规有关。"子孙出仕，有以赃墨闻者，生则消谱除祖籍，死则牌位不许入祠堂"。谁还敢犯错误？在古代社会，一个人被从家谱上除名，相当于现在注销身份证了。死了之后牌位不许进祠堂，意味着他将要成为孤魂野鬼了，不能享受祭祀了。而这样的家规，每年过大年时，都要面对祖先诵读。

如此，过大年成了对子孙后代天然的教育，成了提升子孙后代责任感的好机会。一年又一年，在孩子内心种下责任感、崇高感、担当感，过年就变成了激励。久而久之，孩子心中就会形成一种人生理想，"远思扬祖宗之德，近思盖父母之愆，上思报国之恩，下思造家之福"。

除了教育意义，过大年还有祈福的意义，给生命充电的意义，连根养根的意义。等等。

整体性是中国文化的重要特点，体现在操作性上，就是天人合一，而过大年，正是祖先按天人合一设计的。

为什么要按天人合一设计？为了让后代有安全感。

正如"安"字所象征的，孩子只有呆在妈妈怀里，才有安全感。人们为什么过大年要不顾一切的回家呢？就是孩子往妈妈怀里奔跑的一种姿势，这就是回家潮。为什么要奔跑呢？因为他要寻找安全感，因为安全感是人的第一幸福感，没有安全感人会恐惧，而人恐惧就会产生占有、控制、焦虑、抑郁。所以，好多人有这样的体会，回去在妈妈身边待一待，

269

躺一躺，睡一睡，亲一亲，一年的能量就够了，电就足了。如果哪一年没回去，一年都感觉心里空落落的，没有力量感。

外国人看着中国人不顾一切地回家过年，很难理解。漂洋过海的人，一定要回到他的祖国，回到故土，回到母亲身边，其潜在意识驱动力，就是寻求安全感。

因此，我说，大年是中华民族的集体约会，跟祖先的约会，跟亲情的约会，跟祝福的约会，跟天地的约会。这样的约会是别的时空代替不了的。

四

传统节日是乡土文化结出的果实、绽放的花朵，城市化肯定会冲击它。但是中国人骨子里流着乡土的血液，这种血液，是不会被钢筋水泥冲淡的。就像移民区的乡亲们，人虽然住进了洋房，但心依旧，看的仍然是秦腔，唱的仍然是大戏。即便是年轻人，微信朋友圈转得最多的还是秦腔。

《记住乡愁》第四季播出的将台堡镇一集非常巧合地拍到两位在外打拼的企业家，双双还乡，尝试在不离乡不离土的情况下，带领乡亲过上幸福日子。节目播出后，"还乡"还一时成为热点话题。从中，我们看到一个端倪，也许乡土性生活正在回潮，特别是当城市带给人的压力、焦虑越来越大，成为不可疗治之痛的时候。

　　传统节日受商业化干扰，这是事实。但只要文化主导方面，倡导好、引导好节日的认知意义、价值观意义、行为模式养成意义，特别是恢复中华民族礼乐文化的意义，商业再强大，也大不过人的本质需要。我在中华书局出版的文化随笔集《醒来》里，把人生意义归纳为"物我""身我""情我""德我""本我"五个台阶。每高一个台阶，归属感、家园感、安全感、喜悦感就大为提升。商业显然是"物我"层面，是最低一层。当然，从金字塔理论来看，物我的人总是占大多数。但从生命力角度来看，台阶高一层，给人类提供的总体能量要大得多。有关于此，我在本书中阐述过美国心理学家霍金斯的科学实验结果——我的认知度越高，这个人给大地提供的能量就越多。霍金斯研究发现，一个生命能级在500级的人，他的生命力是普通人的75万倍，他的幸福辐射力也是普通人的75万倍。因此，只要大地上懂节日文化、爱节日文化、行节日文化的人越来越多，自会有效的平衡商业化。

　　非常有意思的是，我在全国做文艺志愿者的几年里，发现许多企业家成了传统文化最积极的推动者，也成为恢复传统节日文化的先锋。我一直在思考这个问题，后来发现，他们在"物我"走到头后，找不到兴奋点了。一些无人指引的人，往往会过起花天酒地的生活。一些有人引导的企业家，就会向上一个台阶攀登。一旦他感受到向上感带来的巨大喜悦，就会用物质换喜悦，换崇高感，换安全感。

因此，我有一个基本判断，商业化不会很快降潮，但选择精神性生活的人肯定会越来越多，只要选择精神性生活的人越来越多，传统节日就不会受到致命性冲击。

我也经常听到身边的一些人感叹"年味越来越淡了"，问我怎么看待这个情况；对恢复和保护中华传统节日文化是否乐观；在政府层面，可以采取一些什么样的政策和措施加以助力。我说，年味淡，最主要的原因是一百年来我们把传统文化搞丢了，皮之不存，毛将焉附。当祠堂、家谱、礼乐，这些要素的根被拔掉之后，年味的花朵就无处开枝散叶了。

因此，要想让年味浓起来，就得让中华优秀传统文化重回人间。这一点，党和政府正在努力做，十九大报告中，有相当多的篇幅，都在讲这一点。总书记在全国宣传思想工作会议上的讲话更进一步，连具体方式都给我们指出来了。

至于政府层面采取什么方式助力，我认为主要有这样几个方面：一是统一认识，二是深入宣传，三是加大投入，四是延长假期，五是重建祭仪，六是重建家道。

也有人问我，传统节日日渐"消遣化"，有时候听到身边的人说起过节，提起中秋节，他们的第一反应就是"中秋啊，吃月饼啊！"说元宵节就是吃汤圆，端午节就是吃粽子，好像是一些非常肤浅和刻板的对等关系。问我怎么看，有什么

272

建议。我说，当人活在物我层面，节日就成为享受物质的借口；当人活在身体层面，节日就成为人们享受感官的理由；当人活在情感层面，节日就成为人们享受情感的平台；当人活在德我层面，节日就成为人格建设的机会；当人活在本我层面，节日就成为觉悟人生的契机。

古人看重的是生命的超越。换句话说，古人把活着的意义视为超越。用今天的话来讲，就是提高生命能量。因此，他们更加看重生命的弃恶为善、转迷为悟、了凡成圣，层层提升，是在纵坐标上做文章。但今天，文化方向是平面的，思维方式是平台的，成功学是平面的，幸福学是平台的。换句话说，是物化的。节日当然就成了放大物化的催化剂和酵母。

因此，要解决这个问题，就得像总书记在全国宣传思想工作会议上讲的那样，要树立文化自信，大力弘扬中华优秀传统文化。对此，我是一个乐观主义者。就我个人来讲，《寻找安详》能够八年重印十四次，《农历》能够八年重印十次，从一个方面反映出百姓对中华优秀传统文化的内生性渴望。就拿我和央视合作的《记住乡愁》来看，四季播出后，一反纪录片首季热再季冷的现象，一季比一季收视率高，也证明了这一点。换句话说，百姓已经尝到了传统文化缺失的苦头，时运到了传统文化重回大地的时候。这就像一个游子在外面转了一圈，累了，发现还是有娘在的地方温暖，还是娘做的手擀面最好吃。故乡之所以为故乡，因为她不但能安妥我们的身，更能安妥我们的心。

因此，只要我们把根救活，叶子就会绿起来，花朵就会红起来，果实就会结起来。

节日离不开美食，是因为感官享受是人最基本的享受。但节日美食，除了食用，更重要的意义是，人们以之表达对天地、对大自然、对祖先、对长者、特别是对劳作者的感恩和敬意。在拙著长篇小说《农历》中，十五个传统节日中都有美食，但那个美食是精神化的、诗化的、天地精神化的。虽然《农历》有意淡去了具体年代，主调是一个贫困的年代，但是每个节日，都有能把人"香炸了"的传统美食，就是因为每样美食被主人公节日化了、神圣化了、人格化了。其中《端午》一节，作为短篇发表，全票获得第四届"鲁迅文学奖"。我代表那届获奖作者在颁奖大会上发言。评委们太喜欢那个短篇了。后来被翻译到国外，人们也很喜欢。特别是在韩国，一改他们国内短篇小说很难重印的历史，一印再印。央视根据《农历》中《大年》一章改编的动漫《六月说过年》，就非常层次化地演义了整个腊月的美食筹备。《记住乡愁》里拍到的许多情节，也是如此。

好大一个年

送灶神

故乡的大年从腊八就开始了。到了腊月二十三，脚步就加快了。"腊月二十三，灶君老爷要上天，留下六七日，人间过小年"。后来才知灶神全称是"东厨司命九灵元王定福神君"，俗称"灶君""灶君公""司命真君""九天东厨烟主""护宅天尊""灶王"，北方称他为"灶王爷"。灶神的起源可追溯到夏朝，到了商朝灶神就已经被人们普遍供奉了。秦汉以前更被列为"五祀"之一，和门神、井神、厕神和中溜神五位神灵共同负责一家人的平安。灶神之所以受人敬重，除了因为他掌管人间的饮食外，还因为他是玉皇大帝安插在人间的眼线。灶神左右随侍两神，一捧"善罐"、一捧"恶罐"，随时将每家人的行为记录保存于罐中，腊月二十三上天述职时集中向玉皇大帝报告。因此，腊月二十三多地有祭灶的年俗，有些地方则在腊月二十四进行。但不管哪天，都要给灶王爷供献糖果，就是希望灶神嘴甜一点，多在玉帝面前说好话，好让玉帝多多奖励主人家。

"上天言好事，回宫降吉祥"。这幅古时候家家户户都要配灶神像在灶前张贴的对联，说的正是这个意思。

举行过灶祭后，就要进入"小年"了，"小年"也叫"扫尘日""迎春日"。

"家家来甜嘴，

灶神肚里清。

玉帝一本账，

且说吉祥经。

扫尽屋中尘，

吉星自登门。

扫尽心中尘，

五福自降临。"

这是父亲当年教我们的歌谣。现在看来，送灶神是一个象征，有家就有灶，有灶就有神，有神就有监督在。因此，人们要以君子慎独的生命态度，度过每一天。这样，自会得到天地的护佑，年年吉祥如意，代代五福临门。否则，即使给灶神供奉再多的糖果，也没有用。

年的味道

小孩小孩你别馋，过了腊八就是年。

但是真正进入年的味道，是腊月二十五。

二十五，打豆腐，一清二白最久久；

二十六，跟年集，糖果瓜子要备齐；

二十七，备年礼，请个先生来封包；

二十八，把面发，馒头蒸得笑哈哈；

二十九，做面祭，十二生肖真美气。

《左传》云："国之大事，在祀与戎。"过大年，祀天地，祭祖先，就成了头等大事。而要祀天地，祭祖先，就要准备祭品，但是《礼记·王制》又言："诸侯无故不杀牛，大夫无故不杀羊，士无故不杀犬豕，庶人无故不食珍。"渐渐地，人们就用面食做各种动物造型祭祀祖先，这就是美丽可爱的面祭的由来。显然，这是中国人民胞物与精神的体现。这一天，家家案上一团面，人人手巧胜天仙。捏塑、染色、蒸制，整个过程就是一个字：美。想想看，一条长长的美的流水线。想想看，一盘盘五颜六色活灵活现的动物面祭，一层层摆进蒸笼里。

出笼时，整个屋子里全是福气，甚至整个院子里都是天地和祖先赏赐的吉祥如意。

那些花花绿绿的可爱的面祭，不但祖先喜欢，小孩子们更喜欢。因此，期待着在祭完祖先之后吃祭余，就是孩童们最美丽的年节期待。

父亲说，祭祀天地祖先，关键是要心诚，所谓"东邻杀牛，不如西邻之禴祭，实受其福"。

现在才知，中国人的年味儿，其实是人情味儿，这种人情味儿里，有对天地的敬畏，有对祖先的感恩，有对生命的珍重。因为珍重，所以吉祥！

转丈人

老规程里，大年初二要转丈人，回娘家。就是做女婿的这一天要带着妻儿到岳父家拜年。

想想看，一个女子，从呱呱坠地，到长大成人，饱含着多少父母的辛劳。可是，正当她们有能力回报父母的时候，却离开了父母，为人妻，为人母，传人后，兴人家。对于娘家，这是怎样的一种舍；对于婆家，这又是怎样的一种得。

"桃之夭夭，灼灼其华，之子于归，宜其室家"。正是这些像桃花一样开遍大地的女子，在延续着一家又一家的命脉，也延续着人类的命脉。因此，初二转丈人，已不单单是女婿对岳丈岳母大人的回敬，而是一种天地伦常了。

作为中国年的一个经典意象——转丈人，回娘家，既展现了中国人无限的感恩情怀，也演绎着中国礼仪的深厚和美丽。一个"转"字，一个"回"字，让我们看到了中国人的柔肠，也隐约感受到一种天地的心事。写到这里的时候，我似乎看到，这一刻，在茫茫宇宙的顶端，有一位老人，正在俯身向下打量，那目光里，除了慈悲，还有自得。我似乎听到，这一刻，他老人家正在喃喃自语，孤家当年的创意，还不错吧。

想想吧，这一天，中华大地上，有多少个小夫妻，正走在回娘家的路上。

想想吧，这一天，中华大地上，有多少双眼睛，在望着大门口，盼着女儿女婿和外孙外孙女出现在他们的视线里。

大年三十的饺子还留在锅里，给孩子们准备的压岁钱还装在兜里，只等那一声清脆的"姥爷姥姥"传到耳边。

如果说大年初一是一棵树干，初二就是它的枝了，通过一根根华枝，亲情在大地上延伸；如果说大年初一是心脏，初二就是血管了，通过一道道血管，亲情在大地上流淌。

初一祭祖，给本族长辈拜大年，天经地义。初二带着妻子回娘家，给岳父岳母大人拜年，地义天经。

给岳丈岳母拜完年，接下来就要给所有亲戚拜年了。那将是乡村中国整整半个月的事情。之于重礼守义的中国人来说，它的重要不亚于春种秋收。就这样，人们通过大地，收获庄稼；通过走动，收获情义。

现在看来，大年初二转丈人既是对娘家无私奉献精神的礼赞，也是婆家的一次集体谢恩。生女不自有，有媳常念恩。

这，就是人间之大美！当然，还是天地之大义！

祭财神

中国年俗中，南北方经常会有些差异。比如，北方地区正月初二祭财神，而南方是正月初五。这一天，家家户户要备上香烛供品到财神庙烧香祭拜供奉财神，祈祷新年能够发大财。这一天还有吃混沌的习俗，人们把它称为"元宝汤"。

现在，如果说财神的香火最旺，大概没有人反对。按说灶神是家神，保佑着一家人的平安，但很少有人天天供奉。为什么呢？人们求财的心比求平安的心要重得多。于是，人们在祭祖之后，最大的一个年节仪式，也许就是祭财神了。

民间供奉的财神不止一个，通常有文财神"范蠡"，武财神赵公明、关羽，准财神刘海蟾，以及偏财神五显，等等。武财神赵公明相传秦时得道终南山，被道教尊为"正一玄坛元帅"，其像是黑面浓须，头戴铁冠，手执铁鞭，坐骑黑虎，故又称"黑虎玄坛"。传说他能驱雷役电，除瘟禳灾，主持公道，赐财赐福。《封神演义》载姜子牙奉元始天尊之命按玉符金册封神，封赵公明为"金龙如意正一龙虎玄坛真君"，职责是专司金银财宝，迎祥纳福。

关羽又是如何成为武财神的呢？有许多传说。我在《永远的乡愁》一书中说过，这是中国人给以义为利的财富观选择了一位偶象。《大学》讲："有德此有人，有人此有土，有土此有财，有财此有用。德者本也，财者末也。"意思是说，没有的德的根，财富的花朵很快就会枯萎，没有义的源头，财富的河流很快就会干涸。古时人们传唱的"财神本无亲，专寻有福人，福从何处来，来自大善心"就是说，财神最喜欢把财富给大善人。财神，财神，财是果，根是神，神在哪里，神在善人的心里，这才是财神的本意。范蠡为什么被尊为文财神，就是因为他赚钱但不贪钱，赚了钱全捐给穷人，反而钱追着他跑，散尽复来，散尽复来，一生三散三聚。

相对于商人，普通老百姓家供奉的多是增福财神。传说它是北斗七星之一降临到人间的，白脸长须，左手执玉如意，右手捧聚宝盒，招财进宝。

而更多的老百姓认为，真正的财神是自己的祖先。因为子孙福自祖德来，祖上有德，子孙自然有福，有福当然就有财。

祖宗是快乐的源头，财富的源头，显贵的源头。如此说来，春节期间的祭祖，既是感恩，也是祈福，又是教育：我们能有今天的健康，今天的平安，今天的荣华富贵，是因为我们有一个大后方，那就是祖宗功德。它告诉我们一个公理，荣华富贵是求不来的，只有舍，才能得。

"武有关老爷，

文有范蠡公。

财神无他路，

专从善门进。

善门因公开，

财门由私闭。

但知行好事，

莫要问前程。"

这首儿时传唱的财神歌里，藏着中国人的大智慧。由此可见，中国人的祭财神，本质上是一种全民自我教育，自我提醒：只要起心动念为他人着想，自会五福临门。

大年，引领我们回归生命本质

有一年，我因为跟宁夏电视台合作拍几集《我们的春节》这个节目，没有回家。那一年我一个人呆在城里，我感觉我那个年就过得特别孤单、特别寂寞。我突然发现，过大年如果不回故乡，就像是结婚没有进洞房一样，好像没过过。

春节也好，大年也好，我个人理解，它是乡土中国的一种情结。我是从四个方面来理解大年给我们提供生命力的价值的。

一、感恩大年让我们在感恩中获得生命力。

"腊"这个字的本意就是合祭百神。一年的收成下来，当五谷成熟之后，当我们一年平平安安地抵达了终点站之后，我们就要感恩。所以，中国人的感恩情结之所以隆重，是因为中国人懂得恩情。

中国人习惯通过感恩来回到本质地带。过年也是这样。你看我们一族人在祠堂里面感祖先的恩；我们大年初一给长辈拜年，感长辈的恩；然后，大年初二给岳丈家拜年，感岳丈家的恩；接下来，给老师拜年、给亲戚拜年，感老师的恩、感亲戚的恩。所以，"感恩"在中国的大年这样一个盛大的节日里面，是重中之重。

你再看我们贴的那些对联，"三阳开泰从地起，五福临门自天来"。"从地起""自天来"这样一种逻辑关系直接告诉我们，我们的福气、我们的幸福是天地所赐，我们要感恩天地。"天增岁月人增寿，春满乾坤福满门"。你看，它的大前提是"天增岁月"，我们才能增寿；它的大前提是"春满乾坤"，我们才福气满门。所以，它的大前提是感恩。从腊八到正月二十三大年结束，在这整整四十五天里面，感恩的话题一直在延续。

那些社火词也是明明白白的感恩词，感恩社神和火神。如果没有社神和火神，古人认为，我们没办法获得生存的基本保障。再看到过大年的时候，在前七天，它有一个非常有意思的节日分配，把大年初一叫鸡日，大年初二是狗日，大年初三是猪日，初四是羊日，初五是牛日，初六是马日，初七才是人日，对不对？它为什么这么排列呢？非常有意思。为什么要把鸡放在第一天呢？鸡放在第一天，因为鸡象征着时间，鸡报晓。所以，人活着第一需要感恩的是时间。第二天是什么呢？狗。狗表达忠诚、坚守。只有把时间守住了，生命才有价值。第三天，为什么给猪呢？猪用它的生命来为人们作奉献。过去人们养猪，相当多的人家是为了祭祀的，平常人们是不怎么吃肉的。第四天，为什么是羊呢？羊给人们提供温暖。第五天，为什么要给牛呢？牛给我们耕作。第六天，马，为我们运输。第七天才是人。对于这样一种分配，我们可以看出古人表达的一种感恩。所以，感恩这样一个情结，贯穿在整个春节里面。

二、祈福大年让我们在祈福中获得生命力。

大年说到底，它是一种祈福活动。古人认为没有四要素作保障的祈福，是没有效果的。哪四要素呢？第一，真改过；第二，真奉献；第三，真恭敬；第四，真感恩。

我小的时候也参与社火，社火里面有四个角色——四大灵官。当那个角色把衣服穿上，脸打好，进入角色之后，这四大灵官这一天是不能说话的，不能动私心杂念。行头上身，脸一打，脸谱一画，你已经不是一个普通的人，而是一个人神中介。这样的仪式你参与了之后，会体会到什么叫祈福。而且，祈福在天人合一的情况下才会有效果。《了凡四训》里面讲："凡祈天立命，都要从无思无虑处感格。"我们会

284

想到，在一些盛大的仪式过程中我们要静默，一切仪式无非都是把我们带入一种天人合一的状态。我的理解是，鞭炮在春节中存在的意义也是为了祈福。你看，啪，那么一声，那一刻我们处在一种无思无虑的状态，就是在愣神儿的状态。

我小的时候在元宵节点荞麦灯的经历，至今使我难以忘怀。我在长篇小说《农历》里面写过一章。当一桌子的荞麦灯一盏一盏地点燃的时候，父亲告诉我，那一刻你不能动俗念。那么，人应该在那一刻怎么做呢？他说，你只是看着那个火苗是怎么存在的，看着那个荞麦灯捻上的那个灯花是怎么结起来的。我们就看，看着看着，有一种体会，自己仿佛进入到了"火"里面，进入到了另一个世界。我觉得那一刻，人的生命状态，真是神如止水，一念不起。

我们小的时候过大年，老人讲要"断三恶"。在这四十五天里，恶的念头不能起，恶的言语不能有，恶的行为不能有。他认为你说了一句不吉祥的话，你是要挨板子的。你动了一个不吉祥的念头，也是不吉祥的，这一年都会不吉祥，更不要说做不吉祥的事情。你想，四十五天中一个人能把"三恶"断掉，那是多么吉祥如意啊。

祈福贯穿在整个春节里面，大年三十的祭祖是祈福，唱大戏是祈福，耍社火是祈福，贴春联是祈福，拜大年更是祈福。

三、和合大年让我们在和合中获得生命力。

大年给我们提供生命力的、提供吉祥如意的支撑的，我个人认为是和合。"和"是和气的"和","合"是合作的"合"。古人把和合直接定为二仙——"和合二仙"。过春节的时候，你会体会到古人讲的四句话："与日月合其明，与四时合其序，与天地合其德，与鬼神合其吉凶。"就是跟什么都要合上去，不能分。

孔夫子讲的"一"也好，古人讲的"天人合一"也好，这一切都是让我们回到一种"都一样"的生命状态，也就是说天地间所有生命从本质上来讲都一样。这非常明显，中国人过大年的时候，会把所有的生物——动物也好，植物也好，都纳入一个平等的祝福行列。在这个经典的传统的春节仪式里面，我们会看得很清楚，不但要给人过大年，还要给我们现在认为的似乎是不存在的生命状态过大年。我们小的时候，只要一进入大年，每天吃饭的时候先要在大门外面放一碗饭。传统年俗认为这个宇宙中，还有一个我们看不见的生命的世界，也在过大年。除夕的下午，家家户户要去上坟。有祠堂的人当然就直接进入祠堂，没有祠堂的人要上坟。把祖先请回来，牌位一写一贴，才进入正式的守岁。

为什么过大年时大家一定要坐在那个团圆的桌子上，才算是真正的过大年呢？那不单单是一桌饭的问题，那是一个家庭的圆满程度、和气程度、团结程度。为什么要吃饺子呢？饺子就是合，各样的合到一块儿。"和合"这两个字在我们的"年文化"里面是重中之重。通过"和合"走进我们生命的本质地带，这是"年文化"秘密中的秘密，这是我个人在写《农历》的时候感悟到的。

四、教育大年让我们在教育中获得生命力。

年给我们提供的生命力其实就是教育和传承。大年从腊八开始，到元宵节结束，或者到正月二十三燎干节结束，整个过程都是在教育。那一副副对联就是教育，"要好儿孙必读书，欲高门第须为善"。你看，直接告诉儿孙，福气、幸福从哪里来？要行善，要读书。所以，过去这些对联，事实上每一句都是类似于一种家训的劝诫。《周易》讲了一个核心理念："积善之家，必有余庆，积不善之家，必有余殃。"这样的一个核心理念演绎成了各种各样的对联、戏词在春节上演。所以，整个春节就是在教育。

大年从一定意义上来讲，就是让我们连根养根的。所以，过大年的时候一定要回到故乡。回不到故乡，至少要回到母亲的身旁。我记得小的时候有一次，我跟我哥哥说惯了，说串口了，骂了一句我哥哥，在这一句话里面带了一句比较不吉祥的话，被父亲狠狠地揍了一顿。那一次教训太深刻了。从那之后我就知道，一进入大年那些不吉祥的话是不能从嘴里说出来的。所以，一到大年人是以一种什么样的状态过的呢？战战兢兢，如履薄冰。这其实是对小孩子的一种自我管理的教育。你想，他能经过这三四十天的自我管理，将来的一年他也就会自我管理。

所以说，大年是中国文化的全本戏；大年是中国人准宗教性质的一种系统；大年是中国人基因性的活动总集；大年是中国人的不可或缺的、赖以繁衍生息的精神暖床。确实是这样。

　　当我们对以上四个方面有了初步体会之后，就会体会到古人讲的"普天同庆"的感觉。我小的时候确实能够体会到那种"普天同庆"的氛围，那一种欢乐，那一种幸福，在我以后所谓追逐的各种幸福的道路上，我再没有体会过。就是说，它是一种生命的根部的幸福状态。它跟我们的奋斗没关系，跟我们的追逐没关系，跟我们的所谓的成功、荣誉这些没关系。它是只要我们一脚迈到了生命的本质地带，通过这些仪式感受到的。它就在那里。

春节的利润

春节的起源和演变

有人问，春节作为中华民族最大的民俗，起源于什么时候？我说，春节的起源，现在有各种考证，但有一种通用的说法，起源于尧舜时代的"腊祭"。中国是一个古老的农业国家。百姓依天靠地生活，年头岁尾，用天地所赐五谷报祭天地，报祭祖先，感恩苍天，感恩大地，感恩岁月。后来渐渐形成岁末年初祭天祭地祭祖的习俗，直到演变成春节风俗。今天的春节恰恰是古代的元旦。

据相关文献记载，先秦前，过春节的时间，或为 12 月 1 日，或为 11 月 1 日，或为 10 月 1 日。直到汉武帝《太初历》实行之后，才定为正月初一，名称有献岁、元日，等等。唐时正式名为元旦。唐太宗时期，皇帝会把"普天同庆"写在金箔卡上赐予大臣，后来演化为贺卡。到了宋朝，春节已经成为一个盛大的节日，人们用纸包火药制作鞭炮，为春节增添了许多喜庆。也是在宋朝，吃饺子成为春节的重要内容。

明时，春节的形式跟今天很相似了。清时，春节内容更为密集，长度也拉长了。整个春节，从腊八开始，到元宵结束。

中华民国时期，政府为了跟西方历法接轨，试图把元旦定为春节。不想推行遇阻，百姓仍以阴历正月初一为"过年"。1914年，时任内务部总长朱启钤为顺从民意，提请定阴历元旦为春节，端午为夏节，中秋为秋节，冬至为冬节，经袁世凯批准，向全国推行，就此奠定了阳历年首为元旦、阴历正月初一为"春节"的并存格局。1949年，在中国人民政治协商会议第一届全体会议上，正式以立法的形式把元旦作为阳历年第一天，把春节作为阴历年第一天。

春节是天然的励志教育

中国人过大年不仅仅是吃吃喝喝的事。在散文集《还乡》中，我写道，大年是天人合一的演义，孝敬的演绎，祈福的演绎，狂欢的演绎，更是教育的演义。一年结束了，一族的人在祠堂里开展光前裕后教育。诵家训、颂祖德，励后人。族长给后代讲祖上的光荣历史：先人给国家和民族做了什么贡献，后人应该如何继承。在一种特殊的气氛中，完成对后代的励志教育。

《记住乡愁》第四季采拍的闽北和平古镇，其中讲述了晚唐工部侍郎黄峭的故事。祭祖时，当后人知道其鼻祖就是轩辕黄帝，光荣感油然而生。《三字经》里讲的"香九龄，能温席"的黄香，已经是他们第三十一代祖了。祭祖时，宗亲们齐颂《认祖诗》：

"信马登程往异方，任寻胜地振纲常。

年深外境犹吾境，日久他乡即故乡。

朝夕莫忘亲命语，晨昏须荐祖宗香。

漫云富贵由天定，三七男儿当自强。"

三七男儿，典指黄公有二十一个儿子。当年，他写下著名的《遣子诗》，把他们遣往全国各地。现在黄家祭祖时用的这首认祖诗，就是在当年《遣子诗》上略加修改形成的。

可以想象，每年过大年，子孙们齐诵这样的诗句，该是一种怎样的志向激励。据统计，仅黄公后人，海内外有千万之众。

再比如，朱元璋命名的"江南第一家"——郑家，在宋元明时期给国家贡献了730位县长以上的大臣，没有一位因贪赃枉法被罢官。其家训中就有"子孙出仕，有以脏墨闻者，生则削谱除族籍，死则牌位不许入祠堂"的训喻。如果犯法，活着的从家谱除名，相当于现在把身份证注销；死了不准入祠堂，意味着要做孤魂野鬼。这让接受祠堂教育的后代自然心存敬畏，做官只能全心全意为人民服务。这样的内容，在《记住乡愁》里比比皆是。即将在央视播出，在由宁夏纪委和宣传部拍的纪录片《守望家风》中，也有生动的展示。

所以说，春节是一场天然的敬畏教育，也是励志教育。

春节是中华儿女的充电宝

过去，我们盼过年，是盼望着核桃枣子新衣服。现在的孩子平常就可以吃到好的，穿上新衣服。要想让年味浓起来，就要恢复春节的祝福性，让春节变成祝福。换句话说，就是让过春节的人获得利润。这恰恰符合了现代人的利润思维。就像做人，如果大家明白做好人的利润大于做坏人，自然会做好人。如果知道过春节有利润，自然就会好好过春节。

那么，春节的利润何在？在我看来，春节是充电，是给人们提供安全感的重要平台。回到父母身边坐一坐，看上去是个小事，但让人获得了一份安全感。为什么呢？我们都是从妈妈肚子里生出来的，第一安全感来源于母亲。"安"的意思是"妈妈怀里就是安"。

我们每一个人都有几位母亲。第一位是生理意义上的，第二位是精神意义上的。就像故乡，有地理意义上的，也有心灵意义上的。谁都知道，离开母亲和故乡，人不但有漂泊感，还有无力感。离开生我们的地方久了地气就接不上了，离开生我们的村子久了天气就接不上了，离开生我们的母亲久了人气就接不上了。所以，每年回家过年不单是吃吃喝喝，更重要的价值在心理学意义上，用今天的话来讲是生命能量的一次补充。一个人如果没有安全感就会恐惧，恐惧之后占有欲控制欲就会到来，占有欲控制欲强了，焦虑和抑郁就会到来。所以，现代人如果好好过年，好好过各个节日，焦虑抑郁就会大大减轻。不少人反映，读完《农历》，感觉会放松许多，就是这个原因，因为阅读本身就是心理暗示。

通过节日休养生息

中国四季都有节日，到了腊月和正月更为密集。中国文化是乾坤文化，乾文化的气质就是创造、奋斗、自强不息，坤文化是涵养，是承载。刚柔相济是中国文化的特点，节日文化就是阴柔文化。富贵雅共享是中国文化的另一个特点，雅的重要体现就是节日。这跟中国文化的阴阳互补、出入互生相关。此外，中国人特别注重感恩教育，腊祭就是报祭。中国人讲究奋进，更讲究休息，讲究创造生活，更讲究品味生活。四季就像竹子的节，没有节日就像竹子没有节，岁月没有诗味。庄稼长个儿是在晚上，孩子长个儿也是在晚上，生命只有在睡眠状态下，才开始补充能量。节日是中国人有意识地让生命休养生息的一个仪式化设计。

不少人感慨，近年来，由于很多大中城市禁放烟花炮竹，年味越来越淡。对此，我常说，禁放鞭炮跟年味淡有一定关系，但不是主因。年味淡了的主因是我们把年文化里仪式感的意义忽略了。古人认为，仪式是能量的传递环节，祭祖不仅仅是一个仪式，更是我们连根养根的重要环节。就像插花，花养在瓶子里，过几天就蔫了。如果花的根在土里，千百年都会枝繁叶茂。古人过节，就是连根养根。

为什么一定要"回家过年"

每年春运，都是地球上规模最大的一次人口迁徙。是什么力量推动了每一个中国人回家过年的旅程？

在我看来，中国文化是圆文化，特别强调整体性。我们的文化符号太极，就是从开始走向终点。中国文化可以用这样一句诗性语言表达：正确的结束来源于正确的开始，正确的开始来源于正确的结束。所以开始就是结束，结束就是开始。它是一个完美性的心理暗示。中国人特别讲究阖家团圆，除夕夜的饺子不仅仅是一顿餐，它象征着团圆。饺子的设计就非常有意思，很多馅儿被皮儿包起来，代表着一种整体性。

我在散文集《还乡》中写道：还乡情节是每一个中国儿女基因性的情节。中国人的春节不仅仅是一个节日，还是重要的文化暗示。我们祭祖，是因为我们对生命力的理解，不仅仅来自生养我们的父母、爷爷奶奶，还有一个长长的祖先链条。过春节有一个环节——迎请祖先。现代心理学已经证明，每个人的潜意识都是永恒的，那么祖先的潜意识也是永恒的。如此想来，过年就有味道了，祖先也渴望和子孙们团聚，这是一个心灵深处的诉求，是一种血液性的、基因性的集体约会。对一年到头在外面拼搏奋斗的人们而言，如果过春节没有回到父母身边，那么这一年是不圆满的。

重建心灵故乡，让春节仪式感与时俱进

春节是从尧舜时代传下来的中华民族集体记忆。这个集体记忆是任何非集体记忆不能代替的，这一段时间是中国人集体狂欢的宇宙专场。小时候，除夕守岁是我最享受的时空段，跟天地交流，品味阴阳交替。如今看完春晚，守岁的感觉一点都没了。如果过年仅仅是走走亲戚，送送礼，串串门，吃吃饭，年味肯定会淡。我们要重拾春节的祝福性，把年节文化的营养性找回来。

想让中华文化创造性转化、创新性发展，我们需要在城市重建仪式感。春节的精神要素不变，但形式感一定要与时俱进。现在，一进腊月，好多读者在读长篇小说《农历》中的"腊

八""大年""元宵""上九""干节",在读散文集《永远的乡愁》,让年味提前到来。前年,由中央电视台"1号线上"根据《农历》改编的七集动画《六月说过年》把人们带进别有味道的"诗年"。去年,我在老家过元宵节的视频由宁夏广电局上传到网上,一天点击量过2000万。由宁夏党委宣传部自治区广播电视局出品的纪录片《六盘山》第三集《心灯》引发热议,足以见得当代人对"节营养"的渴望。这些年,我做了个小范围实验,创办了"春节小课堂",很受孩子和家长的欢迎。孩子们集体在感恩树下过春节,读春诗,唱春歌,吃春饭,不但年味浓,还在特别的气氛中接受了感恩、敬畏、孝道、激励教育。我说,望梅止渴是有现实意义的,现在很多人已经没有乡村意义上的故乡了,但心灵意义上的故乡是可以重建的。

节日民俗还有没有可能回温?我是持乐观态度的,就像当年对《记住乡愁》收视率持乐观态度一样。果然,已经播出的240集,观众到达一百亿人次,被中宣部领导肯定为弘扬社会主义核心价值观最接地气的精品力作。从剧组收集的大量反馈看,收看《记住乡愁》让许多人获得了巨大利润。

同样,当人们渐渐尝到了节日利润,自会重视过春节。我很早就建议,把春晚提前或者推迟一个晚上,把守岁留给中华民族。若能把春节的假日增加几天,年味会更浓,利润会更大。

宁夏的"年味"很特别

在长篇小说《农历》中，我写了中国的 15 个传统节日，这 15 个传统节日包括春节、元宵、端午、中秋、重阳等等。这些节日在宁夏基本都有，但宁夏的节日习俗也有一些自己的个性以及不可替代性。在参与制作纪录片《记住乡愁》的时候，我对民俗有了新的认识。对比之下，宁夏的年俗很特别。比如在宁夏西海固地区，元宵节点荞麦灯的年俗，在全国就不多见。隆德县的马社火也具有五百多年的悠久历史，堪称民间艺术活化石。将来同名电影《农历》的上映，将会让人们看到宁夏节日风俗的特别之处，尤其是宁夏年味的特别之处。

要长要久，就要让文成化

民间传统为什么可以保留至今？我说过，文化传播有两个渠道，一个是经典传统，一个是民间传统。经典传统不牢靠，王朝更迭以及战火纷飞往往会将其中断。但民间传统则不然，当文化演变成民俗之后，就有了永久生命力，就可以继承和保存下来。中华文化有一个很重要的传统——化文成俗，就是把文化变成民俗传下去。历史上没有哪一朝哪一代可以取消中华民族的春节。

　　至今，我们还能从民间的诸多节日仪式上，看到周礼的影子。武汉大学教授武可训先生认为《农历》既是小说，也是礼说；既是文学，更是"文化"。其教化的作用，让体裁显得不再重要，就像食物的营养价值，让名称显得不再重要一样。

以中为医

瘟疫之害，众所周知。世界文明史上，不少断代和低谷，都是烈性瘟疫造成。中华文明之所以能够保持五千多年的生命力，以"中"为"医"的防疫体系立下了汗马功劳。

"瘟疫"一词，最早见于晋代葛洪所著《抱朴子·微旨》："经瘟疫则不畏，遇急难则隐形，此皆小事而不可不知。""瘟"，从其会意看，是一种发热的病。"昷"意为一个人坐在澡盆里洗澡，引申为发热。"疫"，从其会意看，是一种普遍性的病。《说文解字》释"殳"为"以杖殊人"。清医吴瑭在其《温病条辨》中说："温疫者，厉气流行，多兼秽浊，家家如是，若役使然也。"一种像被驱赶服役一样难以逃脱的病，即为"瘟疫"。也有人考证，"殳"为古代巫医降妖之桃木剑。先民们认为瘟疫是鬼魅作祟所致，当祈神以解。《后汉书·礼仪志》记载，两千多年前，从宫廷到乡间，每年岁终"先腊一日"，要举行"大傩"仪式，以送瘟逐疫。要想成功驱鬼逐疫，就要祈神娱神。因此"医"字从"酉"，据考为"酒坛"，引申为祈者饮至恍惚之状，以期会神。魏晋之后，傩仪中加入了娱乐成分，我在拙著长篇小说《农历》中描写的社火和仪程中，可见其遗存。

上古时代，巫就是医，巫大于医。《说文解字》讲："古者巫彭初作医。"巫彭乃黄帝之臣。医典《说宛》载："上古之为医者，曰苗父。苗父之为医也，以菅为席，以刍为狗，北面而祝，发十言耳，诸扶而来者，舆而来者，皆平复如故。"先秦时期，医巫分离。中华医学的权威经典《黄帝内经》诞生，其朴素的唯物论和辩证法思想，特别是人与自然的整体观念，让中华医学走向"科学"时代。几千年来，人们积累了丰富的瘟疫防治经验。《素问·刺法论》中就有关于疫病的详细记载。至明末吴有性先生所著的《瘟疫论》问世，中华瘟疫防治渐趋成熟。《中国疫病史鉴》载，自西汉以来的两千多年里，中国先后发生过 321 次流行疫病，但因中医的有力防治，都未造成像西班牙大流感、欧洲黑死病等死亡上千万人的悲剧，阿尔贝·加缪在《鼠疫》中描写的情景，也从未在中华大地上出现，既保证了中华民族五千年文明没有断代，也为人类繁衍做出了巨大贡献。人痘接种预防天花，就是中医预防传染病的成功范例。传入英国后，启发了医学家琴纳发明了牛痘接种术。1796 年，琴纳发明牛痘接种术之后，西医的免疫医学获得飞速发展，让欧洲走出了瘟疫肆虐的黑暗时代，保证了进入现代性的人口要素。而屠呦呦青蒿素的发现，又为人类防疫史书写了新篇章。

在我看来，中医之所以能十分有效地预防瘟疫，在于其原始意义上的"卫生"思想。让生命保持生机，远离杀机，是其关键。生机从"能生"来。通过"与天地合其德，与日月合其明，与四时合其序，与鬼神合其吉凶"，保持和"自然"能量上的高度同频。这个"自然"，就是老子讲的"人法地，地法天，天法道，道法自然"的"大自然"。它是所有生命的母亲，是能生者，所以生机在它那里。体现在方法论上，就是顺应自然，尊重规律，严守历法。对应在养生上，就是保持"恬淡虚无"的状态，让"真气存之"。落实在医理上，就是扶正祛邪。《黄帝内经》讲："正气存内，邪不可干。"

而要正气存内，就要让"大自然力"成为生命的源头活水。儒家开出的心法是"人心惟危，道心惟微；惟精惟一，允执厥中"。这个"中"，形象地讲，就像一个贯通天、地、人的管道。《中庸》讲："喜怒哀乐之未发谓之中，发而皆中节谓之和。"可见"中"是一种生命力没有损耗之前的状态。而要让生命力不损耗，就要管理好情绪。《大学》讲："有所忿懥，则不得其正；有所恐惧，则不得其正；有所好乐，则不得其正；有所忧患，则不得其正。"忿懥、恐惧、好乐、忧患，都在不"中"上。要想让正气存内，就不能忿懥，不能恐惧，不能好乐，不能忧患，或者让忿懥、恐惧、好乐、忧患保持在一个适当的度上，"发而皆中节"。此谓安心。安心是药。一句话，尽量让心处在仁爱、清静、平等之中。

为了更有操作性，《黄帝内经》又讲："精神内守，病安从来。"如何才能精神内守，中华先祖探索出的方法是，要么不起念，要么用一念代万念，要么把私念转公念。因为正念生正气，正气本身就是精气神，就是免疫力。《中庸》认为大德必得其寿；明代大贤吕坤认为"仁者寿"，即是此理。

从这个意义上讲，"中"就是"医"。

中国文化之所以医道相通，医儒相通，医官相通，不为良相，便为良医，其核心点，都是一字，那就是"中"。

中医之所以能十分有效地预防瘟疫，还因为它强调预防。《黄帝内经》讲："上医治未病，中医治欲病，下医治已病。"《鹖冠子·世贤第十六》记载，魏文侯求教于扁鹊，询问他兄弟三人谁的医术最好。扁鹊如实回答，大哥最好，二哥次之，他最差。魏文侯大惑不解，说，差的你名满天下，好的他们却默默无闻，为何？扁鹊答道，大哥治病于未发，二哥治病于初起，都难以看出效果。而他治病，都是在病情危重时，前后对比强烈，因此名闻天下。治病如此，防疫亦然。对于瘟疫，早在《周礼》中就有国家预防机制。主张防患于未然，一旦发现，就要动用国家力量封闭疫区，然后再发消息。如果消息发布在封闭之前，其带来的恐怖比疫情还可怕。之于预防，先人信奉老子《道德经》所讲："以道莅天下，其鬼不神；非其鬼不神，其神不伤人；非其神不伤人，圣人亦不伤人。

夫两不相伤，故德交归焉。"百姓有大归属感，则心平和宁静，只要心平和宁静，邪气就无机可乘。若百姓心无所依，自会瞒天昧地，瞒天昧地日久，卫气就会丧失，卫气丧失，邪气自会入侵。对道的尊重和敬畏，成了中华民族五千年防疫的秘诀所在。

中医之所以能十分有效地预防瘟疫，还因为他强调治本。中医认为，疾病的病因是本，症状是标，所以治病必须寻求病因，对因治疗，才能达到四两拨千斤的效果。而所有的病，概括地讲，都是正气不足造成的。《黄帝内经》讲："邪之所凑，其气必虚。"所以，扶阳扶正就成为中医施治的关键。而要扶阳扶正，秉持辩证思维就至关重要，因为"万物负阴而抱阳"。同样是乙型脑炎，对于1956年石家庄的症状，蒲辅周先生施以白虎汤，大见奇效，治愈率高达90%以上，因为病因是石家庄久晴无雨，属暑温，宜清热解毒养阴。而对于1957年北京之症，蒲先生则改用白虎加苍术汤、杏仁滑石汤、三仁汤等，使疫情很快得到控制。因为蒲先生判断，北京多年阴雨连绵，湿热交蒸，属湿温。

为了治本，中医强调，药补不如食补，食补不如天补。特别讲究"食饮有节、起居有常、不妄作劳"。治法也不单单是施药，还有乐疗、心疗、针疗、灸疗、按摩、导引，甚至祝由，包括吟诵。

中医之所以能十分有效地预防瘟疫，因为它主张养生气，去杀气。药王孙思邈所著《千金方》讲："夫杀生求生，去生更远。"意为用杀生的方法来养生，实乃背道而驰。医者如此倡导，官方止杀入法。早在《礼记·王制》中就规定："诸侯无故不杀牛，大夫无故不杀羊，士无故不杀犬豕，庶人无故不食珍。"《汉律·九章》载："不得屠杀少齿，违者弃市。"以此来长养生气和气。古人认为，动物在宰杀时，会变怨为毒。因此，医者常言："瘟之至也，非江海鳞甲之类而不生。疫之至也，非虫兽毛羽而不存。"明代著名医家吴有性通过临床实践发现："夫瘟疫之为病，非风非寒，非暑非湿，乃天地间别有一种异气所感。"其戾气致瘟说，得到后世医家普遍认可。《说文解字》释"戾"为"犬从关着的门中挤出，必曲其身"，意指动物遭虐而暴怨，从医学层面回应了中华文化中和气致祥的哲学思想。

有研究表明，人类来源于野生动物的传播病比例已超70%。中世纪欧洲爆发的黑死病是由黑鼠传给跳蚤再传染人的。二十世纪初导致五千万左右人口死亡的西班牙大流感来自于鸟类。2014年非洲爆发的埃博拉病毒源自"丛林肉"买卖。据不完全统计，全球每年野生动物的走私交易利润达一百亿美元。在武汉一家出版社出版的供幼儿阅读的系列动物小百科中，《果子狸》一章首句赫然写着"果子狸全身都是宝，它们的肉可以吃，是我国历史悠久的稀有山珍"。孩子们若从小接受这种启蒙教育，后果可想而知。

中华文化向来讲万物同体，民胞物与。无论是生存生产，还是生活生意，都要在尊重生命的大前提下进行，都要在维护生态的大前提下进行。亿万年延续的生态平衡一旦打破，灾难的潘多拉魔盒就会打开。在协助央视采拍大型纪录片《记住乡愁》的过程中，我们发现，但凡能够保持千百年的名门、名村、名镇、名街、名城，都有一套格外严格的自然保护规则。节目第一集就是《敬畏之心不可无》，在许多人心目中，对生命的尊重，不但是修养，而且是信仰。

因此，中医很少用杀毒的概念，而用解毒。

许多中华传统节日，本身就是防疫设计。以过大年为例，在古代，从腊八开始，到腊月二十三结束，整整四十五天，中国人都窝在家里过年。正如老子所言："使有什佰之器而不用，使民重死而不远徙；虽有舟舆，而无所乘之；虽有甲兵，无所陈之。""甘其食，美其服，安其居，乐其俗。"《素问》有言："春生夏长，秋收冬藏，气之常也，人亦应之。"又讲："秋善病风疟。"主症为恶寒、发热、自汗、恶风。因此，古人设计了"秋收冬藏"，停止生产，在家安处。在许多地方，还有过年不动刀剪不动针线之俗。就是通过节仪，让人们停下来，享受生活，滋养生命，同时避免瘟疫的大面积传播。古人认为，不能保持生机的生产是需要警惕的。在速度和安宁之间，古人更选择安宁。这样的设计，也符合中国人的阴阳哲学观。《系辞传》讲："一阴一阳之谓道。"在春夏大动之后，通过大年，让人们进入大静，达到生命本身的阴阳平衡。换个方向看，也是通过大年的大静，为春夏更好的大动储备生命力。中国人深知，欲速则不达。这也是"中"。

行文至此，我们就会理解，中国古人为什么讲"上医医国"；也能够理解，英国历史学家汤恩比为什么要讲未来属于中国。因为中华文化，是一种保持生机的文化，一种以防为治的文化，一种以"中"为"医"的文化。

你就是我，我就是你

中华文化的最大优势是整体观。你就是我，我就是你，你受伤就是我受伤，我受伤就是你受伤。正如头受伤了，要去医院看，腿就不能说，这不关我的事，我不去；正如左眼受伤了，右眼就不能说，这不关我的事，我不管。就生命整体而言，头就是腿，腿就是头，左眼就是右眼，右眼就是左眼。对于人类来说，也是如此，唇亡唇寒，是真理。"见人之得如己之得，见人之失如己之失"。中国人说，"凡是人，皆须爱；天同覆，地同载"。如果一个人不能了解这一点，就很难理解中国文化，很难理解中国人为什么会有一种天然的同情感，为什么会有一种一方有难八方支援的集体意识。这是由中国哲学本身决定的。由此，我们就能理解，中国人在任何时候，都为发生灾难的国家提供援助，从不幸灾乐祸，从不落井下石。因为我们的文化基因是整体性，我们甚至能够做到以德报怨。

因此，在疫情肆虐的时候，我们应该把精力放在疫情防控上，而不要被一些过度的虚假信息或阴谋论引入愤怒。因为过度的愤怒本身会让人失去正气，甚至失去正确处理问题的智慧。在生死大考前，级别、身份、财富，已经不能作为人的优越性来体现。能够体现人的优越性的，只有奉献和奉献力。

中国文化讲因和缘，就算一号病毒不是来自华南海鲜市场，但华南海鲜市场却给病毒之"因"提供了"缘"。没有土壤，再有生命力的种子也无法生根、开花、结果。苍蝇不叮无缝的蛋。百分之八十的传染病起源于错误的人和动物的关系，起源于错误的生活方式，这已是不争的事实。从中国文化的整体观来看，动物和人也是整体。整体关系一旦破坏，我们就要为修复这一关系付出代价。

细想起来，病毒之所以会肆虐，也是借助整体性，如果没有整体性，它们又何以无孔不入？所谓同呼吸、共命运，没有谁能截然把自己和对方分开。因为山川异域、风月同天。因为空气是整体，水是整体，天地是整体。

在我的小说《农历》"干节"一章中，有这样一段：六月要捣毁一个喜鹊窝，五月不让。为了制止六月，五月给六月讲了"肝肠寸断"的故事——娘说从前有一个馋痨拿枪打死一只小鸽子吃肉，第二天推开房门一看，发现门槛上蹲着一只老母鸽，已经死了。那人照样把这只母鸽开剥了，发现它的肠子是断成几截的。娘说这叫肝肠寸断，从此这个馋痨再也不打鸽子了。中华文化讲究趋吉避凶，对天地敬畏，对生命爱护，对大自然保护，对万物珍惜，涵养正气。

老子讲："天地所以能长且久者，以其不自生，故能长生。""长生"的前提是"不自生"，不唯我独尊，不把自己的幸福建立在其它生命的痛苦之上。孙思邈讲，以杀生来养生，定会南辕北辙。因为杀生一定伴随杀机，而健康来自生机。

农历之所以几千年来没有从我们的生活中淡出，正是基于整体性。这种整体性以二十四节气体现出来，以阴阳五行体现出来，以人的敬畏和感恩体现出来。中国文化的趋吉避凶的优势，正在"农历精神"里。这种"农历精神"，在哲学领域，以《周易》《老子》等典籍显现；在医学领域，以《黄帝内经》《伤寒杂病论》《神农本草经》等典籍显现。

当人们敬畏自然，便能与天地融为一体，和谐共生；当人心中没有敬畏和感恩的时候，整体性带给人的福利就会离去，灾难就会到来。这一点，在我协助央视采编大型纪录片《记住乡愁》时，得到充分印证。

从这些节目中，我们看到，不少村镇，薅草时要先敲锣鼓，让田垄间的虫子先离开，再下锄；不少村镇，人们打鱼上来，一称，不够二斤的要重新放回；不少村镇，把树人格化保护，盖房用树，要经过全村人同意，举行庄严的仪式，才能砍伐。人们活在一种大人情味中。这种人情味，正是乡愁的根和魂，也是中华民族的根和魂。它的逻辑依据正是"你就是我，我就是你"的生命整体观。

在拙著《醒来》中，我写道，上苍按照人的心量配给能量，能量的配置是通过缘分实现的。当人把心量扩充到能够平等对待万事万物，吉祥如意就会到来。

以整体观为核心的中华优秀传统文化应重回当代社会主流价值体系。我们的教育也应当着眼于整体，进行心性教育、道德教育、知识教育、美学教育、生存教育等全面发展的整体性教育，唤醒人们对自然、对土地的保护意识，唤醒人们的感恩心和敬畏心。

在疫情中体会王阳明的"致良知"

看到疫情一天天严重，湖北告急，武汉沦陷，心急如焚。再不做点什么，就安抚不了良知。先和武汉的朋友联系，把手机户头上的闲钱打给他们，让代为表达，大都未收，说现在最缺的不是钱，而是口罩等物资。只有一位电视台的朋友，替我把两千元设法采购成医用物资，捐给定点医院。过了几天，广州一位朋友来电，告诉我他的基金会办了紧急进口资质，可以进口口罩，要给我寄一些，我说，我这边就不用寄了，给武汉方面寄一些吧。这时刚好收到四千元稿费，就打过去三千五百元，让直接寄达。做完这些，心仍不安。太太说，这些年，你捐长江文艺出版社的书码洋已经一百多万，早支援过武汉了。我说，这是两回事。她说，你不是企业家，表达过心意就可以了。现在处于封闭状态，小区都出不去。你还得留些零花钱，交个水电费什么的，只物业费，就四千元呢。

经她这么一说，感觉心稍安一些。但每天看着疫情发展，还是心焦。看到宁夏向武汉派出医疗队，画面很是感人，就想，宁夏慈善机构怎么没有动静呢。当年汶川地震，我第一时间组织书画义拍，成为宁夏反应速度最快的公益行动。但这次，倡议的念头一起，就被种种顾虑消灭了。心里不禁掠过一丝悲凉，十二年前的那个郭文斌，已经死去。

这时，朋友通过微信还来一笔款，又想捐了。就在网上搜，没有搜到合适的渠道。向一位常做公益的朋友打听，他发来一个银川红十字会的二维码，应该可靠。捐多少呢？第一念是一万，但在操作时，程序提醒超额，还有其他提醒，有些读不懂。心想捐三千试试吧，仍然有提醒。但毕竟钱不多，不用担心出错，就按程序一步步操作，最终捐了出去。心下稍安。

但很快，又心生惭愧。这么危急的时刻，手机户头上还有可捐之款，不捐出去，寝食难安。太太说，这次疫情，一天两天过不去，将来国家肯定会倡导，再捐不迟。

这话有安慰作用，却无法消除强烈的愧疚感。

每次吃饭

我都有一种深深的负疚感

因为白衣战士们

在吃方便面

每晚睡觉

我都有一种深深的负疚感

因为白衣战士们

在睡地板

每天和妻儿在一起

我都有一种负疚感

因为白衣战士们

只能和家人视频聊天

每次洗漱

一张张被口罩压出血印的脸

都会浮现在我的眼前

每次穿衣

一身身铠甲一样的防护衣

就会浮现在我的眼前

每次上卫生间

一幕幕借着尿不湿奋战的情景

就会浮现在我的眼前

不敢想，那些病亡的同胞；不敢想，他们的亲人；不敢想，

在恐惧巨浪中挣扎的人们。

我把精力放在推动线上读书活动上，以期帮助人们降低
恐慌。同时做一些心理干预服务。录一些音频，写一些文章，
发给武汉的朋友，效果不错，就持续做。期间有朋友来信，说《寻
找安详》《醒来》二书让他走出失眠。我就把音频书发给宁
夏卫健委心理咨询人员，把宁夏能够找到的纸质书全部收起

来，让信息处送往武汉一线医护人员手中。

此前，看到方舱医院有一位年轻人躺在床上十分淡定的读书，就和长江文艺出版社的编辑联系，让她和湖北卫健委联系一下，可否给轻症患者和医护人员送过去一两千册《醒来》，书款我出。不想社里还在停业状态。

还能做些什么呢？去做志愿者，到有确诊病例的小区做门卫。轮值时，早上七点半出门，中午两点到家。虽有参与感，但总觉不得劲。

这时，好项目智慧服务联盟的叶明段元夫妇邀请我用直播形式给受疫情影响的中小企业家讲课。虽然自己对直播技术一无所知，但还是答应下来。直播当天，居然鬼使神差地成功下载 APP，以非常不正规的画面效果，讲了两小时。最后得知在线人数一万两千人。大家普遍反馈，从中得到了放松。很是安慰。

预感到疫情会全球性大爆发，我就劝一些朋友让在外读书的孩子早日归来，直劝到人家生烦。不想一周之后，疫情就开始在全世界蔓延。每晚，在朋友圈，发三束花，以示对病亡者的哀悼。看到力挺李跃华、张胜兵的文章，知道发了不合时宜。但不发，心不安，就发了。又觉得和自己的身份不符，删掉。

做这些事时，细细体会，什么是王阳明讲的"致良知"。干则心安，不干就心不安。

3月4日，终于看到单位通知，党员自愿捐款，用于慰问一线医务人员，原则上每人一百元，多则不限。没有立即捐，心想先看看大家的捐款情况。得知大多按原则捐时，有些犯难，捐多少呢？思来想去，捐了三千元。随后，又觉得不妥，提醒同事，不要公示，这样不会让其他同事难堪。

伴随着疫情发展，听到许多报怨，感受到许多愤怒，看到许多反思，似乎都有道理，但总觉得没有触及到根本处。若从致良知的角度来看，就简单多了。

大家都在批评高福院士急着发论文，有人为他辩护。在我看来，肯定有他的问题。就我本人来讲，几篇比较前瞻的文章，如果当时发在公众号上，会让有缘看到的同志受益。但发表惯性撺掇我投给报社，等发出来，已经成了旧日黄花。细想，发表欲中有占有欲，对思想的占有；也有控制欲，对独特资源的控制。

就拿捐款来说，前三次捐八千元，包括捐书，是恻隐心驱动，都比较自然，比较真诚。但三月上旬响应组织捐款，就有表现的成分，有身份感考量的因素。否则，这三千元，当时全部打给武汉的朋友或者朋友的公益基金会，让进口口罩直接发往武汉救急，更有价值。

一事当前，先想到自己，还是他人，彰显着良知的开启程度。王阳明一生，就在完成这一功课。当年，他完全可以和宦官刘瑾同流合污，过锦衣玉食的生活。但良知告诉他，不能那样。最后他选择了直言上书，差点送了命。后来，在兵部尚书王琼的举荐下，升任都察院左佥都御史，巡抚南赣，一举平掉祸害百姓三年之久的江西匪乱。接着，朝廷又派他到福建剿匪。行军途中，听说宁王造反。按说他应该请旨后再做决定，也可选择继续前往福建。但他当即改变计划，调兵遣将，以迅雷不及掩耳之势，平了叛乱。再后来，他在平定广西匪乱后，也可以按照内阁桂萼的要求，剑指安南。但他没有，而是急百姓之急，同样以雷霆手段，平定了扰乱百姓百年之久的断藤峡匪患。此举惹怒了桂萼，让他连病死故乡的愿望都未能实现。

对王阳明来说，在这些大是大非面前，唯以良知为依。为什么他能做到，别人做不到？区别在于，他已经超越了世俗利益。他所关注的，已经不是短暂得失，而是永恒得失，不是现时价值，而是永恒价值。是道则进，非道则退，成了他行动的依据。我们看到，他也给皇帝写信，包括争取宦官，用尽一切努力，但这都是为了国家社稷。时隔五百多年，我们还能对他念念不忘，正说明了良知的永恒价值。而那些为了眼前利益蝇蝇苟苟之人，早已被历史淡忘。

试想，在武汉疫情爆发后，若相关人员都能从良知出发，会是一个什么结果？

如果官员不能致良知，往往会成为程序主义者。通常时候，按程序运转，充其量造成的是物质性浪费；但非常时期，还按程序运转，可能就会酿成人道主义灾难。

如何解决这一问题？窃以为，如果没有信仰层面的建构，很难破局。一个官员，只有了悟生命的终极意义，才会重实质，看效果，才会忠诚、干净、担当，才会真正为人民谋幸福，为民族谋复兴，为人类谋大同。就拿李文亮、张胜兵、李跃华事件来讲，一个有担当的官员，在调查时，就会在天理、王法和人情之间权衡，就会以事实正义代替形式正义。反之，如果没有信仰，他考虑问题就会从明哲保身出发，所谓的找依据，靠依据，是为了让自己脱身事外。

有人说，在这次疫情中，作家集体沉默，似乎只有少数几人在孤军奋战。他们的战斗有价值吗？不能说没有。一定意义上，他们给许多想说话又不敢说不便说的人提供了一个情绪出口。但是如果不解决信仰问题，这样的战斗就是精神空转，徒留悲壮而已。

因此，如何让人们看到一个真正的价值世界，就成了这次疫情之后国人思考的重点。当每一个人看到生命不仅仅是现下，还有未来，良知就会发动，自觉就会到来。而我今天所做，是为未来播种。

因此，这些年，我不揣浅陋，到处宣讲。每个人都有一个"永恒账户"，每个人的命运是由他的"能量总库"决定的。如此，让人们但行好事，莫问前程，就会活得既积极，又放松。我想，这也是国家大力提倡中华优秀传统文化的良苦用心所在。

生命的第一关切

　　3月21日，CCTV4《中华医药抗击疫情》特别节目——《中西医并重：阻击疫情的"中国处方"》讲述了中西医携手救治患者以及中国应世界多国要求积极提供抗疫援助的故事。节目现场请到了中国工程院院士、中国中西医结合学会会长陈香美，国家中医药管理局高级专家组成员、首都医科大学附属北京中医医院呼吸科主任兼肺病研究室主任王玉光做客。同时连线中央指导组专家组成员、中国工程院院士、天津中医药大学校长张伯礼，国医大师张大宁，首都国医名师姜良铎，首都医科大学首都国医名师馆首届国医名师刘根尚，意大利罗马大学中医及针灸学研究生讲师塞尔吉奥·班格拉齐，世界针灸学会联合会主席刘保延，伊朗德黑兰医科大学教授胡曼等。

　　这样的全球性连线，让"中华医药抗击疫情"系列节目走入国际视野。此前，剧组已经制作播出了5集。分别为：《清肺排毒汤——古方新用显身手》《湖北保卫战——中医全力以赴》《早介入，重防控，中医战"疫"见成效》《悬壶抗疫有中医》《北京战"疫"共盼春来》。节目以访谈的形式，通过一个个温暖故事和一帧帧暖心的画面，让观众看到，在这次战疫过程中，中医正在发挥着至关重要的作用。

生命安全是人的第一关切

在人类的诸多关切中，生命关切是第一关切，本集节目切中的正是这一肯綮。作为人类共同的敌人，病毒攻击的是人类每个成员，这让每个人都不能成为旁观者。这档节目从 30 分钟编排到 86 分钟，观众的收视热情不减，因素众多，但回应了将生命安全摆在第一位的正确做法，而且回应方式得当。主持人代受众向专家提问的逻辑线，使节目充满张力。专家的回答理效并重，通俗易懂，既有宏观论证又有微观佐证，既有理论阐释又有技术分析，最后传达给观众的是信心和放松感。在没有特效药可用的情况下，一种可以预防、可以减轻症状、特别是可以有效降低死亡机率并最终让确诊病例清零的方案，成为举世关注的"中国处方"。当疫情在一些国家几近失控的当下，其关切度自不用说，而可以让全球收看的频道属性，又让这档节目成为人类共享的及时雨。

可以想象，当全球观众看到姜良铎先生介绍，某航班九十多位乘客，其中有三人确诊，其余人员在服用北京三号预防方之后无一人感染的案例后，将会获得何等的心理支持。在一时无特效药可用、疫苗还遥遥无期的当下，镜头中的那些普普通通的中草药，将会引发人们怎样的神奇联想？它们正是中华先祖为后人留下的救命稻草。

应用是最好的弘扬

近年来，不少仁人志士致力于弘扬中华优秀传统文化，有进展，有成效，但不是特别理想。但在短短两个月内，中医却突然热了起来。原因很简单，那就是它在抗击疫情中大显身手。从专家的介绍来看，但凡用中医干预的病人，大多数从危症转入重症，从重症转入轻症，从轻症转入痊愈。媒体现场报道，病人口耳相传，大夫客观介绍，让中医推广形成全民化、全媒化，最后达到全球化。

中国文化特别注重对"天时、地利、人和"的综合考量。无疑，无特效药可用但救人要紧的"天时"，让中医在非典之后，再一次大放异彩。当然，这其中还包括国家的有力倡导、西医大夫的胸怀和中医本身的发展，这是"人和"。而中华民族对中医骨子里的亲近感、信任感，则是"地利"。从第七集特别节目中，我们看到，重灾区伊朗特别接受中医，因其在医理上和波斯医相近，这也是"地利"。让人欣喜的是，节目播出翌日，从中国驻意大利大使馆传来消息，意方几乎照单全收了中国提供的抗疫方案。

从专家十分谦虚的解读中，我们看到，中医要走向世界，还需要一个过程。但正如张伯礼先生所言，只要越来越多的人对中医产生兴趣，这本身就是一个很好的开端。中国专家驰援刚刚开始，随着中医在各抗疫前线发挥作用，一定会被越来越多的国家重视。

而有着全球性传播丰富经验的电视频道不遗余力地助推，将大大增强人们对中医的关注。正如华语环球节目中心召集人李欣雁所说："中医药文化作为中华优秀传统文化的一部分，它根植于我们国家古老的文明之中。我们传播中医药文化应该把它和中华民族悠久的历史文明结合起来，从中国丰富多彩的地理、历史、物产、民俗等方面入手，找到海外受众的兴趣点，用形象生动的画面和语言，将中医药文化发展的脉络融入其中。这比起单纯地讲中医药理论，会收到更好的传播效果。"

坚定文化自信的自然契机

一种文化有没有生命力，需要在大风大浪中检验。中国在很短的时间内有效控制了疫情，充分说明了爱国主义、集体主义、利他主义等中华文化要素的优越性。且不说疫情发生后，全国一盘棋，守望相助，众志成城，共战病魔，共克时艰。只说中医和西医的携手并肩，无缝结合，就足以说明中华文化的包容性。独阳不生，孤阴不长，中医和西医各有所长，联手而行，珠联璧合。我注意到，几位出镜的中医名家，虽然誉满天下，但发言时都十分谦虚。有一个细节非常值得一提，他们出镜时，居然都打着领带，透露着对西方观众的尊重。没有尊重，就没有接受，没有接受，文化的利他性就难以实现。这本身就是"中"，就是"医"。

从华语环球节目中心中文国际频道综合部主任王峰那里，我了解到，剧组还会继续跟进"中国处方"在全球的应用进展。一定意义上，这是比捐款捐物更有价值的雪中送炭，在人们普遍被恐惧笼罩的时候，树立信心，就成了重中之重，而这正是这档节目的核心精神所在。就目前已经播出的七集节目收视反馈来看，这档节目将会给人类健康事业提供重要贡献，大大增进人类共同情感。

一种文化，连同这种文化指引下的医疗方案，能够降低死亡，挽救生命，没有比此更高的文化价值；一种文化，能够无私奉献给人类，并且带着牺牲性，没有比此更高的伦理学价值。当年，白求恩大夫让我们对加拿大人充满了情谊。现在，众多的中国专家带着物资，分赴疫情严重的国家开展救援，给这些国家带去信心、安慰、镇定，特别是情谊力量，更是无法估量的人道价值；这些价值自然也会客观地变成天然的外交价值、国防价值，成为坚定中国人道路自信、理论自信、制度自信，特别是文化自信的"天时、地利、人和"。

将台堡，我的故乡

由中宣部等单位组织实施，中央电视台组织拍摄的大型纪录片《记住乡愁》，原定100集，播出后国际国内反响极好，收视提高率达70%，频频获得全国大奖，扩至540集，被中宣部领导誉为弘扬社会主义核心价值观最接地气的精品力作。作为该剧的文字统筹，撰稿，策划，从私心讲，很希望宁夏能够多进入一些。但实事求是地讲，宁夏的古村落和古镇，基本不具备剧组定的拍摄形态。为了争取每个形态多拍摄一两集，就得设法寻找能够打动导演的角度。就像单家集和南长滩一样，要让导演看到形态背后的不可替代性价值。果然，古镇形态前期调研组报送的选题仍然难以达标，我就有些着急了，就给分片导演和制片人推荐，可否考虑一下将台堡镇。该地正好年初通过撤乡建镇，形态可能不达标，但气质和乡愁精神很吻合。否则，古镇部分，宁夏就缺席了。

我就从中华民族优秀传统文化、红色革命文化、社会主义先进文化的内在联系角度，从如何守住政治、经济、文化、教育的初心，把红色记忆变为走好新的长征路的精神动力角度，给导演提供一些思路。让人感动的是，导演韩辉先生在请示制片人王海涛先生之后，前去实地勘访，形成选题，最终被评审会通过了。作为一位生于斯长于斯的游子，当然无比欣慰。

这就促使我以中华民族整体视角重新打量生我养我的这片土地。

葫芦是最为古老的中华民族吉祥意象，它不但象征着收集精华、聚藏宝气、守护真要，还是剑胆诗心、仗义行侠、除暴安良的指示符号。马莲又名马兰，是耐盐碱、耐贫瘠、抗旱、抗涝、抗寒的地被植物，其根入土可达一米以上，具有极强的抗性和适应性。我的家乡将台堡，就位于葫芦河和马莲川的交汇处。

孩童的我，在那个大堡子下看戏，看电影，玩耍；少年的我，在那个大堡子下上学，赶集，走亲戚；青年的我，在那个大堡子下教书，育人，结婚，生子。解放初，我的父亲曾经在那个堡子里上过几年班。他无数次夸张的讲述，让我对那个大堡子产生过无限的传奇性联想。

上初中时，有一年我曾在堡子后面的"城背后"姑姑家寄宿。当时没有注意"城背后"这个词的深层内涵，及至成人，越来越觉得这个已经不知道从什么时候起的地名背后，一定有着极为繁盛的历史。后来看史料，才知道，这繁盛，原来和这里两千年来持续发达的马政有关。众所周知，马政在冷兵器时代的重要，就像今天的航母和导弹一样。

据考，历史上的将台堡一带水草丰茂，河流纵横。早在西周时期，这里的牧马业就非常发达了。秦朝之所以能够一统天下，和这里为其源源不断地输送精良战马不无关系。因为看重当地人的彪悍、马的精壮，汉武帝干脆把这里作为组建骑兵的基地。汉军之所以能够击败匈奴，骑兵发挥的作用巨大。唐时这里的马政到了极盛时期。贞观初年，唐太宗出台完善的马政管理制度，监牧制就是其中之一。将台堡一带，正是重要的监牧地区。贞观二十年，唐太宗到灵武会盟，专门到西瓦亭视察马政。当时的西瓦亭，就是今之将台堡。安史之乱期间，这里也为北上灵州的太子李亨的护卫队补充了大量战马。到了宋代，西夏崛起，这里成为重要的边塞防御要地，牧场变成战场。宋夏三次大战，有两次都在这一带进行。明代吸引宋弱教训，重整骑兵，将台堡一带成为全国马政重心。直到清朝中叶，牧马基地西迁河西，这里的马政辉煌期才告结束。

可见，中原的实力史，就是将台堡一带的供给史。每每想到这里，我的耳际都会响起惊天动地的战马嘶鸣声。其生，其死，都为捍卫龙的图腾，这也许就古人讲的龙马精神的寓意所在。再看"马作的卢飞快，弓如霹雳弦惊""葡萄美酒夜光杯，欲饮琵琶马上催"这些诗句，心里就是别一种滋味。

说来也巧，生肖属马的我，降生在这片土地上，先是醉心于书写《农历》，后来又固执地传播传统文化，现在又把同样展现龙马精神的乡愁剧组拉到这里来，也是另一种意义上的不忘初心吧。

《周易》比像"乾马坤牛"，意即夫子所释"天行健，君子以自强不息"！

如此，再看葫芦河和马莲川这两个地名，就有了天造地设的寓言性，精神性。这种自强不息的精神，到了二十世纪，终于演进为震惊中外的壮丽史诗：1936 年 10 月 22 日，红军长征三大主力军在将台堡胜利会师。

2016 年 7 月 18 日，中共中央总书记、国家主席、中央军委主席习近平，从北京直飞固原，驱车七十多公里到这里，冒雨向红军会师纪念碑敬献花篮，并参观"三军会师纪念馆"。习近平总书记深情地说，这次专程来这里，就是缅怀先烈，不忘初心，走新的长征路。2017 年 3 月 29 日，它被中宣部命名为全国爱国主义教育示范基地。

现在的纪念碑下，当年是一个可容纳数千人的大地坪，既是戏园，又是电影场，还是篮球场。靠北的戏台右侧，是公社文化站，放影队也在其中。不少让我们热血沸腾的战争题材电影，就是在那个地坪里看的。当时上高中的兄长，是文艺队的成员，常常在那个戏台上排练文艺节目。我的任务是从家里给他运送粮草。谁会想到，在电影上看到的情景，在节目里欣赏的情景，居然就发生在播放电影的地方，演出节目的地方。

"既诚勇兮文以武，终刚强兮不可凌"。中华民族百折不挠、自强不息的精神传统，就这样从历史的长河中一路绵延而来，成为支撑一个民族不断发展壮大的脊梁，最后在生死存亡的关键时刻演进为伟大的长征精神，演进为彪炳史册的革命英雄主义、乐观主义。

在将台中学任教的三年，是我生命中的一段黄金岁月。那时的我，一腔豪情壮志，白天教书，晚上习武，屈子的名句常常伴着晚风响在耳畔。斗转星移，岁月更替，早已华发满鬓，可也壮志未酬。当年的万丈豪情，常常化为梦境，正可谓"铁马冰河入梦来"。

好在 2013 年，因为拙著长篇小说《农历》的缘分，被中央电视台国际中文频道著名制片人王海涛先生知遇，得以效力于《记住乡愁》，在国家层面为民族复兴略尽绵薄。自此，当年铁马冰河的梦境不再出现。

2017 年九月的一天，和央视导演再次走进将台中学，其变化让人有梦幻之感。当年读书的土木教室，备课的砖木宿舍，被拔地而起的现代化楼房代替。整个校园被红色符号簇拥着，和旁边的纪念碑相呼应，让人不由想到怀念、诗性、理想、信念这些词汇。

如果现在给学生讲长征，我就会说，长征精神正是中华民族自强不息精神的红色表达，是中华民族浴火重生精神的红色表达。现在，中华民族又到了更高层面会师的时候，建设"一带一路"，打造"人类命运共同体"，正是会师精神的历史性升华。

文学之乡

习近平总书记说，中华优秀传统文化是中华民族的文化根脉，其蕴含的思想观念、人文精神、道德规范，不仅是我们中国人思想和精神的内核，对解决人类问题也有重要价值。要把优秀传统文化的精神标识提炼出来、展示出来，把优秀传统文化中具有当代价值、世界意义的文化精髓提炼出来、展示出来。

于此，宁夏的作家是走在前面的。

宁夏地处西北内陆，素有"塞上江南"的美誉，这是地理"标识"。如果从文化上找一个"标识"，"中国第一个文学之乡"无疑最有不可替代性。

也许，生我养我的那片土地，最没有可能出产作家，因为那里最没"文化"。

但换一个角度来看，那片土地又太有文化，而且有最本真意义上的"文化"，最"落后"的，成了最"先进"的。

单说我，童年压根就没书读。

因此，每当有记者问我，在我的成长道路上，哪一部作品对我影响最大。我只能说，是西海固那片皇天后土。我出生在宁夏西吉县将台堡明星村，不算西海固最贫穷的地方，但也常常饿肚子。

记得上小学和中学时，能读的书很少。有时候开学了课本还到不了，我们就只能借旧书或抄书了。

更多的时候，我们沉浸在一种岁月的天然里，伴着绸缎一样的阳光和麦浪一样的清风，享受大地和时光，享受成长和梦想。不是神农，却在尝百草，不是大禹，却在修水利；不是爹，遍地都是儿女，不是娘，满山都是子孙；不是树，我们结过果实，不是鱼，我们游过大海。

狂欢、自在、率性。除过"天恩浩荡"，再也找不到一个词能够承载对那片土地的感觉。

想一次，沉醉一次。那种幸福，现在出再高的价钱，也买不到了。

正是那种没有"文化干扰"的生活，让我得以走进一种大纯净、大富有、大善良、大审美里。现在看来，老天让我降生在那里，就是为了酝酿长篇小说《农历》的。《农历》能够在第八届"茅盾文学奖"评选最后一轮投票中排名第七，重印十次，全是这个小村落的功劳。它不是我写的，是这个小村落里的父老乡亲写的，甚至风写的，鸟写的，花草树木写的。

现在回想，那片土地，有一种原始性文学气质，是上苍专为生产诗情而设的。

拙著短篇小说《吉祥如意》获第四届"鲁迅文学奖"后，有人问，你是怎么写出来那么温暖、那么安详、那么诗性的文字的。我说，那不是我写的，是那个小村庄的日辉月露凝结成的，是那个小村庄像珍珠一样的日子串成的。

有时，连我自己都觉得不可思议，甚至不敢相信，就是当年那个常常饿肚子常常光脚丫的小屁孩，多年之后，他的文集能够以精装八卷本的形式被中华出版老字号中华书局重点推出，签约译往二十多个国家，他的随笔集《寻找安详》能够重印十四次。

去年，央视到老家拍片，导演让我讲当年的故事，我再一次体会到什么是"安排"。有人说，郭文斌的作品可以用两个词来概括。一是"安详"，一是"农历"。没错，"安详"和"农历"，正是这个叫粮食湾的小村庄长势最好的庄稼。

正因为我童年没书读，当我有能力捐书时，我就大量向全国捐书，到目前为止，仅中华书局和长江文艺出版的书，已经捐出近三百万码洋。但又想，自己这样做，也许又会打扰那些孩子的"天然"。

当中国作协把第一个"文学之乡"授予故乡时，估计有不少人不服气。我常常说，从著名作家数量来讲，这片土地确实不如其它地区，但就文学的自觉性、神圣性、群众性、普遍性来讲，还真罕见。昼耕夜读、晴耕雨读，白天种土豆，晚上写小说，成了不少西吉人的生活景象。不说别的，就我主编的《黄河文学》杂志每年出版一期宁夏草根作家专号，其中西吉农民作家常常过半。

把全县领导干部组织起来，让一位作家讲一天，主持讲座的县长觉得不过瘾，再加半天，这种情况，在其他地区，还真罕见。不少笔会，有很多乡镇干部都会请假来听，在其他地区，还真罕见。问为什么？他们的回答是：文学能提高人的感受力，感受力提高了，就能更好地感觉到老百姓的冷暖。有一次，我问一个孩子："你为什么喜欢文学？"他说："我平时住校，每次回家，看到妈妈又增添了不少白发，心里就特别难过。我想有一天，也像您那样，用手里的笔，来赞美母亲。"有个农民作家写了部长篇小说，是为奥运献礼的。有记者采访他，你的作品发表了么？他说没有。记者惊讶，没发表怎么献礼？他说，祖国强大了，我们农民感受到这份强大，受益于这份强大，我们把心中的祝福写出来，就是献礼了。

多精彩的回答！

这才是原始意义上的文学，不为发表，不为出版，不为获奖，只为祝福。

因此，有大定，有大静，有大美。

就是在这种文学气氛中，前不久，西吉作家马金莲又摘得第七届"鲁迅文学奖"。一个县，有两位作家摘得中国文学最有影响力的奖项,在全国,也不多见。这将会给"文学之乡"以文学取暖的作者以莫大鼓舞,也会给整个宁夏的作家以莫大激励。

在我看来,整个宁夏就是一个大"文学之乡"。离开西海固到银川已近二十年,我对银川的感情越来越深,感受也越来越深。我曾在散文《安详银川》里写道,银川的美丽是文学的,独有一种安详气、文学气、芬芳气。在这里,"十户之内,不废诵读",大街小巷,全是书香;全国性的诗会不断,世界性的交流正热;音乐诗歌节,万人参与;每年的赏月诗会,百姓自由报名,同沐月晖,共浴诗情。

2016年,中国作协主席铁凝把中国作协"文学照亮生活"大讲堂的第一讲放在西吉,由她首讲。在我看来,这是一个具有文学史意味的标志性事件。果然,她被这片土地神奇的文学热情感动了。她由衷地说,这里是文学宝贵的粮仓,文学是这块土地上最好的庄稼。接着,她从六盘山到贺兰山,一路向北,调研之后,又讲,宁夏是一片神奇的土地。诚然。

334

期待着这块神奇的土地上有更多更好的作品涌现,有高峰性巨著诞生,更期待文学之乡能传承好中华文脉,把传统和现代连接起来,在创造性转化和创新性发展中绘出更美的风景,成为中华民族现代性的精神之乡。

安详宁夏

一直以为，"宁夏"之"夏"出自"夏商周"；之"宁"出自《尚书》"康宁"。《说文解字》释"夏"为"中国人也"，释"宁"为"安"。"宁""夏"联袂，应是"中国人安"。人安先要心安。也许是天地相感，正是这块土地，孕育出《寻找安详》。正是它，让不少人来宁夏寻找安详。因此，宁夏打出"来宁夏，给心灵放个假"作为旅游攻略，窃以为还不如"塞上江南，寻找安详"这个主题更为鲜明，且有吸引力。著名评论家《扬子江诗刊》的主编徐晓华女士来宁。为她送行时，她说，从六盘山到贺兰山，一路走下来，能够最贴切地表达观感的，还真没有比"安详"更贴切的词语。无论是天空，还是大地，还是百姓的表情，都是两个字：安详。她这才明白，他家先生为什么在第八届"茅盾文学奖"评选公开投票时，明知《农历》从十进五无望，但还是坚持投下一票。他认为，《农历》很中国，也很安详，是宁夏对中华民族的贡献。

近年，我以文字统筹、撰稿、策划的身份配合央视拍摄大型纪录片《记住乡愁》，协助剧组为宁夏拍了三集节目，分别是《单家集》《南长滩》《将台堡》。这三集节目，主题为"尊让美德""规矩美德""还乡美德"，正好可以表达宁夏的大安详。单家集的回汉一家亲主题，让审片领导感动得流泪；南长滩的规矩意识天下少见；将台堡作为中国工农红军会师地，将"走好新的长征路"通过"农历精神"演义为新时代盎然的诗意，两位"还乡"青年对"如何让百姓在不离乡不离土的前提下过上好生活"的成功探索，为美丽乡村建设提供了蓝图，不但"农历"，而且"时代"。

"不能保持的快乐不是真快乐，不能保持的幸福不是真幸福，不能保持的财富不是真财富"。这是拙著《醒来》中的一段话。在我看来，宁夏人既注重社会发展的速度感，更注重"农历""安详""乡愁"的保持感；既注重物质的获得感，更注重心灵的安宁感。以文学视角来看，无论是"农历"，还是"乡愁"，抑或是"安详"，都是"初心"的祝福性表达。

相对于骚乱来说，安宁就是福利。相对于浮躁来说，安详就是风景。

今年清明，著名学者陈思和先生提议在复旦为拙著召开研讨会，他在主旨发言中讲："从经济上着眼，沿海城市的确发展非常快，像上海、包括长三角地区，近二十年来都像进入到魔幻世界，不断地变化，不断地发展。但是如果从文化的原创力来看，平心而论，真是乏善可陈。我一直都有这种感觉，中国的西北地区，经济上可能不是发展得那么快，但是在西北地区的文学却非常好，不仅非常单纯，而且很有力度。作家艺术家们创造了一种没有杂念的虚构的精神世界，显示出很清澄很大气的文学状态。那样一种文学状态也是精神状态，慢慢的就会呈现出来文化的力量。"

这种文化力量，也许正是宁夏的魅力所在。

2011年，中国作协把第一个"文学之乡"授予宁夏西吉县。2016年，中国作协主席铁凝到西吉做题为"文学照亮生活"的讲演并考察。在随后召开的座谈会上，她深情地讲："文学是这里最好的庄稼，这里是中国文学最重要的粮仓。"2018年，"中国文学的宁夏现象"研讨会在北京召开。宁夏自治区党委常委、宣伟部长赵永清在致辞中用"小省区、大文学，小短篇、大成绩，小草根、大能量，小作品、大情怀"来总结宁夏文学。从中，人们重新体味"宁"，体味"夏"。

一江相隔二十年

一江相隔二十年
对岸桃花是何人
大年之大谁能知
万里长河一舟行

——题记

　　我的创作基本沿着两条线进行，一条是安详线，一条是农历线。安详线上，出版有《寻找安详》《醒来》《＜弟子规＞到底说什么》等文化随笔集，都由中华书局出版发行。《寻找安详》发行量最大，过十万册；农历线上，有长篇小说《农历》、散文集《守岁》《还乡》《永远的乡愁》等，先后由上海文艺、浙江文艺、长江文艺等出版社出版发行。《农历》发行量最大，近十万册。我近年先后以文字统筹、撰稿、策划的身份协助中央电视台制做大型纪录片《记住乡愁》，观众人次到达近百亿。细想起来，也是大安详大农历主题。

　　我的书算不上畅销，但长销。多是受益者口耳相传流通，有一半是善心人士批量购捐。他们认为，它能给神经紧张的现代人以放松感、安全感；还有一些有心理障碍的读者，特别是抑郁症患者，在读了拙著后，痊愈或好转。

正使这种让人振奋的效果反馈，也促使我自己向全国捐书，仅中华书局和长江文艺出版社出版的拙著，已经捐了二百万码洋。

有意思的是，两本发行量最大的书，也是我写作过程中最享受的。那种享受感，让我在写完它们之后的相当长时间里，不愿意再写东西。因为任何题材，任何体裁，都无法再让我品尝那种大喜悦大狂欢。因此，现在我索性就给中央电视台大型纪录片《记住乡愁》做策划，用口述的方式重温那种感觉。

长篇小说《农历》在第八次"茅盾文学奖"评选最后一轮投票中名列第七，这给不少出版人以想象。向我约稿的很多，当时有些动心，开始写一部长篇小说。但是写了几万字，就放下了，一个最为重要的原因是我再也找不到写《农历》时的那种快感了！就索性踏上志愿者之路，在全国义讲，每年大概能讲一百多场课。那种感觉倒是很过瘾，不用讲稿，不用投影，全凭一张嘴，可以连着讲几天。讲课期间不喝水，不挪窝。出乎意料的是，听众听得很享受，常常感觉时间不存在了。有一次，我讲完，轮到一位领导总结了，不想他都到台上了，却让大家稍等，跑步出去了。回来后他给大家讲，我讲课时，他几次想去卫生间，都舍不得离开，上台后才发现到了极限，就让大家等等，去完卫生间回来再总结，惹得大家好一阵乐。这让我想到真正能感染人的作品，一定是自然流淌出来的，一定要让人进入农历时间里。

为此，我写过一段话：人力哪能比天力，天力藏在天机里，如何才能见天机，放下心机见天机。

因此，在我的故乡被中国作协授予第一个"文学之乡"之后，不少媒体来采访我。当记者问到，我是如何做起文学梦来的，有没有受哪些书影响时，我很自卑。因为我的童年、少年，压根就没有书读。有时开学都一个多月了，课本还到不了。印象中整个小学、中学我就没有读过一本课外书。考上师范后，又致力于被保送上大学，全部精力用在把每门功课考过85分以上，也没有时间读课外书。

但是后来有一天，我突然认识到这是上苍在保护我，让我的潜意识保持在一种自然状态，没有被过早的文学格式化。后来有了创作冲动，也是自然流淌，没有被太多的方法论左右。因此，不少评论家在读了《农历》后，觉得很难归类，甚至有评论家认为，这是一本反小说的小说。但是它现在很受家长喜爱，成为不少家庭的床头读物。《记住乡愁》制片人王海涛先生正是看了这本书后找我合作的。

去年，兰州大学就我的创作专门召开了一次研讨会。不少博士提到《农历》和上世纪初一位文坛前辈的作品有气质上的相似性。但是他们提到的这位前辈的作品，我恰恰没有

340

读过，这同样让我很自卑。赶快找来看，看后既惭愧又释然：惭愧的是这么著名的作家，我当年居然没能读到他的作品；释然的是也许当年读了，就没有《农历》这部作品了。因为他们谈到的那位前辈的作品，现在看来还是太"用心"了。如果我当年读了，在写《农历》时，肯定会自觉不自觉地受其影响，写出来，就不是现在这个样子了。

去年央视记者到我的老家采访。长达两天的深度交流，让我更加明确，上苍之所以让我来到这个世界，就是为了三件事：农历、安详加乡愁。如果把这三件事看成是我的天命，入口有两个：一是1966年，我成功降生在西海固，开始了我的人间生活；一是1998年，我顺利写出《大年》，开始了我的写作转身，进入"农历"世界。

现在看来，它们其实是一件事。准确的说，是一个安排的两个步骤。当年，谁也不知道，在这两个事件后面，还连着许多大事件。比如，我的故乡宁夏西吉县被中国作协授予第一个"文学之乡"。随后，中国作协主席铁凝踏上这片土地，在这里开讲中国作协"文学照亮生活"全民公益大讲堂第一讲，并称，文学是这片土地上最好的庄稼，这里是中国文学最重要的粮仓。

但我隐约觉得，还有更大的事在后面。

因为在写《大年》时，我感受到的那个"大"，那个"年"，还没有到来。

谚曰，好事多磨。《大年》的确磨我。从1998年开始投稿，一直投到2004年。长达六年的退稿和坚持，近乎考验，有些辛酸，却也无悔。因为写作过程本身的那种狂欢，那种享受，只是回想一下，就让人幸福无比。

更何况，知音总在季节深处等着你。

这不，二十年后，它又被守候在心灵对岸的《长江文艺》打捞。

二十年，对于一个人来说，太长了，但对于冥冥中的一个安排来说，也许只是一个美丽的情节。

那是2019年开年第一期。掐指一算，杂志发行的时候，正是地球村"大年"的开始，这是多么巧合、又多么吉祥一件事啊！

一个安排，如此精心，如此耐心，这是谁的热肠？

城市五行

按照全息论的观点，局部具有整体的全部信息。作家也是市民，不同于他人的是，他是一种自觉的审美生存，自觉的向善生存，自觉的求真生存。因此，他的存在本身就是对一座城市的隐喻。随着作家知名度的提高，读者群的扩大，他的文字会成为一座城市的共振源。它所形成的共振效应，将会潜移默化地引导市民的认知方式、价值导向、行为习惯，提高城市的能量级。

一位作家之于一座城市，如同男女恋爱，是两情相悦的事情，也是缘分的事情，最好的组合当然是情投意合。用中国古人的说法，要有夫妻相；用现代人的说法，必须"贴"。正如贾平凹和西安很"贴"，张贤亮和银川很"贴"。如果把他们两位换一下，人们马上会觉得不对劲。一个灵魂降生到一片土地上，是因为他和这片土地的缘分；一位作家终老于一座城市，也是和这座城市的缘分。这种无法抗拒的缘分，事实上就是一个城市的精神性。

古人是通过阴阳五行认识缘分的。

就我生活的银川来说，从名字看，就是水性。因此，当年市委征集城市精神，我的建议——"贺兰岿然，长河不息"，最终被市委会通过了。木要参天，必须根定；花要常开，水要不断。山水齐备，万木生发。"岿然"主定，"长河"主动。"岿然"挡风沙，护黄河，"长河"育谷木，养万民。这个城市精神，作为银川的标识，不但具有诗性、象征性、寓言性、不可替代性，而且放到全国看，个性鲜明，容易识别，方便传颂。果然，大家都说好。

相比银川，西安再发展，你也觉得是土的。按照中华民族的易认知，西安属土。因此，西安人普通话说得再好，你也觉得怪。因此，在中国作协全委会上，大家都讲普通话，唯独陕西委员说土话，无论是陈忠实先生，还是贾平凹先生。听他们说土话，你感觉很"贴"。正如秦腔，压根就和普通话合不了调。因此，到西安，你会感到它的速度就是秦腔的速度，它的音色就是板胡和唢呐的音色。因此，现代剧团把西洋乐弄进秦腔，那纯粹是胡闹。秦腔本来就是在土戏台上唱的，本来就是草台班子的行当。

古人认为，五行之中，土居中央。因此，十三朝古都在西安。这是天人互益，因为土性主安。银川则不然。如果说西安是土性，那么银川就是水性，因此春有百花争艳，夏有百果争实。土性安静朴实，水性活泼时尚。银川的时尚有些让人应接不暇。一个新生事物，只要在地球上产生，银川第一时间就有了。

还是说全息。想知道银川是什么颜色吗，看看张贤亮先生平常穿的衣服就知道了；想知道银川是什么味道吗，看看张贤亮先生手里的"三五"就知道了；想知道银川是什么玩法吗，大家到影视城看看就知道了；据说张贤亮先生是中国作家里最早用电脑的，而贾平凹先生至今还手写；谁都知道，张贤亮先生的书法没有贾平凹先生在行，但现在润格却比贾先生的高。一次，陈忠实先生和张贤亮先生见面，我感觉就像是西安和银川在会面。那一刻，我在想，如果把陈忠实先生手里的大棒子雪茄换给张贤亮，或者让陈忠实先生穿上张贤亮先生常穿的浅褐色条绒裤，该是一种什么感觉？因此，陈忠实先生的代表作注定是《白鹿原》，张贤亮先生的代表作也注定是《绿化树》。一个是土生金，一个是水生木。

我的长篇小说《农历》在西海固酝酿，在银川发表，也是五行运化。在土性中长成，在水性中滋养，这是木性的宿命。《农历》原本人民文学出版社想出版，最后却由上海文艺出版社出版了，还是五行运化。上海在东，东方属木。北京在北，北方属水。果然，《农历》经北京有了影响。现在，它被长江文艺出版社再版，我把所有稿费捐赠，是木生火，开始真正兑现它的天命了。从银川，到武汉，木火相生。

相比西安和银川，我在想，兰州为什么没有产生一个像路遥、陈忠实、贾平凹、张贤亮这样的特别著名的作家？仔细一想，还是五行。相比西安和银川，兰州在西北，金水性，金性坚律、整齐、智巧，主战略，生智慧。因此，兰州虽然没有特别著名的作家，但整体实力强，特别是诗歌和评论。评论代表性人物是雷达先生。正如此名之暗喻，他是一位少见的文学跟踪者，监测者，防卫者，引导者，具有很强的整体性、俯视性。

城市有五行，作家亦然。作家写作的过程本身就是刻画一座城市的精神肖像的过程，本身就是生成一座城市的文化名片的过程。一定意义上，他们作品的精神高度，就是这座城市的精神高度，也是这座城市的文化厚度。

相对媒体表达，文学更加具有永恒性，因为作家和城市的成长具有同步性。恰如一个孩子的成长，他不可能速度化，也不可能促进化。因此，它更自然，更真实，更有时空密度。

因此，一位作家的成长史，很可能就是这座城市的成长史。要成长，就要呼吸这座城市的精神空气，尝遍这座城市的文化百味，感受这座城市的思想脉络。

最后，二者会按照他们的最大契合度，互相成就，互相代言。作家为城市代言，城市也为作家代言。这种代言，从精神气质上，细细考究，就是五行。

既敦又煌，莫与之高

2017 年 9 月 17 日，应《人民日报》海外版副主编李舫女士之约，我第二次从银川飞往敦煌。早上五点出门，下午五点住进酒店，也算是朝发夕至了。也许是因为刚刚参加完"丝路文化行"西安站活动，这次的空中飞行就有一种在丝绸上滑行的感觉，而下榻的富丽华酒店也有一种茶马之味。

19 日早，由《人民日报》和甘肃省主办的以"命运共同体，合作新格局"为主题的 2017 "一带一路"媒体合作论坛在敦煌国际会议中心开幕。来自全球 126 个国家、265 家媒体的知名媒体人参加论坛，共同探讨"一带一路"媒体交流与合作，让人觉得这是汉唐盛世丝绸之路盛景的一次跨世纪投影。

开幕式上，"人类命运共同体""一带一路"的概念得到各国媒体大腕的高度肯定。作为华夏儿女，真是无比自豪。

而让人更为自豪的是，如此盛大规模的国际性论坛在我心中的圣地敦煌进行。

恍惚之间，一种拈花微笑的感觉从心底油然生起。作为一对兄弟概念——"人类命运共同体"和"一带一路"，前者是理想，后者是实现理想的方法论。当我们把人类视为一个生命体时，经络的通畅就显得格外重要。中医讲，通则不痛，痛则不通。"一带一路"，正如"人类命运共同体"的血管和经络。而作为国家权威媒体的人民日报社连续三年举办的"一带一路"媒体合作论坛就像中医里面以意领气的导引，对"人类命运共同体"和"一带一路"的建设具有意气先行的作用。与前几次论坛不同的是，这次论坛，将"丝路文化发展论坛"纳入，更加具有整体辩证、心体共养的味道。正如莫高窟里的塑画像，媒体论坛是肢体，文化论坛是色彩。如此，大大增强了论坛的色彩感，给人一种花雨缤纷的感觉，让人真正感受到"文化敦煌"的味道。

作为"丝绸之路名家精选文库"的一位作家，拙著《写意宁夏》在一定程度上折射了丝路宁夏段人民的心性和伦理、道德和人情，也算是向世界展示宁夏的一张文学小名片。在莫高窟，我十分惊喜地看到了"四龙扶凤"的窟顶意象。解说员说，这样的意象在全国独一无二，正是西夏女性崇拜文化留下的历史印迹。作为来自西夏古都银川的一位作家，我深为这种量子重叠式的时空际会感动。

新形势下，如何讲好"一带一路"的中国故事，如何在"一带一路"语境下加快推进中外文化的沟通与交流，敦煌这片土地，给了我们许多值得我们借鉴学习的地方，特别是莫高窟和舞剧《丝路花雨》。

先说《丝路花雨》，这是一则关于"救"的寓言。故事情节并不复杂，画工神笔张和波斯商人伊努斯辗转相救，最终正义战胜邪恶。让人惊叹的是，它把人的可能性发挥到极致，让人重新打量平时被我们忽略了的躯体表现力。因为是舞剧，从头至尾全是肢体语言在说话，却产生了无声胜有声的神奇效果。它让我陡然间对语言的存在价值产生了疑问，觉得我们平时说的话，既滥又俗。难怪禅宗要倡导不立文字，以心传心。

它成功地把色彩旋律化，把旋律色彩化；把肢体音乐化，把音乐肢体化；进而把灵魂肢体化，把肢体灵魂化。甚至旋律就是色彩，色彩就是旋律，肢体就是灵魂，灵魂就是肢体。这种通感，让人陡然觉得，一切概念都是障碍，一切分别都是罪行。

它，让人重新思考什么是成功的表达。

除此之外，它还把传统的阴阳哲学化为美学，落实在场次节奏、舞蹈动作、人物表情、音乐节奏中，真是出神入化。

这样的故事也只能诞生在这样的土地上，就像莫高窟只能出现在敦煌一样。

莫高窟为什么能够成为千古绝唱，原因有千万条。但有几点是肯定的，那就是建造者不怕困难不畏牺牲的理想主义精神和无我无求献身事业的生命姿态。

除此之外，他们还把价值观和方法论做到了完美结合，把形而上和形而下做到了完美结合，把外来文化和本土文明做到了完美结合，把传播教义和接受美学做到了完美结合，把书法美术和建筑雕塑做到了完美结合，把自然天成和人工巧制做到了完美结合。他们在寻找能够穿越时空、民族、文明、文化的最大公约数。北魏的高大威猛，隋朝的华丽柔美，唐朝的豪迈大气，作为每个时代的审美优点，都被充分放大。

参观完莫高窟，仰视着嵌入蓝天被丝丝白云装点的红褐色九层楼，我的脑海里突然产生了"既敦又煌，莫与之高"的句子。发在微信朋友圈后，创下了点赞的纪录。它让我想到了"敦煌"二字的会意。

"敦"是古食器，在祭祀和宴会时盛放黍、稷、稻、粱等作物用，象征着富足和丰殷；"煌"是大批跟随者点燃的火炬或篝火，象征着温暖和光明。

无论哪个国家，哪个民族，在对"富足和丰殷""温暖和光明"的追求上，都是一致的。于此，再来理解"人类命运共同体"的"共"和"一带一路"的"一"，就有陡然让人一震的深邃意味。设若人类能够找到并遵守价值观的"共"、方法论的"一"，生存自然会"敦"，生活自然会"煌"，生命自然会"高"。

无疑，这是人类"莫与之高"的理想。

这，也许是千百年前，先人们留在这条河西走廊的隐喻。

由此，我在想，斯坦因等探险家为什么对莫高窟藏经和壁画如此着迷，也许有着他们潜意识深处的渴望，那就是这些经卷和壁画无一例外地散发出的仁爱、包容、奉献、牺牲、清净、平等、觉悟、自由、和平、大同的光芒和芬芳。

由此，我在想，叶舟等著名作家为什么要倾注一生的心血书写她，把大敦煌之歌唱遍大江南北，甚至在大雪封山的除夕之夜也要守候在她的身旁。除了神性、诗性、母性，我找不到更好的答案。

由此，我在想，由敦煌市宣传部长贺万辉先生亲自安排、19日晚在敦煌图书馆召开的读者见面会，读者们那种纯粹、干净、真诚的目光。还有主持人敦煌图书馆副馆长方健荣先生的逼人谦光，让人不禁想，站在眼前的他，也许是某朝某代千佛洞里的哪位得道高僧换了身现代服装站在这里。为此，当我怀着无比崇敬的心情，把中华书局出版的精装七卷本文集题赠敦煌图书馆寄他们收存时，我想到阿来先生那天的演讲主题——"河西走廊是我的课堂"。那么，敦煌呢？

喜欢土豆

老家把马铃薯称洋芋，可见它是舶来品，现在，老乡们都叫它土豆了。

我喜欢土豆这个名字。

记忆中，有许多场景非常美好。

一是春天，生产队的大麦场里，一队的女人在切土豆籽，把每个土豆上的芽切成锥形。切完了芽的土豆，就像一个个被剔了肉的骨架，被分到各家。晚上，娘把土豆蒸了，有一种特别的味道。一个土豆，带芽的部分再次进入土地，传宗接代，繁衍生息，母体则进入我们早已饿瘪了的肚皮。

我们跟着大人，把一块块土豆芽种下去，不时到地里看，盼望着它们能够一夜间长出来。当一星绿色破土而出，日子就有了希望。

终有一天，我们在地皮上看到了细细的缝儿，说明土豆长大了。沿着那缝儿，往往会摸到一个像鸡蛋那么大的土豆。但父母严令，不许动手。我们就摸几个，在沟底挖了锅锅灶烧了吃。常常等不到熟，半生不熟就吃，那滋味美得无法形容。

有时会因此挨一顿打，但也值得。

最盼望下大雨，雨水会把土豆冲到地外。这样把土豆捡回家，不犯纪律。想想吧，房檐水在滴答滴答地响着，炉子里的土豆被烧得吱吱叫着。整个屋子里，弥漫着雨水的气息和土豆的香味。

印象很深的场景还有上小学时帮生产队收土豆。工间休息时，几位大娘挑了刚出锅的土豆，放在山顶上，让我们就着腌咸菜吃。几担土豆，被班长分到每个同学手上，都是散得破成八瓣的土豆，那么香，那么沙，那么爽。

上中学时，住校，每个同学都会背一挎包煮土豆，吃一周。吃饭时打开挎包，取出土豆填充肚皮。那时会觉得，它们不是土豆，而是我们的命。是啊，土豆就是西海固人的命。

上了师范，起初的一年，八个同学一组，打一盆土豆，清一色的土豆。第二年，有了小灶，可以自己买到小炒等上等饭菜。但土豆丝，还是我的保留菜品。

有一年，到美国爱荷华大学访问，馋土豆，要了一份，不想比肉还贵。

在西海固，家家都有一眼土豆窖，有的在院里，有的在院外。我家的，先是在院里，后来挪到后院。每次，都是母亲把我吊下去，拾一篮子土豆，再把我吊上来。每次下到窖里，都有一种特别亲切的感觉，像是好多亲人，在那里候着我。窖的一边，埋着萝卜，像是土豆的亲戚。

包产到户后，再也不挨饿了。但每日三餐，都离不开土豆，饭里没有土豆，就像没有筋骨。

　　每次回老家，快到家时，就给嫂子打电话让她做土豆面。往往会吃撑。走时，还要带上几箱子土豆，自己吃，送朋友。

　　村上不少人家已经搬走了，我家的几个侄子也都在外地工作。哥和嫂子完全可弃掉老院子，到城里生活，但我还是动员他们留守。原因有许多，重要的一条，就是柴火炉做的土豆面要比煤气灶做的香得多。

如 在

一

人到这年纪，最安慰的就是看到晚辈的进步。看到家族学习群中，有二十多位亲人每天坚持学习传统文化，真是开心！

好家风必须有好学风养护！

人不学习，很难把路走对！就像车无导航一样！

一天，一位大姐给我打电话，让帮帮她女儿。小两口闹离婚，本月二十一日开庭。照例，我一边让岳母带女儿到小课堂听课，给丈夫认错，一边给丈夫做工作。但丈夫对妻子已绝望，坚持要离，尽管已两个孩子了。开庭前一天，我从北京赶回，约他们夫妻和岳母一家到小课堂，面对面，让他们陈述离婚的理由，一直到十二点，白热化。听他们讲完，我说你们都没错，错在没学习传统文化，不明理。理明了，你们就不离了！同以往一样，还是给他们讲那些简单的道理，他们都听懂了！最后，决定撤诉，言和！看着岳母拥抱着女婿哽咽，我内心的幸福无以言表。

小课堂的班主任张兴泰先生送我到家时，已是凌晨一点。整个小区已沉浸于梦乡。一轮圆月静泊在我家楼顶，像是一位母亲，在等我回家，又像是一个守望。

悄声回家，轻身躺在熟睡的妻儿身边，想到那两个孩子，今后还有母亲守护他们的美梦，心里一热，泪就来了！

但愿天下所有的孩子，都能躺在母亲怀里做梦！

二

"如果几年前我有您的微信就好了。

我很羡慕那对撤诉的小夫妻。我离婚的那年，儿子才一岁，几年来，我独自一人带他生活，比我当初想象的要艰难得多。为了生计，必须出差，就将孩子寄在朋友家。一次，朋友家的孩子突然发烧住院，我家孩子就只好一人呆在朋友家。晚上，他不停给我打电话，不敢睡觉。我让他开着微信聊天视频，给他说，妈妈在微信上陪你，你就当妈妈真在你身边。看着孩子在惊恐中闭上眼睛，进入梦乡，我的心都碎了。

我订了第二天最早的航班飞回。

飞机一落地我就给朋友打电话，赶往医院。要了钥匙，给儿子打电话，却打不通，心都要飞出胸膛了。我一再催司机快一些。

下面的情景想都不敢想。我曾经爱吃动物心肝，但从此之后就吃不下去了。因为那天往回赶时，我好像能看见我的心在裂开，碎成八瓣。

见到了儿子，又忙往医院赶。我得替换朋友，让她吃早点。她也离了，又不愿意再见到前夫，独自带着女儿。

知道不少人听了您的课，复婚了。但我呢？已无可能。因为他已成为另一个女人的男人，成为另一个女儿的父亲。

原来，我一直骗儿子说他爸出国了。但是，儿子的逼问越来越频繁，我就只好如实告诉他。儿子不解地问，什么叫离婚？

我说，离婚就是不小心把碗掉在地上。

儿子说，那再捡起来啊。

我说，可是已经碎了。

儿子突然扑过来，抓我，打我，说，你为什么不小心，我要爸爸，我要爸爸。

曾想过给儿子另找一个爸爸，可是试了几次，都不行。明显感到，他的心里能容下我这个大碟子，但容不下儿子这个小碗。

于是我就死了心。可女人毕竟是女人，累了，无助了，想找个肩膀靠一靠。但天下大多男人只需要女人的身体，不需要女人的情感；需要女人的夜晚，不需要女人的白天。而

357

我约会，只能在白天，而我，更需要一个能听我说话的人。

听了您的课，我才知用换屏幕的方式解决底片的问题本身就是一个伪命题。那么，用寻找肩膀的方式，来解决无助，也是一个伪命题。

'愿每一个孩子，都能躺在妈妈怀里做梦'。为了让更多的孩子不受我的孩子那样的惊恐，我接受了您的建议，去做一个志愿者。帮了几次人，感觉那种无助孤独感渐渐散去，才知道，天下还有那么多人比我更无助，需要我。

每帮一次人，生命中就进来一束光。现在，我从收藏钱币，转为收藏光，快乐一天天多起来。

但每次去学校接孩子，看到别人家的父亲拉着儿子的手走出校门，心还是疼。

'人不学习，很难把路走对'。您这句话，太朴素了，朴素得就像空气，但多少人，却无福听到。"

看完这则跟贴，我关掉手机，回到卧室，又躺在儿子身边。恍惚间，我看到自己变成了孙悟空，法力无边，能够让碎在地上的碗瞬间复原。

358

三

自从儿子到来，晚上就很少出门了。除了出差，都陪着他。

陪他看电视，从《德育故事》看到《西游记》，从《西游记》看到《孔子》。看电视时，他会过来，坐在我腿上。手伸进他的衣里，抚着他的肚皮，那种让人销魂的触感，让人重新理解指读。

这一刻，千金不换。睡前，我迟到一分钟，他都等不及，哭："你让我爹快来嘛。"我就陡然放下所有的事，迅速脱衣，上床。他泪汪汪地看着我，"爹，你给我读《农历》。"

没有想到，当年写的文字，今天会读给儿子听。

读完，要惊喜。

我搂了他，说："你现在还有爹搂着睡觉，就是天下最大的惊喜，爹已经没人搂了。"

他说："你搂着我，就相当于我搂着你啊。"

惊喜！

他贴在我的怀里，抓着我的肩膀，不多时，就睡着了。

这一刻，千金不换。

这一夜，我只操心给你盖被。

夜深人静，听着他们母子的鼾声，脑海中不知多少次闪过这句话。不愿再像曾经那样匆匆忙忙地赶路，不愿再像曾经那样去做那些所谓的大事，约约不完的人，谈谈不完的事，写写不完的文章，打打不完的电话。

现在，躺在儿子身边，操心给他盖被，就是最大的事。抓着他的小手，抚着他的胸膛，感受他的心跳。

像是睡着，又像是醒着。像是在梦里，又像是在梦外。

四

去一所学校讲德育课，引用了《弟子规》："恩欲报、怨欲忘、报怨短、报恩长。"

互动环节，一位同学问我，为什么要报恩？

我说，恩心连着根心，对应着生机，报恩心一起，人就能获得来自根部的力量。人在世上，有多少恩需要报偿。父母亲人、社会国家、天地宇宙，等等。父母生养之恩，天地滋养之恩，国家护养之恩，老师教养之恩，社会奉养之恩，食物营养之恩，缺一不可。

他又问，为什么要忘怨呢？

我说，因为怨心对应着杀机，怨心一起，我们自身体内的六十万亿细胞首先会被杀机污染。因此，对那些伤害过我们的人，不但不能怨，还要报以德。

对于宇宙正能量来说，恩心连，怨心断。

从人类整体利益来讲，正如庄子所说："天地与我并生，万物与我为一。"如果冤冤相报，这个世界就充满了无限仇恨和无尽伤害，何谈幸福感、安全感、获得感？如果人人忘却怨恨，甚至以德报怨，这个世界就是天堂。

还有一位学生问，为什么要"凡取与，贵分晓；与宜多，取宜少"？因为只有如此，才能减弱或消除我们的占有欲、控制欲和表现欲。

　　首先，过分的占有欲，只会生产痛苦。占有越多，害怕失去的东西就越多，痛苦也就越多。更何况，占到最后，往往两手空空。《红楼梦》里的《好了歌》唱道："世人都晓神仙好，只有金银忘不了！终朝只恨聚无多，及到多时眼闭了。"清代巨贪和珅贪了一辈子，占了一辈子，富可敌国。到头来终究是"和珅跌倒，嘉庆吃饱"，所贪财物全部充了国库。

　　其二，过分的控制欲，只会生产怨恨。控制的人越多，反抗的人也越多；控制的强度越大，反抗的力量也越大。最后必定失去苦苦控制的一切。

　　而过分的表现欲，只会招致厌恶。表现得越多，憎恶的人越多。因为"天道亏盈而益谦"，"人道恶盈而好谦"。

　　无论是占有欲、控制欲，还是表现欲，都是自信不足造成的。要想让我们的生命充满获得感、幸福感、安全感，就要攻克潜藏在心里的占有欲、控制欲和表现欲。要攻克此三欲，就要懂得"凡取与，贵分晓；与宜多，取宜少"，让利于人，让名于人，让势于人，与多取少。而要控制此三欲，最好的方法，就是存心于道。"君子忧道不忧贫，谋道不谋食"说的就是这个道理。

　　"己所不欲，勿施于人"是待人之道、处事之道，是世界上所有文明乃至联合国都认同的一个人类性原则，被称为"黄金法则"：自己不愿接受的，就不要给他人。希望别人如何对待自己，就要如何对待别人。

通过"将加人，先问己。己不欲，即速已"的训练，可以让我们体会生命本质。"加人"是向外，"问己"是向内，"加人"时"问己"，内外就是通的。"不欲"是同理心发出的信号，同理心来自本质，如此，通过"速已""不欲"，我们一次次捍卫了本质，保护了心灵。

这就是王阳明先生讲的"事上练"。

练什么？致良知。

当我们能设身处地为他人着想的时候，曾参讲的忠恕之心就复苏了；忠恕之心一复苏，感恩心就复苏了；感恩心一复苏，敬畏心就复苏了；敬畏心一复苏，全爱心就复苏了；全爱心一复苏，我们就不会仇恨任何人了。如此，自然会"恩欲报，怨欲忘；报怨短，报恩长"了。而当一个人心里没有怨、只有恩，人间就是天堂了。

衡量一个人是否找到良知、抵达本质，就看他是否还报怨人。因为光明之中无黑暗。

换个角度来讲，当一个人心里还有恨有怨，说明他的小我大我共振还没有完成。小我大我共振没有完成，宇宙同频力就不能完全供给，彻底的圆满的获得感、幸福感、安全感就无法实现。正如发射参数有一点点偏差，导弹就无法进入预定轨道一样。

还有一位学生说，"人有短，切莫揭；人有私，切莫说。扬人恶，即是恶"这几句话有包庇人的过错、姑息坏人罪恶的嫌疑。

我说，这种观点完全误解了《弟子规》的原文原意。《弟子规》全文用字是很讲究的，可谓"句句金玉，字字珠玑"。在这里，"揭""说""扬"三字所指向的，不是人的短处、私事和过恶，而是对传播的态度。对人的短处、私事和过恶，《弟子规》通过"事虽小，勿擅为；苟擅为，子道亏。物虽小，勿私藏；苟私藏，亲心伤""用人物，须明求；倘不问，即为偷""过能改，归于无。倘掩饰，增一辜"等训喻已经清晰地表明了态度。而对于传播的态度，古今中外大凡进步的时代都奉行"隐恶扬善"。为什么要隐恶扬善？

按量子学的观点，任何信息的发布，都是向宇宙投向共振源。扬善发布的是正能量共振源，传恶发布的是负能量共振源。

从心理学的角度，任何信息都是心理暗示，而心理暗示决定着人的动机，获得感、幸福感，特别是安全感。那些过多接受恐惧教育阴暗面教育的孩子，往往会安全感不足，悲观，忧伤。

从伦理学的角度，扬人善，集聚善缘；扬人恶，集聚恶缘。善缘路宽，恶缘路窄。

"善相劝，德皆建；过不规，道两亏"这句训喻告诉我们，朋友之间要懂得互相规过劝善，共同建立良好的品德修养。如果有错不能互相规劝，那么两个人的品德都会有亏损。这句训喻也同时回应了认为"人有短，切莫揭；人有私，切莫说。扬人恶，即是恶"是包庇人的过错、姑息坏人罪恶的错误观点。人非圣贤，孰能无过。当我们有"过"的时候，首先要能内省、改过，过而能改，善莫大焉。当然，在这个过程中，一定会有热心的诤友规劝我们，帮我们从错误的道路上回归到正确的道路上。如果他人有"过"，一定要规劝，帮他人改过，这样彼此都能建立良好的德行。

　　需要注意的是，指出别人的过错也要讲究方式方法，就是"善相劝"。这里的"善"有两层意思：一为劝人善，二为善劝人。劝人需要技巧，劝人要选择最恰当的方式、最合适的时机、最合适地点进行。最好是单独交流，切莫在大庭广众之下，否则就成了"揭人短""扬人恶"了。

　　当然，最好的"劝"和"规"，是自己做出榜样，让大家看。

　　　五

　　吃亏是福既是天道又是世理。《道德经》讲："天道损有余而补不足"；《易经》讲："天道亏盈而益谦，地道变盈而流谦，鬼神害盈而福谦，人道恶盈而好谦。"六十四卦，卦卦有吉有凶，只有一卦全吉，那就是谦卦。其意象为地在上山在下，山不居高，将永远不存在崩塌的危险。对应到世道，就是主动放弃名利，也即老子讲的无为状态。通俗地讲，就是吃亏是福的状态。

物质受人侵占而舍之，身体受人攻击而受之，感情被人欺骗而让之，荣誉受到玷污而容之，如此天长日久，小我将去，大我到来。而一个人一旦尝到大我的滋味，对来自外界的伤害就没感觉了。当然，对小便宜也就没感觉了，只会全然的奉献，这就进入主动吃亏的状态了。

六

下飞机时，我才意识到，身边坐的是崔永元。平时没时间看书，每次乘机，就抓紧过读书瘾，也就忽略了周边。但今天总觉得气场不同：一个大个子男人，戴着帽子、口罩，帽舌向着过道，一直在假寐状态。用餐时，他摘下口罩，同我一样，没要主餐，只吃了蛋糕和面包，就着咸菜。

只是觉得他的手很好看，修长无骨，略显女性化，有玉的光泽！

因为心在书中，只是感受到周围有一种特别的气场，但没往人物身份上想。

但下飞机时，他很友好地看了我一眼，我才从书中的世界里出来。想握一下他的手，却被人挤开。

只好用目光向他致意！

看着他远去的背影，我的鼻腔好一阵酸！

几天疯忙，才静下来。回想那天发生的这一幕，就像电影！

衷心祝福！

七

这几天整理捐赠名单，不断在想，如果这些书是有生命的，它们最想投入谁的怀抱。

整理捐赠名单，心态很复杂，到底有几个人会读这些文字？

尽可能地寄到大学图书馆。心想那是一个可以延长书的存在时间的地方，让它们在那里等待缘分。

尽可能地寄到高校教授手里，并且每人两册。心想研究作家是高校的营生，是他们的职业。想借助于这种稳定的职业，让这些书成为一种业务，通过教授之口，代代流传。

尽可能地寄到传统文化平台，但凡请我讲过课的单位、企业、团队，我都会寄一些，至少两册。在这些朋友心里，它们不是文学书，而是开心的钥匙。要说为什么自己最看重这一部分读者，就是因为他们会珍重这些纸张、文字，包括你的情感。

还有一部分，是我作为抵账寄的。比如我工作过的单位，借这次在自己看来最重大的成果，来偿还欠过的人情债务。

特别想寄给自己的恩人——那些当年不求回报帮助过自己的人，包括小学、中学、师范、鲁院的恩师。但是一位师范的老师，在我发去短信要邮寄信息后很久没有回。心里就紧张起来，要么是他已经作古，要么是自己做人不到位，先生生气？想打电话过去，但终究不敢。

总之，拼力把近七百册书的捐赠名单整理出来，发给出版社后，有种把这辈子交待了一大半的感觉。心想即使明天回家，也没有枉到人间走一趟。

总算在这个世界上留下些东西。

没有寄给杂志社的朋友，心想他们要看的稿子太多。

出版社必须要手机号。在整理通讯录的时候，发现不少老师、朋友已经不在了。但在按下删除键时，还是想，难道就这样把它删去吗？心里有一个声音告诉自己：是，留着有什么用呢？不由得想，人活在这个世界上，也许就是别人手机上的一串数字而已。

两次大规模整理名单，需要大量精力。但像是上苍有意安排，两次都在影视之家完成，而且制片人这一两天都取消了本来已经安排好的看片任务，像是有意要让我把这些活干完似的。如果在家里，根本干不了，也无心干。看到儿子，想着儿子，分心。在宾馆，正好可以全神贯注。如此想来，也许它们是合道的，是天地要让它们尽快流通的。

甚至想，即使有恶人作梗，这七百多册书散到人们手里，也成功了一半。

给文学圈寄，心态更加复杂，有怕人嫉妒，也有怕人讥笑，甚至不屑。

"平'语'近人"何以近人

《史记》有云："平易近民，民必归之。"由中共中央宣传部、中央广播电视总台联合创作的"百家讲坛"特别节目《平"语"近人——习近平总书记用典》于 2018 年 10 月 8 日至 19 日在中央广播电视总台央视综合频道晚间黄金时段 20 点隆重播出后，受到了社会热烈欢迎，和大型纪录片《记住乡愁》一样，成为中华优秀传统文化创造性转化的新亮点，引发了收视新热潮。

跟踪收看已经播出的部分节目，可以用几个"近人"概括观感。

"典"近人

习近平总书记用典都是中华优秀传统文化中最具有基因性根脉性的句段，都是中华文化的最大公约数，是中华民族五千多年的智慧结晶，有着穿越时空的生命力，具有广泛的共鸣性、亲民性，和百姓心心相印，和当下生活紧紧相扣，能得到观众的强烈认同。同时，总书记用典充满着文化自信，充满着文化自豪感，充满着对祖国对人民的深厚关切，具有春风化雨般的贴切温暖和天然感染力。

"题"近人

这次讲坛选择的主题都很近人，是民族、国家、百姓迫切需要的，甚至是全人类需要的，跟现代人的心理渴望能够无缝对接，和纪录片《记住乡愁》等节目一样，是对中华优秀传统文化一次拉网式盘点和应用式推广。习近平总书记在全国宣传思想工作会议上强调："中华优秀传统文化是中华民族的文化根脉，其蕴含的思想观念、人文精神、道德规范，不仅是我们中国人思想和精神的内核，对解决人类问题也有重要价值。要把优秀传统文化的精神标识提炼出来、展示出来，把优秀传统文化中具有当代价值、世界意义的文化精髓提炼出来、展示出来。"在我看来，这些经典名句，就是我们的文化标识，就是我们的文化精髓。其中许多智慧，不仅对实现中国梦具有重大指导意义，对解决人类问题也有重要价值。

"解"近人

节目所请主持人、思想解读和经典释义人、朗诵家，包括大学生，都有很好的气质和素养，可亲可敬，口才好，台风好，不过分夸张，不过分煽情，娓娓道来。他们的解读既有传承性，也有时代性，能够做到创造性转化和创新性发展，很接地气。

"场"近人

主持人和嘉宾与大学生的现场互动是一个亮点。一定意义上，这是两代人的对话。从大学生的神态可以看出，现代年轻人渴望走进经典，渴望这些经典给他们的人生以指引。这些互动环节事实上就成为中华经典的校园调查。从大学生所问的一些问题里，可以感知到新一代大学生对经典的反应。这些经典投射到他们的心灵，会对他们产生怎样的影响力？从中可以看到大学生关注的是什么。这些经典能给他们的人生带来什么样的价值？在他们的心中是不是能激起涟漪？是不是能引起共鸣？哪些部分他们更感兴趣？这都有利于我们调整经典审美、经典教育、经典应用的思路。

"景"近人

这次讲坛的背景选择非常有审美效果。整场讲坛传达的都是中华文化的符号。大背景的图案意象、色彩、书画、剪纸，都是中华文化标志性元素，都代表着中华民族传统的审美意向，清静、温馨、安详，具有很强的家园感，让人眼前一亮。这是"百家讲坛"的一个创新性发展。在灯光的使用、环境的布置、主讲人主持人服装的设计上，既具有时代性，又不失中华美学韵味。

"读"近人

这次讲坛选择了央视的大牌主持人进行朗诵，把经典的解读带向经典审美、带向音韵感受，让人从解读的酣畅淋漓和释怀进入到一种内涵感、节奏感、旋律感、音韵感的享受；让人在唯美中感知中华文化的魅力，感知中华意向性和象征性文字组合独有的韵味，这在全世界所有的语言里面是独一无二的。中国古代用的是诵读。现代主持人的朗诵已经不是古典的吟诵了。如果是古典的吟诵就更有味道了。

"式"近人

传播方式近人。总书记的讲话用微视频的方式展示，传播力大大加强了。不像以前的节目多是整体性传播，这一次用了整体性和碎片化结合传播，分门别类，供不同的受众选择。不同的人可以选择不同的需要，符合现代快节奏大背景下的接受心理。

把解说词全文发布，也满足了一些渴望跟进学习、深度学习、全面学习的受众需要。配发了一些参与专家的解读，这给一些渴望学习、渴望深度走进传统文化的人，提供了不同的进入渠道和视角，具有很强的平民性、开放性。

每一集的结构上、形式感上显得生动活泼、跌宕起伏，具有一定的舞台效果和戏剧效果，符合现代人的观赏心理。过去的讲坛专家一讲到底，底下的观众非常安静。这固然很好，但今人很少也很难坐下来静静地听一个人讲四十分钟。更多的人需要在变化中学习，在动态中学习。这是对现代快节奏生活的主动审美适应。

解读人的一些段落性解读可以按主题制作成不同的短视频，适合现代人在手机上观看。总书记的用典具有很强的指导性和适应性。这种微视频，一定会被不少老师引入学校、用于课堂。

这七个"近人"让我们感受到现代电视节目要走进寻常百姓家，确实需要进行创造性转化和创新性发展。把中华文化用现代的方法论、现代的媒介、现代的手段潜移默化地、润物细无声地、不知不觉地送到千家万户，送到人们的日常生活中，方便人们去学习。

这种方式比传统的书本阅读、课堂解读生动得多，有吸引力得多。既然现代人已经离不开网络和手机，那我们就借助于网络和手机传递一些正能量的内容，主动引导，主动培养学用中华经典新群体，让经典内容去平衡那些八卦内容，去浸润当代人的心灵。

《守望家风》的贡献

央视热播的五集大型纪录片《守望家风》，是宁夏纪委、宣传部对习近平新时代中国特色社会主义思想的生动实践，是对中华文化传承的重要贡献，具有重要的历史传承价值和现实启示意义，体现了剧组主创人员的强烈爱国主义情怀。

节目坚持中华文化立场，传承中华文化基因，坚守中华文化审美风范，既注重故事性，又注重理论性，既注重历史性，又注重现实性，把五千年中华家风历史、中共家风历史和宁夏家风历史有机结合。

"一家仁，一国兴仁；一家让，一国兴让"。家风好，则族风好、民风好、国风好。社会精英层、特别是领导干部的家风对社会风气有着重要影响，在一定程度上起着引导和示范作用。习近平指出："领导干部的家风，不是个人小事、家庭私事，而是领导干部作风的重要表现。" 在群众眼中，领导干部的家庭与干部个人是作为一个整体的。领导干部家风好坏、其配偶子女在社会上的言行举止等，直接决定着干部和干部队伍在群众心中的形象。对领导干部而言，良好家风既是砥砺品行的"磨刀石",又是抵御贪腐的无形"防火墙"。

家风纯正,雨润万物;家风一破,污秽尽来。现实生活中,一些领导干部之所以贪污腐化,与其家规不严、家风不正有很大关系。从大量揭露出来的违纪违法案件看,很多腐败之祸的起因,"不在颛臾,而在萧墙之内也"。家风败坏已成为领导干部走向违法犯罪的重要原因。习近平指出:"不少领导干部不仅在前台大搞权钱交易,还纵容家属在幕后收钱敛财,子女等也利用父母影响经商谋利、大发不义之财。有的将自己从政多年积累的'人脉'和'面子',用在为子女非法牟利上,其危害不可低估。"2015年10月17日,中央纪委在对河北省委原书记、省人大常委会原主任周本顺被"双开"的通报中,首次使用了"家风败坏"这个词语。通报指出,周本顺为其子经营活动谋取利益,家风败坏、对配偶子女放任纵容。

家风隳坏,祸及全家。普通家庭家风不正、管教不严,子女很容易招惹祸端;而领导干部家庭,如果家风崩毁,则不仅祸害家族,而且还直接损害党和政府的形象。领导干部掌握着一定的公权,如若家风不良,其妻子儿女多贪欲丛生、借权生财或借势欺人、违法乱纪。出现"贪腐父子兵""受贿夫妻档""一人当官全家涉腐",最终下场只能是"一人落马牵出全家"。从近几年查处的一些案件看,出问题的干部普遍家规不严、家风不正,家属亲属相互影响继而恶性循环,形成家族式窝案、家族式腐败。中央纪委在对苏荣严重违纪违法的通报中，指出其"自身严重腐败，并支持、纵容亲属利用其特殊身份擅权干政，谋取巨额非法利益，严重破坏了党内政治生活，损害了当地政治生态，性质极其严重，影响十分恶劣"。苏荣落马后在忏悔录中写道："正常的同志关系，完全变成了商品交换关系。我家成了'权钱交易所'，我就是'所长'，老婆是'收款员'。"

"积善之家，必有余庆；积不善之家，必有余殃"。没有好的家规家风，既难以清白做人，也无法专心做事。刘铁男在儿子刘德成小时候便告诉他，"做人要学会走捷径，要做人上人"。其子"从小就觉得钱是万能的，有了钱就有了一切"，当其子弄权敛财时，他怎么可能秉公用权？还有一些别有用心的人，往往也是从领导干部的家庭成员中打开缺口，拉其下水。2015年1月12日，习近平同中央党校第一期县委书记研修班200余名县委书记学员座谈时指出："身边人害我们这些为官者的不在少数，被老婆'拉下水'、被孩子'拉下水'、被身边秘书和其他身边人如七大姑八大姨'拉下水'。"由此可见，家风败坏是干事创业的负资产，是滋生腐败的温床。

注重家风是中华民族的优秀品格，也是党的优良传统，良好家风是中华文明的重要组成部分，是我们成长的营养剂。习近平指出："家庭是社会的基本细胞，是人生的第一所学校。

不论时代发生多大变化，不论生活格局发生多大变化，我们都要重视家庭建设，注重家庭、注重家教、注重家风。"

"家之兴替，在于礼义，不在于富贵贫贱"。知礼仪、重家风是中华民族的优秀传统。因家风清廉质朴、善良守信、进取有为而赢得赞誉的古今名人不胜枚举。包拯严厉要求其后代不犯脏滥，不违其志，否则就不是包家子孙，死了也不得葬在包家祖坟。岳母姚氏在岳飞背上刺下"精忠报国"四个大字，岳飞又严格教育参战的儿子，一心报国。清代名臣林则徐留给后辈的家训说："子孙若如我，留钱做什么？贤而多财，则损其志；子孙不如我，留钱做什么？愚而多财，益增其过。"好的家风如同无声的教诲，助人立德立言、成人成才，让后人铭刻在心、代代受益。优良的家风传承是中华文明星火相传、灿烂不熄的重要原因。

干部之家应该有什么样的家风呢？老一辈革命家早就用实际行动给我们作出了表率。习近平指出："在培育良好家风方面，老一辈革命家为我们作出了榜样。"毛泽东同志在家风上坚持三条原则："恋亲不为亲徇私，念旧不为旧谋利，济亲不为亲撑腰。"毛泽东同志对待子女总是要求他们与老百姓一样，不允许搞特殊化。他常说的一句话是："谁叫你是毛泽东的儿女呢？"无论是对待毛岸英的婚姻问题，还是对李讷的上学问题，毛泽东同志都是这一句话。周恩来同志曾专门召开家庭会议，并定下不谋私利、不搞特殊化的"十条家规"：晚辈不能丢下工作专程去看望他；来者一律住国务院招待所；一律到食堂买饭菜，有工作的自费，没有工作的总理代付伙食费；看电影（戏）以家属身份买票入场，不准用招待券；不准请客送礼；不准动用公家的车子；个人生活凡能自己做的事，不要别人办，生活要艰苦朴素；任何场合都不要讲出与总理的关系，不要炫耀自己；不谋私利，不搞特殊化。陈云同志为亲人定下"三不准"：一是不准家人搭乘他的车；二是不准家人接触他看的文件；三是不准家人随便进出他的办公室。习仲勋同志教育子女要"勤俭持家、低调做人"。2001年10月15日，习近平在写给父亲的祝寿信中说："自我呱呱落地以来，已随父母相伴四十八年。对父母的认知也和对父母的感情一样，久而弥深。从父亲这里继承和吸取的高尚品质很多。父亲的节俭几近苛刻。家教的严格，也是众所周知的。我们从小就是在父亲的这种教育下，养成勤俭持家习惯的。这是一个堪称楷模的老布尔什维克和共产党人的家风。这样的好家风应世代相传。"这些家规严、家风正的佳话，既彰显了共产党人特有的风骨，也为今天的干部树立了榜样。

"将教天下，必定其家，必正其身"。家是最小国，国是千万家。家庭是国家发展、民族进步、社会和谐的基点，修身齐家是干事创业的基础。习近平指出："中国古代历来讲格物致知、诚意正心、修身齐家、治国平天下。从某种角度看，格物致知、诚意正心、修身是个人层面的要求，齐家是社会层面的要求，治国平天下是国家层面的要求。" 家风对于个人、家庭、社会和国家的发展都具有重要意义。领导干部要懂得"修身、齐家、治国、平天下"的道理，抓好自身修行，管好家人，培育和建设良好家风。2015 年 2 月 27 日，习近平主持召开深改组第十次会议，审议通过了《上海市开展进一步规范领导干部配偶、子女及其配偶经商办企业管理工作的意见》。《意见》指出："各级党委（党组）要重视领导干部家风建设，把它作为加强领导班子和领导干部作风建设的一项重要内容，定期检查有关情况。"

"欲影正者端其表，欲下廉者先之身"。正人先正己，正己才能正亲。党员领导干部想要亲属、下属廉洁，先要自身廉洁，廉政的根源在领导本人。如果自身都是当面一套、背后一套，台上大讲反腐，回家大肆受贿，怎能立起好家风？要求别人不能做的，却想着法子为自己或家人行方便、开"绿灯"，这样的做派，又怎能服人？习近平指出："当官就不要发财，发财就不要当官。清清爽爽、义无反顾地去当官。不要把当官作为一个满足无穷贪欲、获得无限私利的捷径，那样迟早要完蛋。"因此，领导干部要加强党性修养，始终坚定共产主义信仰、中国特色社会主义信念；要牢固树立公仆意识，自觉克服特权思想，低调做人。只有自觉做到廉洁自律、清白做人、干净做事，并为子女作出好的榜样，树立一个好的形象，才有较强的说服力和教育示范作用，才能为树立清廉家风奠定良好基础。2015 年 12 月 28 日至 29 日，习近平在中央政治局专题民主生活会上指出："中央政治局的同志不能有权力上、地位上的优越感。无论公事私事，都要坚持党性原则，都要加强自我约束，鼓励和欢迎下级和身边工作人员监督，不折不扣执行党的纪律和规矩。对亲属子女和身边工作人员，要严格教育、严格管理、严格监督，发现问题及时提醒、坚决纠正。"

"察德泽之浅深，可以知门祚之久暂"。家庭是人生的起点和归宿，家庭风气正，事业才能枝叶茂盛。《中国共产党廉洁自律准则》要求党员干部"廉洁齐家，自觉带头树立良好家风"。领导干部要成为道德榜样和良好家风的建立者、守护者。一方面以自身清正为"齐家"树立标杆，另一方面要严格要求配偶和子女，决不能纵容、默许亲属利用自己的职权或影响谋取私利，以免"后院起火"、养痈遗患。习近平指出："要留留神，防微杜渐，不要护犊子。干部子弟也要遵纪守法，不要以为是干部子弟就谁都奈何不了了。触犯了党纪国法都要处理，而且要从严处理，做给老百姓看。"严是爱，宽是害。领导干部严格要求家人，既是对家庭的负责，更是对家人的爱护。"国计已推肝胆许，家财不为子孙谋"。干部对亲属决不能因为亲情而睁一只眼闭一只眼，一旦发现亲属有利用自己职权谋利的倾向，就要坚决制止，防止小错酿成大祸，保证家庭风清气正。习近平指出："要教育家属、子女不搞特殊化，不打着我们的旗号收受好处，乱说话，乱办事。"习近平强调："必须管好亲属和身边工作人员，不得默许他们利用特殊身份谋取非法利益。"

"忠厚传家久，诗书继世长"。良好家风是中华文明的璀璨明珠，是党长盛不衰的红色基因，是党员干部干事创业的重要软实力。党员干部要带头抓好家风建设，做到家风正、作风淳、廉洁奉公，以优良家风推进党风政风民风的持续好转。

一部被严重价值低估的长篇

在拙著《醒来》中，我把生命分为五个层次：物我、身我、情我、德我、本我。相应的，也把文学境界对应为，物质的狂欢、身体的狂欢、感情的狂欢、道德的狂欢、本质的狂欢。纵观文学史，古人多在感情的狂欢、道德的狂欢、本质的狂欢之间挥洒文墨，到了近现代，特别是当代，物质的狂欢、身体的狂欢占了大多数。

陈彦的长篇小说《主角》在哪个层面？

如果不看下部，只看上中部，大家很容易把它定位在下三层，也就是物质狂欢、身体狂欢、感情狂欢之间。可是，当我们把下部认真读完，就会发现，这是一部直达本质的长篇小说，上中部中对人物命运的书写，都是为下部作铺垫。

下部一开篇，就写因为舞台垮塌事故被免去团长一职的忆秦娥回九岩沟。到了九岩沟，她"几乎天天晚上都在做噩梦，每每梦见自己被阎王招了去，严刑拷打，问这问那的"。

且听阎王讯语：

"你还不知罪，就因为你爱出风头，把多少好慕虚名的凡俗无辜，招致虚空台前，看你搔首弄姿，大玩花拳绣腿，鼓噪爱恨情仇，引发血光之灾。你竟然还不知罪。那好吧，先带这些死要面子活受罪的家伙去参观，待参观完后，再看他们如何反悔思过。"

等忆秦娥参观完，她就觉悟了，遂去了尼姑庵。庵中，忆秦娥先后持诵《地藏菩萨本愿经》《金刚经》。

一看这写法，就知道之于解脱之道，作者早已登堂入室了。因此，他能够在忆秦娥的命运逻辑线发展到高潮时，从容带她进入第二个循环。

现在，忆秦娥不再是忆秦娥，而是慧灵居士。当她怀着超度师父、加持儿子之心，一切苦累都变成法喜。

忆秦娥是抱着儿子、念着《大悲咒》离开九岩沟的。

住持告诉她："修行是一辈子的事：吃饭、走路、说话、做事，都是修行。唱戏，更是一种大修行，是度己度人的修行。只要懂得这个道理，就没有必要住庙剃度了。要不然，这世间的庙堂也是住不下的。"

回去之后，她和刘红兵办了离婚手续。但不久，她就听说，刘红兵把另一个女人的肚子又搞大了。这时，她想起了《地藏菩萨本愿经》里的一段话："我观是阎浮众生。举心动念。无非是罪。脱获善利。多退初心。若遇恶缘。念念增益。是等辈人。如履泥涂。负于重石。渐困渐重。足步深邃。"她想，刘红兵还有什么救呢？

至此，我们看到忆秦娥的心里已不再是怨恨，而是可怜，甚至有一丝隐隐的慈悲。正是这种慈悲，让她开始了漫漫救儿路；正是这种慈悲，让她不愿意相信医院的检查结果：儿子是先天性智障；正是这种慈悲，让她原谅了一个又一个设陷整她的人。

需要注意的是，作者在这里没有引用《金刚经》中的句子，也没有引用《心经》中的句子，而是《地藏菩萨本愿经》。只要对几部经典略作了解，就会知道，这里面，有作者对这滚滚红尘的大体贴。

接下来，忆秦娥经历了儿子和新任丈夫石怀玉的死，更经历了她的名我"主角"的死：她的养女宋雨代替了她。亲人之别苦，但还没有角色之别苦。她一手培养出道的养女活生生成了她的"对手"。团长薛桂生居然要让宋雨出演原创剧《梨花雨》的主角。这是她自己的女儿，按说忆秦娥应该全力支持，但她却是那么的不甘心，找团长薛桂生未果，又去找编剧秦八娃。

秦八娃说："秦娥，你把主角唱到这个份上，应该有一种胸怀、气度了，让年轻人尽快上来，恰恰是在延伸你的生命。尤其这孩子还是你的女儿呀！你希望自己是秦腔的绝唱吗？"

忆秦娥说："我是支持培养年轻人的，可这个角色分量太重，只怕宋雨一时完成不了。我可以在前边带一带，先给她画个样样。一旦觉得她行，立即把她推到前台就是了。"

秦八娃说："你成名时，也就十七八岁，而他们现在正是这个年龄啊！应该让他们试一试了。"

忆秦娥没有说服团长薛桂生，也没有说服编剧秦八娃。她只能听任安排，进剧组做艺术总监了。

宋雨成了省团新的主角，秦八娃为她量身定制的原创戏《梨花雨》取得爆炸性成功。这也标志着忆秦娥独领风骚的时代彻底结束了。

作者以非常好的分寸感，写了灭"名我"之难。就连把《皈依经》《地藏菩萨本愿经》《金刚经》《心经》倒背如流的忆秦娥，面对名我，都是如此不舍，何况没有任何空性修养的普通人。

一个人要从舞台中心，突然退居一旁，哪怕代替者是自己的养女，也难以接受。失去越是重要的角色，失重和坠落感就越强。

可是，看官中，又有几人想到，这活鱼脱壳般活生生作别角色的忆秦娥，就是自己?

好在，只要有出口，灵魂总能迂回。这时，她再次回到九岩沟，回到尼姑庵。尽管当年摆渡她的老住持已经坐化，但她还是找到了她生命的第三个循环。这个循环，是通过她舅的口说出来的：

"你还是得回去唱戏呢。我听广播里说了，小忆秦娥都出来了。是咱的娃，好事情嘛！各有各的路数，你还有你的观众、你的戏迷么，名角都在唱戏、教戏两不误了。胡彩香要是没给你教几出戏，早都没她了。就因为给你教了戏，凉皮都卖不安生，现如今，又被市艺校高价聘去教唱了。"

忆秦娥是被舅舅带出山沟的，现在又被舅舅带出精神之谷。

舅舅说的是俗理，忆秦娥却听出了禅机。法脉流传，就是通过角色换位完成的。所谓衣钵，就是角色的凭证。关键时期，能否主动让位，意味着是否突破名关，名关不破，真我难现，真我不现，人生就是苦海。

且看书之结尾。平时，都是她唱别人的剧本，这次是她自己吟的《忆秦娥·主角》：

易招弟，

十一从舅去学戏。

去学戏，

洞房夜夜，

喜剧悲剧。

转眼半百主角易，

秦娥成忆舞台寂。

舞台寂，

方寸行止，

正大天地。

说是"方寸"，却是更大的天地。

至此，忆秦娥真正完成了她的角色转换。那就是从情感舞台，转向本质舞台。也就是我开篇讲的，从前四个生命狂欢，转向第五个生命狂欢。完成了从相对自由到绝对自由的转换，从大热闹到大寂寞的转换。

但这大寂寞中，分明有大芬芳。

这时，再来体味《主角》这一书名，便有了无可言说的哲意。

遗憾的是，观遍本书评论，多停留在"反映论"上。窃以为，这是对《主角》价值内涵的严重低估。

一次关于中华民族的"护生"行动

认真研读习近平总书记在文艺座谈会上的讲话，总觉得其旨不独在文艺，它是一次关于中华民族的"护生"行动。对于一棵五千年的老树来讲，护生的关键莫过于把根留住。

为此，文艺能做些什么？

答案应该是连根养根。而要连根养根，文艺无疑要回到"文道"，回到"大前提"。

先觉是先行的前提。总书记强调："作家艺术家要成为时代风气的先觉者、先行者、先倡者。"非常科学地道出了觉和行的关系，先觉是先行的前提。而要先觉，我们就要先把心安下来。就像一个湖面，只有风平浪静，才能映照星月。而要把心安下来，就要先"知止"，因为"知止才能有定，定而后能静，静而后能安"。这个"止"，正是传统所讲的内容。先觉的基础是传统。

常识是常态的前提。总书记强调："追求真善美是文艺的永恒价值。"如何才能保持这个永恒价值，答案仍然在传统里。传统文化是常态文化，也是常识文化。而常态来自对常识的尊重和遵守。一个人要走得远，不能总是改变方向。中华民族之所以能够保持五千年的生命力，正是因为中华民族有五千年的文化常态。世界史上，有那么多民族你方唱罢我登场，各领风骚几百年，正是因为他们没有保持常态。从一定意义上讲，常态是保持人民性的最好方式。一个总是更换根的树，无法成为参天大树。如果说参天大树的花果是人民福利，那么这个福利来自文化之根的坚定，也即常态。总书记讲："要始终把人民的冷暖、人民的幸福放在心中。"要想实现这个"始终"，只有心里永远有人民，而要心里永远有人民，就要把人民视为亲人。如何把人民视为亲人？传统文化里有根本性答案。

人品是作品的前提。总书记指出："文艺工作者要自觉坚守艺术理想，不断提高学养、涵养、修养……讲品位，重艺德，为历史存正气，为世人弘美德，努力以高尚职业操守、良好的社会形象、文质兼美的优秀作品赢得人民喜爱和欢迎。"细细品味这段话，有着非常强烈的逻辑关系。"三养"最终要落在"修"字上，也就是"行"字上，否则无法完成真正的"养"。再看如何赢得人民的喜爱和欢迎。第一是高尚的职业操守，第二是良好的社会形象，第三才是文质兼美的优秀作品。"一"和"二"是生产"三"的前提。一个连合格证都没有的工厂，是很难生产出合格的产品来的。总书记讲，要彰显"信仰之美，崇高之美"，就要求作家艺术家首先有信仰，有崇高。

公益是效益的前提。总书记提出："一部好的作品应该把社会效益放在首位，同时也应该是社会效益和经济效益相统一的作品。"强调了"首先"和"统一"的次第。试想，如果人心坏了，要再多的钱有什么用？试想，有再多的钱，能买回来已经坏了的人心吗？事实上，"蓝天上的阳光"和"春季里的清风"，是不愁没有市场的。现在，一些作家艺术家之所以用低俗代替通俗，用欲望代替希望，用感官快乐代替精神快乐，正是因为他们没有找到心灵的阳光和清风。

传统是传承的前提。总书记在讲话中一方面出题："要引导人民树立和坚持正确的历史观、民族观、国家观、文化观，增强做中国人的骨气和底气。"一方面给出答案："中华优秀传统文化是中华民族的精神命脉，是涵养社会主义核心价值观的重要源泉，也是我们在世界文化激荡中站稳脚跟的坚实根基。"因此，作家艺术家"要结合新的时代条件传承和弘扬中华优秀传统文化，传承和弘扬中华美学精神"。

总书记的讲话精彩点很多，精神可以概括为方向性、人民性、崇高性、倡导性、常态性、传统性。事实上，如果再浓缩，就是传统性。因为传统的核心就是方向性、人民性、崇高性、倡导性、常态性。

说穿了，总书记的话里有"归意"，因为我就是这么"归来"的。

写作，从西方到东方。

总书记讲："文艺不能在市场经济大潮中迷失方向。"当年，我也曾狂热地学习并模仿了一段时间西方现代派，写了不少表现感官狂欢的作品。后来，我发现我不敢拿我写的这些文字给父亲看，不敢给老师看。再后来，不敢给孩子看。我才意识到出了大问题。从1998年开始，我把目光转向民间传统，转向生我养我的大地，转向亲我爱我的父老乡亲，写下了《大年》。发表后，反响果然很好。接着，在李敬泽、胡平、魏心宏等老师的鼓励、指导、鞭策下，创作了长篇小说《农历》，前后用了十二年时间。

文化，从时髦到传统。

总书记讲："一部好的作品应该把社会效益放在首位，同时也应该是社会效益和经济效益相统一的作品。"当年，我也曾受过"蓝色文明"的影响，一度热衷于现代主义。但是不久，我就发现它无法带给我真正的快乐。彷徨之后，我走进经典。2006年，我开始学讲孔子，受到欢迎，但也经历了巨大压力。好在期间我得到了主要领导的支持，加上自己从中感受到实实在在的快乐，就坚持了下来。去年以来，总书记在曲阜、中央政治局十四次集体学习、访欧、北师大、第五届儒学大会上的系列讲话，一次次安定了我的心。这次文艺座谈会上关于传统文化的强调，更让我吃了定心丸。现在，由中华书局出版的《寻找安详》已经发行近十万册。由上海文艺出版社出版的长篇小说《农历》、由浙江文艺出版社出版的散文集《守岁》等拙著也多次重印。这从另一个方面证明，传统不但能够取得社会效益，也能够取得经济效益。而且，这种市场效益将是长久的，非泡沫的。

做人，从利己到利他。

总书记讲："文艺工作者要自觉坚守艺术理想，不断提高学养、涵养、修养"，"讲品位，重艺德，为历史存正气，为世人弘美德，努力以高尚职业操守、良好的社会形象、文质兼美的优秀作品赢得人民喜爱和欢迎。"曾经，我也是一个利己心很重的人。通过深入传统，我意识到自己错了，便下决心改正。经过十几年的努力，特别是近两年做文艺志愿者的经历，我切身地体会到，真正的幸福在利他里。现在，我可以毫无纠结地向全国大面积捐赠拙著，可以把多数精力放在公益事业上。我切实体会到，没有更高级的精神享受是无法超越强大的感官享受的。《农历》在第八届"茅盾文学奖"评选中得票第七，很多出版社向我约稿，稿酬也出得很高。有些编辑甚至直说，他们会以精品书高调出版，冲刺下届"茅盾文学奖"。这次得票第七，下届机会很大。我也为之动心，开始写一部长篇小说。但写到一半，我停笔了，以一位文艺志愿者的身份，投入到文化公益事业中去了。因为我知道，如果不接地气，不提高人格，不打开心量，再写也是重复，也很难超过《农历》，这对生命是浪费。现在看来，这种选择是对的。两年的文艺志愿者实践，让我走出象牙塔，真正深入到人民中间去，体会他们的喜怒哀乐，积累了大量素材。接下来，我想再用十年的时间，写一部真正接地气的长篇。

工作，从应景到常态。

文艺要彰显"信仰之美，崇高之美"，"要引导人民树立和坚持正确的历史观、民族观、国家观、文化观，增强做中国人的骨气和底气"。"中华优秀传统文化是中华民族的精神命脉，是涵养社会主义核心价值观的重要源泉，也是我们在世界文化激荡中站稳脚跟的坚实根基"。"要结合新的时代条件传承和弘扬中华优秀传统文化，传承和弘扬中华美学精神"。"只要中华民族一代接着一代追求真善美的道德境界，我们的民族永远健康向上，永远充满希望"。

作为银川市文联主席、《黄河文学》主编，我倒是基本没有偏离方向。2004年任职之后，经过一段时间探索，便进入常态工作。

主持刊物方面——

早在西海固负责《六盘山》时，在领导支持下，我就把培养文学新人作为重点，多次编发校园文学小辑、专号。现在，不少活跃在宁夏甚至全国文坛的青年作家，就是从中启航的。比如作品入选《三十年散文观止》的王正儒，获得"五个一工程奖"的马金莲，获得"人民文学奖"的高鹏程，被中国作协重点扶持的刘汉斌，在《人民文学》《小说选刊》等大刊物上发表作品的杨建虎、穹宇、苏炳鹏、李义、马占祥，等等。

任《黄河文学》主编之后，我提出了"三个倡导"：倡导办一份能够首先拿回家让自己孩子阅读的杂志，倡导办一份能够唤醒读者内心温暖、善良、崇高和引人向内向上的杂志，倡导办一份能够给读者带来安详的杂志。

近十年来，刊物从未刊发广告和有偿稿件，保持了刊物的纯粹性。即使在经费最困难的日子里，也婉谢广告投资、婉谢有偿栏目意向，从未给编辑摊派征订和创收任务，让编辑安心工作。

组织了《黄河文学》签约活动。和其他地方投重资面向全国签约名家不同，我们把目光投向文学新人，投向最基层。其中有大学生，有自由职业者，有在最偏远山区工作的小学教师，马金莲就是其中之一。现在，他们已经成为作家中的栋梁。马金莲获得"五个一工程奖"，唐荣尧、张涛等多次承担了自治区重大创作项目。组织了"全国高校文学"联展。今年第十二期又编发了草根文学专号。

开设具有"另一种文学史"意味的探索性栏目——"话题：文学的干净"。以大访谈形式，下大力气，先后采编了周国平、史铁生、陈忠实、陈建功、张贤亮、杨绛、王安忆、韩少功、陈世旭、梁晓声、高洪波等文坛大家，达三十多万字，在业界引起较大反响。十几年不变的封二"名家留言"已经成为一份难得的名家文学观档案。

2012 年，在读了已经被一家大型刊物留用的长达七万字的长篇散文《娘》后，我们觉得和刊物理念十分吻合，便动员作者改投，由《黄河文学》破例全文一次性推出。发表后，被《新华文摘》等多家选刊转载。编辑部在一些高校组织诵读活读，场面无比感人。单行本发售现场出现了警察维护秩序的场面。除了获得"2011 年度华文最佳散文奖"等奖项，在由中共中央宣传部、中央电视台联合摄制的全景展示党的十六大以来文艺战线取得新成就、新突破的大型电视文艺专题片《为时代放歌》第二集《荟萃》中作为文学类的成就被重点介绍。

通过同仁近十年的共同努力，刊物日益获得全国影响力。连续四年进入国家新闻出版总署农家书屋推荐目录，为同类同级文学刊物中唯一一家。使刊物印数由 2004 年的 1500 份到 2012 年的 10000 份。所发作品多次获得全国奖项，持续被权威刊物和各种选本转载，转载率保持在 10% 左右。被国内权威媒体介绍。2012 年，《人民日报》以整版篇幅刊发大型文章《文学期刊：差异性建构文学的共同体》，重点介绍了国内十余家刊物。《黄河文学》被作为话题之一，配封面与《人民文学》等国内知名文学刊物共同引介。

文联工作方面，我在服务中心工作。在加强"联络、服务、协调"的同时，我认为还要倡导正面价值，引导社会风气。为此，我们提出了"文化不是娱乐；文化首先应该具有改造力、和谐力；文学首先应该具有祝福性、建设性；作家艺术家应该带着父母心肠写作，用干净、温暖、诗意的文字和作品点亮读者的心灯，安妥读者的灵魂，让文学成为读者的精神家园；阅读决定一个民族的生命力"等观点，得到市委主要领导肯定和分管领导的支持。在工作中实践。

从 2007 年开始，开展了三届诗歌节。其中第二届以传统文化为内容，银川市大多学校参与进来。有人称之为银川市的一次传统发蒙活动，在全国引起不小反响。连续五届赏月诗会，群众参与广泛而又热烈。让文艺走进单位、学校、社区、工厂，向社会捐赠刊物书籍数万册。协助央视拍摄大型纪录片《中国年俗》和一百集古村落，协助宁夏电视台拍摄有关传统文化节目，配合《宁夏日报》送文化进监狱，等等。

在银川市第七次文代会期间，报请市委表彰了有突出贡献的专家和十位草根文艺家，给他们每人奖励一万元，落实十大协会活动经费，在全国引起很大反响，极大地鼓舞了文艺家特别是基层文艺家。感谢韩美林先生投资五十万元资助基层文艺。今年，在首次出版十卷本"文学银军"丛书的基础上，又组织出版五十六卷本银川文艺家精品集，计划近两年内出齐一百册。

心态，从抱怨到感恩。

曾经的我心里有不少抱怨。走进传统文化之后，觉得这种心态是错误的，渐渐由抱怨转向感恩。再读总书记讲的"各级党委要营造有利于文艺创作的良好环境"，扪心自问，不但没有意见可讲，反倒觉得十分惭愧。世界上，恐怕没有哪个国家像中国这样养育作家艺术家。就我个人来讲，就受到国家太多的恩惠，得到中宣部、国务院、各级常委、政府和社会各界太多的关怀，都是以文学的名义。来自各级作协的扶持就更不必说。每每想起领导对我说："文斌，你好好干，我会继续支持你。"就觉得肩上的担子很重。

因此，心存感恩，回报社会，就是对讲话精神的最好落实。

心里有人民　肩头有责任　笔下有乾坤

"天地玄黄，宇宙洪荒，日月盈昃，辰宿列张"。2016年11月30日，虽然是严冬，但庄严雄伟的人民大会堂里却温暖如春。这是中华民族演进史上具有里程碑意义的一天。这天，习近平总书记为中华民族重建"文道"，重修"艺德"。总书记的讲话既传统又现代；既理性又诗性；既有哲学高度，又有美学感染力；既有历史纵深感，又有现实厚重感，既有中国情怀，又有世界胸怀；既有宏观建设性，又有微观操作性。可谓新时代的"文心雕龙"。其韵似兰斯馨，其文如松之盛，可欣可赏，可吟可诵，一如"黄钟大吕"。

从中，总书记提出了新的文化观、人民观、创新观、理想观。整篇文章就像一棵郁郁葱葱的大树：文化观是根，人民观是杆，创新观是枝，理想观是花果。浑然一体，声情并茂。听来扣人心弦，引人入胜，极有历史穿透力和现实召唤力。

特别是总书记对文化自信的根基性、价值观的决定性、人品的首先性、艺术理想的引领性的强调，都具划时代意义。

在总论里，总书记指出："中华民族生生不息绵延发展、饱受挫折又不断浴火重生，都离不开中华文化的有力支撑。中华文化独一无二的理念、智慧、气度、神韵，增添了中国人民和中华民族内心深处的自信和自豪。在五千多年文明发展中孕育的中华优秀传统文化，在党和人民伟大斗争中孕育的革命文化和社会主义先进文化，积淀着中华民族最深沉的精神追求，代表着中华民族独特的精神标识。"

在讲到五千年中华优秀传统文化时，总书记格外强调："传统文化是我们的宝。我到世界各地，只要一谈到中华传统文化，人们莫不表示敬重。"从中，我们可以设身处地地体会到总书记对中华传统文化的珍视，甚至体会到他内心的着急和对作家艺术家将中华传统文化弘扬光大的殷切期待。

接着，总书记讲到"文运和国远相牵，文脉同国脉相连"，点出"文艺是国民精神的灯火"。让文艺家做到"胸中有大义，心里有人民，笔下有乾坤"。"昭示美好前景，描绘光明未来"。

为此，总书记对文艺家提出了四点希望。

"鸣凤在竹，白驹食场，化被草木，赖及万方"。在第一点希望也即新的文化观部分，总书记就像一位穿越历史又游历寰宇的归来人，不容置疑地告诉我们文化自信的不可替代性价值和根本性意义："文化自信是更基础、更广泛、更深厚的自信，是更基本、更深沉、更持久的力量。坚定文化自信，是事关国运兴衰、事关文化安全、事关民族精神独立性的大问题。没有文化自信，不可能写出有骨气、有个性、有神采的作品。"

在此部分，总书记用特别严厉地口气指出："绝不做亵渎祖先、亵渎经典、亵渎英雄的事情。"这让人想到古人所说的"盖此身发，四大五常，恭惟鞠养，岂敢毁伤"。他要求文艺家要有"史识、史才、史德"。"不忘本来、吸收外来、面向未来"。"让我国文艺以鲜明的中国特色、中国风格、中国气派屹立于世"。

于此，由中宣部等部委推动支持中央电视台组织拍摄的大型纪录片《记住乡愁》即为有力的证明。节目在央视四套、九套、一套和一些地方台播出后，反响十分强烈，甚至有不少人进行了生活化复制和精神性借鉴。其中第二季多次获得国家纪录片大奖。一个家族能够传承千年，其历史跨度超过许多民族，许多国家。一部族谱能够保留千年，无论是战乱还是瘟疫，都未能让它从大地上消失。一个村落，能够成为状元村、翰林村、将军村、长寿村，能够几百年来没有发生过刑事犯罪，能够做到路不拾遗，夜不闭户，活生生地证明了总书记关于文化自信的论断既是历史史实，又是生活真实。

在阅读这些台本的时候，我在想，一个受过重伤的人，最重要的是恢复元气。当下社会，各种危机困扰着人们，说一千道一万，其原因在于我们没有恢复这些隐藏在人民之中、深埋在岁月深处的原始生命力。于是，管理层辛苦得一塌糊涂，手忙脚乱，却是按下葫芦起了瓢，情况往往更加麻烦。就像古人几味草药就可以治好的病，现在动辄要花成千上万元。这种高治理成本，源于我们迷失在头痛医头脚痛医脚的"技"之层面，而忽略了"技"之上有"术"，"术"之上有"学"，"学"之上还有"道"。一些在"技"层面需要千斤之力才能完成的事情，在"道"层面也许用四两力就够了。君子务本，本立则道生。这个"本"，就是总书记讲的"宝"，她是中华民族的最宝贵家底，是中华儿女理应继承下来的看家本领。

就我个人的文学创作而言，拙著"农历"系列、"安详"系列之所以能够得到读者欢迎，一印再印，正是得益于自己转身"回家"，从热衷于先锋性创作转向对祖先留下的中华优秀传统文化的深深礼敬和自觉书写。

"仁慈隐恻，造次弗离，节义廉退，颠沛匪亏"。在第二点希望也即新的人民观里，总书记的语气就像一位深谙宇宙秘密和人情世道的夫子给学生纠错："文学艺术要让人民体会到人间真情和真谛，感受到世间大爱和大道。""我们有责任写出中华民族新史诗。"在这部分，总书记特别强调"文人之笔，劝善惩恶"。"文艺创作的目的是引导人们找到思想的源泉、力量的源泉、快乐的源泉。清泉永远比淤泥更值得拥有，光明永远比黑暗更值得歌颂。广大文艺工作者要提高阅读生活的能力，善于在幽微处发现美善、在阴影中看取光明，不做徘徊边缘的观望者、讥诮社会的抱怨者、无病呻吟的悲观者"，不要视个人小悲欢为全世界。

近几年，我以一位文化志愿者身份，走遍了祖国的大江南北，对中华文化如何对接时代问题，如何让社会主义核心价值观"落小落细落实"，如何解决时代性精神空虚问题，如何引导人们走出走出价值迷茫，走出焦虑和抑郁，包括如何有效提高人们的幸福指数，在最朴素的日常生活和工作中享受生命，包括享受本职本分，进行了一些实践，效果让人惊喜。在中华书局出版的拙著《寻找安详》和《醒来》中，我收录了十六则案例，证明了总书记讲的"要用有筋骨、有道德、有温度的作品，鼓舞人们在黑暗面前不气馁、在困难面前不低头，用理性之光、正义之光、善良之光照亮生活""让人们看到美好、看到希望、看到梦想就在前方"是非常正确的。它让我切实感受到"离开人民，文艺就会变成无根的浮萍、无病的呻吟、无魂的躯壳。一切有抱负、有追求的文艺工作者都应该追随人民脚步，走出方寸天地，阅尽大千世界，让自己的心永远随着人民的心而跳动"。也让我切实感受到"用文艺的力量温暖人、鼓舞人、启迪人，引导人们提升思想认识、文化修养、审美水准、道德水平，激励人们永葆积极向上的乐观心态和进取精神"是多么重要。

"孔怀兄弟，同气连枝，交友投分，切磨箴规"。在第三点希望也即文艺的创新观里，总书记的口气就像一位循循善诱的夫子，想方设法扩展学生们的心量："中国人民不仅将为人类贡献新的发展模式、发展道路，而且将把自己在文化创新创造中取得的成果奉献给世界。""让目光再广大一些、再深远一些、向着人类最先进的方面注目，向着人类精神世界的最深处探寻。""为世界贡献特殊的声响和色彩、展现特殊的诗情和意境。"

仍然以《记住乡愁》为例，它让全世界人民看到，这个世界上，曾经有一种生活，是那么自足、自在、自得、自由、潇洒、浪漫、诗意、喜悦、幸福、圆满，但成本却非常低。它让全世界人民看到，这个世界上，有这么一个民族，其变得强大的目的是为了帮助弱小者，发达的目的是为了接济困难者。那里的人们"读书志在圣贤，非徒科第，为官心存君国，岂计身家"，奉行"第一等好事只是读书，几百年人家无非积善"，秉持"积善之家，必有余庆，积不善之家，必有余殃"。它让全世界人民看到，形象生动的中国之"中"，活灵活现的中国之"中"，其表现在生命上是清净、平等、觉悟，表现在为人上是温良恭俭让，表现在伦理上是孝悌忠信礼义廉耻仁爱和平，表现在管理上是诚意正心修身齐家治国平天下。

这个民族，她把生活成就和生命成就相统一，把个人成功和集体成功相统一。她既关注个人幸福，也不忘"人类命运共同体"。从这个意义上说，记住乡愁，不但是华人之福，更是人类之福，不仅是中国梦，更是人类梦的一个模型。

正如中宣部常务副部长黄坤明同志所讲，《记住乡愁》是社会主义核心价值观的最生动体现，也是落实总书记文艺座谈会精神的成功体现。

"德建名立，形端表正，空谷传声，虚堂习听。"在第四点希望也即文艺的理想观里，总书记的口气就像一位母亲般谆谆教导，语气中含着慈悲和爱护："文艺是铸造灵魂的工程，承担着以文化人、以文育人的职责。"要"引导人们向高尚的道德聚拢，不让廉价的笑声、无底线的娱乐、无节操的垃圾淹没我们的生活"。我曾在《文学祝福性》一文中写到一位反社会青年因为读了《平凡的世界》和《了凡四训》而浪子回头，重新做人，最终成为一位道德模范的故事，印证了总书记这段教诲的重要。

总书记讲："伟大的文艺展现伟大的灵魂，伟大的文艺来自伟大的灵魂。""创作者要首先塑造自己。""德不优者不能怀选，才不大者不能博见。""要遵循言为士则、行为世范。"对此，我个人非常有感触。自己的一些演说和行为之所以影响了一些人，收到了一定的社会效果，也许正和自己意识到这一点有关。为了让大家对传统文化生起信心，近年来，我先后向全国公益平台捐赠了一百多万码洋的拙著，从中切实感受到了一种"知行合一"的感召效果，也切实感受到了一种放下"自我"的喜悦。为此，当我看到一所著名大学百分之四十的学生有生命无意义感，我就特别想告诉他们，当年的自己也是如此，但是通过践行中华传统文化，我终于走了出来。我现在不但没有生命无意义感，反而每时每刻都能感受到生命的喜悦和人生的幸福。为此，我特别能够意会总书记所引"江山留胜迹，我辈复登临"的生命情怀。

"笃初诚美，慎终宜令，荣业所基，籍甚无竟"。静夜再读总书记的讲话，发现文本本身就体现了对传统的无限礼敬，对人民的无限爱护，对创新的无限鼓励，对理想的无限期许。

写到这里，我的眼前再次浮现出 2016 年 11 月 30 日上午，总书记站在中华民族复兴的大舞台上，用非常舒缓的语调，非常深厚的底气，非常优美的旋律，为伟大的中国梦勾画的新的蓝图，描绘新的色彩，塑造新的模型。

中华文化史上一件具有划时代意义的大事

2017 年 1 月 25 日，在全国人民喜迎新春佳节的时候，中办国办印发了《关于实施中华优秀传统文化传承发展工程的意见》，让这个鸡年的春节格外喜庆。在我看来，这是中华文化史上一件具有划时代意义的大事，也是中华民族复兴进程中具有里程碑意义的一件大事，是党和国家送给人民的最好祝福。国之将兴，必有祯祥。在我看来，这个意见的出台，正是古人讲的祯祥之兆，真是民族之幸，人民之福。伴随着打造人类命运共同体前进的步伐，它也必将给整个人类带来吉瑞。

《意见》指出："党的十八大以来，在以习近平同志为核心的党中央领导下，各级党委和政府更加自觉、更加主动推动中华优秀传统文化的传承与发展，开展了一系列富有创新、富有成效的工作，有力增强了中华优秀传统文化的凝聚力、影响力、创造力。同时要看到，随着我国经济社会深刻变革、对外开放日益扩大、互联网技术和新媒体快速发展，各种思想文化交流交融交锋更加频繁，迫切需要深化对中华优秀传统文化重要性的认识，进一步增强文化自觉和文化自信；迫切需要深入挖掘中华优秀传统文化价值内涵，进一步激发中华优秀传统文化的生机与活力；迫切需要加强政策支持，着力构建中华优秀传统文化传承发展体系。实施中华优秀传统文化传承发展工程，是建设社会主义文化强国的重大战略任务，对于传承中华文脉、全面提升人民群众文化素养、维护国家文化安全、增强国家文化软实力、推进国家治理体系和治理能力现代化，具有重要意义。"

因为热爱传统文化，我除了在拙著诸如长篇小说《农历》、散文集《永远的乡愁》、随笔集《寻找安详》《醒来》《〈弟子规〉到底说什么》等书中表现传统文化，近年来，还以文艺志愿者的身份，在全国宣讲传统文化。北到加格达奇，南到三亚，西到克拉玛依，东到威海、东营、烟台。对传统文化的生态有了一些了解。感觉传统文化的复兴整体态势是健康的，但也有一些亟需解决的问题。比如：上下热中间冷、两边热中道冷、局部热整体冷、话题热行动冷等问题。

上下热中间冷：中央殷切期望，群众无比期盼，但相当一部分地方领导却处在观望状态。一些领导，热情有，但不知从何下手；一些领导，知道从何下手，但多抱着多一事不如少一事的态度。像威海那样，非常明确地把传统文化作为治市方略、分管领导亲自深入传统文化推广平台一线并深入学习、发现问题、解决问题、引导发展、推动发展的地区，是有一些，但不是很多。两边热中道冷：要么特别左，要么特别右；要么唯中华文化是尊，要么唯西方文化为贵；要么复古泥古，要么离经叛道，能够走中道的不多。局部热整体冷：一些地方传统文化已经呈燎原之势，一些地方却连星星之火都没有点燃。话题热行动冷：不少地方，都在把传统文化作为一种炒作话题，而没有作为一种生活状态和行为方式去落地。概括来看，之所以会出现这些状况，就是没有一个全国性的政策蓝图。为此，《意见》的出台，对于中华优秀传统文化的传承发展，无疑是四两拨千斤的务本治要之举。

一、为地方党委政府传承发展中华优秀传统文化提供了依据。

2004年7月11日晚间，山东卫视播出了一档全新的电视栏目——《天下父母》。一经播出，就引起了社会各界的强烈关注和好评，有人称之为"传统文化冲击波"。栏目格调昂扬向上，形式丰富多彩。以其"真诚、真心、真情"品质和"让家庭更和睦，让社会更和谐"的创作宗旨，唤醒了无数人孝亲敬老的良知。《光明日报》连续一周对栏目进行了全方位的报道。时任中宣部长刘云山批示："电视是影响力最大的大众传媒，如何发挥电视作用，推动思想道德建设、社会风尚建设，应该是电视媒体的社会责任。现在电视上竞相开办相亲、选秀等过度娱乐化的节目，有的以低格调、媚俗取悦观众，片面追求收视率，产生了很不好的社会效果。要总结推广山东台《天下父母》的经验，多办一些这样品位高、有教育意义的节目栏目，扭转一些电视台的不良倾向。"但令人惋惜的是，这么好的一档节目，在坚持了十年之后却停播了，让许多观众扼腕叹息，锥心难过。原因何在，有多种说法。但我想，没有一个依据性的政策保障，恐怕是主要原因。现在，《意见》明确指出，要"实施中华文化电视传播工程，组织创作生产一批传承中华文化基因、具有大众亲和力的动画片、纪录片和节目栏目"。要"综合运用报纸、书刊、电台、电视台、互联网站等各类载体，融通多媒体资源，统筹宣传、文化、文物等各方力量，创新表达方式，大力彰显中华文化魅力。实施中华文化新媒体传播工程"。无疑给许多热心弘扬传统文化，又因没有政策依据而受到限制的媒体平台，提供了支持。

近年来，烟台丰金集团搞的"烟台市牟平区国学文化协会""烟台市牟平区爱心公益协会""烟台丰金书院""丰金爱心在线"脱颖而出，成为民间力量弘扬传统文化的样板之一。截至目前，已有七千多人次参加培训学习。档案显示，有近五百个原本婚姻关系濒临崩溃的家庭，经学习之后夫妻和好如初；有三百余位之前不孝敬父母、公婆，家庭关系紧张的学员，学习之后悔过自新，尊老爱幼；有一千余位以前性格压抑、人际关系紧张的学员，通过学习变得热情开朗、乐观向上。"丰金爱心在线"公益平台，长期全方位开展爱心公益慈善活动，包括"爱心助学""救急救难""大病救助""敬老爱老""白内障爱心复明计划""免费爱心超市""免费餐厅""公益环保"等活动。已经有七千多名受助者及家庭得到了相应的帮扶救助。其中，仅向全国学校捐赠国学经典读物就达二百多万册。"丰金爱心免费餐厅"为周边大众尤其是老人、环卫工人及周边工地的农民工提供免费午餐，日平均用餐人数在三百人左右，目前用餐总人数已达七万多人次。"丰金爱心免费超市"里，布满了米、面、粮、油、家电、服装、书籍等学习生活用品，至今已为四千多户低保家庭发放了米面油等生活物资。设置在街面的两台大型"爱心冰箱"装满食品果蔬，24小时全时段为低保、特困、无劳动能力的残疾人和周边环卫工人，及其他有需求的过往路人提供帮助。我在参观后，感觉真有些大同社会的味道。2015年以来，集团又拿出五千多万元资金，兴建"烟台丰金国学学校""烟台丰金国学幼儿园"，将公益行动向筑基务本的教育转型。为此，集团多次受到省市表彰奖励。

近年来，受董事长李林才先生之邀，我常常前去讲课。每去一次，就感动一次，就特别想把烟台经验介绍到全国。不少企事业单位前去参观，但真正推广开来的不是很多。原因很多，但注册和报批不畅是最大障碍。不少领导明明知道这是好事，却因为没有政策依据，不敢大胆支持。

现在，《意见》的出台，明确指出要"充分调动全社会积极性创造性"。"坚持全党动手、全社会参与，把中华优秀传统文化传承发展的各项任务落实到农村、企业、社区、机关、学校等城乡基层"。"发挥非公有制经济组织和社会组织从业人员的积极作用，发挥文化志愿者、文化辅导员、文艺骨干、文化经营者的重要作用，形成人人传承发展中华优秀传统文化的生动局面"。这无疑会大大减少这种阻力，有效释放民间传统文化的生产力。

传统文化之所以出现上下热中间冷的现象，除了没有政策依据，还有一个原因，就是随着传统文化热的兴起，传统文化推广者队伍中出现了良莠不齐的现象，一些组织和个人因为操作不当，给传统文化造成了不良影响。

2016年国庆假期，我受邀到东营宜通传统文化交流中心讲了三天《寻找安详》。到了第二天，前排摆上了一位重要人物的桌签：分管教育的副市长王吉能先生。出乎我意料的是，第一天他就在会场，只不过坐在最后一排，和太太一起，穿着学员服听课。为什么第一天他不坐到前排呢？就是拿不准我讲课的内容是否符合党和国家政策。晚上，我们在一起用餐，才知他是威海市副市长张波女士推荐前来听课的。原来，张波女士这些年就是这么干的。她常常潜入一些传统文化课堂，先像普通学员那样学习，然后选择一些恰当的传统文化品牌，在当地推广。当天晚上，王吉能副市长就决定用这种长班方式办一期全市校长、副校长和教务主任培训班。半个月之后，860名教育精英参加的为期两天的培训班成功举办，他和大家一起听了两天课。随后，市长又发来拟在东营市幼儿园、小学、初中、高中选点培养典型，成熟后向全市推广的方案，让我提意见。

从中，我们可以管中窥豹地看到一些地方领导对传统文化的心态。像威海市张波副市长、东营市王吉能副市长这样，先潜入传统文化组织听课，之后再做出决定的领导，毕竟是少数。现在，《意见》明确提出，地方要把传承发展中华优秀传统文化纳入考评，让地方领导就再也不能抱着多一事不如少一事的态度了。

二、为民间力量弘扬中华优秀传统文化提供了蓝图。

近年来，全国之所以能够掀起传统文化的热潮，除了国家积极倡导，民间力量的迅速响应功不可没。在民间推广形式中，大论坛小课堂成为生力军。以我近两年受邀前去讲课的规模性团队为例，就有烟台市牟平区国学文化协会、北京希贤教育基金会、山东宜通传统文化交流中心、北京德行天下传统文化中心、天津幸福家园大讲堂，等等。

希贤教育基金会2013年在广东省民政厅注册，会名取自世纪伟人邓小平青少年时期所用名"邓希贤"。现任理事长吕明晰，执行理事长李利。主要项目有德育版、德商版、德政版、德艺版、德乡版中华希贤教育试验基地建设。团结和凝聚全国二百多位传统文化优秀讲师，组建"希贤好活法宣教团"，团结近百位知名艺术家并成立"中华希贤艺术院"。"中华传统文化全国中小学校长高级研修班""中华传统文化全国中小学师资培训""中华德商研修大会"等影响较大。目前已经建立了五十三家"中华希贤教育试验基地校"和六千多家微善社，受益人群十分广泛。

宜通传统文化交流推广中心2011年在市民政局注册成立。截至2016年底，先后举办大中小型公益论坛和讲座90届，其中两千人大论坛26届。摄制组还为全国各地的大型传统文化公益论坛义务拍摄制作视频。论坛直接受益者达几十万人，光盘间接受益人群达上百万人。其开办的免费餐厅除了为大众免费提供健康营养餐，还进行全天候视频教学。百亩绿色生态百果园，既为餐厅提供源源不断的有机果蔬，还吸引大批学员前去体验田园生活。为此，中心多次受到省市表彰。

北京德行天下公益基金会2012年成立，已连续在全国各地成功举办48期"德行天下、幸福中华"大讲堂。每期少则千余人，多则近万人。还有其他系列课堂和培训班，受益人群极广。这个基金会的学习能力非常强，核心层每过一段时间就开展主题式集中学习。比如 2016 年底，他们以央视纪录片《记住乡愁》为学习主题，用 10 天时间把 120 集节目全部看完；精选一部分节目，准备在全国论坛播放。

河北高碑店鑫华新锅炉制造有限公司不但在周边地区全方位开展传统文化推广，还向国际社会辐射。与其遥相呼应的还有围场家庭伦理道德促进会、石家庄弘贤婴幼园、北京修德谷国学教育基地、沽源度假村等。经由他们的推荐，我多次到石家庄教育局主办的骨干教师培训班和河北大学讲课。天津文庙和幸福家园养老院举办的幸福大讲堂，每次都在大礼堂进行。由于座位不够，常常连后台都是听众。在规模性推广平台中，特别受大学生和青少年欢迎的有广州福慧灯教育公司和上海火柴人教育。前者的"青少年成长冬夏令营"挽救了不少问题青少年，后者的"少年创客训练营"在培训青少年创业精神方面有独到之处。而苏州固德电子股份有限公司、恩雷斯国际美业、北京幸福养老大课堂、常州溧阳苏园、宁夏中铝集团、新疆新华保险、河南登丰了凡苑等企业举办的常年中型课堂，在全国影响较大。

在传统文化课程开发方面，影响较大的民间力量有中华书局下属的中华书局经典教育推广中心、北京诚敬和教育公司、北京四维国学书院、烟台才子国学、宁夏智慧宫等。他们的产品，或者取得国际影响力，或者取得全国影响力。

415

这些论坛和课堂，大多由爱心企业家赞助，免学费，提供免费午餐。中小型长班则提供全餐和住宿，给学员配发服装、学习资料。一些革命前辈的后代，甚至奉献家产，全力支持课程。一些志士仁人，不惜辞掉公职。其担当奉献精神，至为感人。

但实事求是地讲，各个团队目前都遇到了问题。如何再发展，成了他们常常讨论的话题。现在，《意见》的出台，特别是五项基本原则，无疑会为他们指明方向。

三、为创新性中华优秀传统文化传承发展品牌再发展提供了激励。

《意见》指出，实施中华优秀传统文化传承发展工程，要遵循"创造性转化和创新性发展"的原则。于此，央视投拍的大型纪录片《中国年俗》《记住乡愁》的模式值得借鉴。

2013 年，央视中文国际频道以战时速度，赶制了八集《中国年俗》。播出后在海内外引起强烈反响。现在看来，《中国年俗》正是《记住乡愁》的序幕。

2014 年，习近平总书记城镇工作会议讲话之后，中华文化传承工程大型纪录片《记住乡愁》正式启动。

在给《求是》杂志写的约稿中，我说，自此，"乡愁"

一词就承担起一个非常重大的文化使命，那就是寻找中华文化的基因链，寻找中华文明有机体的中气，寻找中华巨轮的发动机和压舱石，找到中华民族根本性的幸福底图和运转轴。经过三年艰苦卓绝的采拍制作和一百亿人次的收视播出，终于让这一文化使命成功落地。

作为文字统筹和策划撰稿之一，我见证了几百集《记住乡愁》节目的创作过程。随着节目的热播，"乡愁"一词渐渐完成了它的内涵扩展。现在，大家已经知晓，这个"乡愁"再也不是余光中诗中的那个"乡愁"了，也不是"乡"和"愁"两字相加所指的"乡愁"了，而是一个可以兼收并蓄优秀传统文化、红色革命文化、时代先进文化的新概念了。换句话说，它历史性地融会贯通了这三种文化，成为中华文明的一次大整编、大融合，成为中国文化史上具有里程碑意义的新概念，一个能够让历史和时代牵手进而拥抱的"中华文化同共体"。通常意义的上"乡"和"愁"已经完成了它的美丽蝶变，成为一个可以把一切美好存在、美好精神、美好情感装进去的新家园，具有无限的想象空间和拓展空间。我曾经试过，要妥当承担这一使命，换用"乡音""乡情"等词汇，似乎都没有"乡愁"二字适合、有分量。特别是进入第三季后，革命文化内容铺天盖地而来，让我们始料未及。我们发现，前两季一百二十集，传统文化是主体内容，革命文化和时代文化也有，但只是一部分。到了第三季，革命文化成了主体内容。

那是否意味着，到了第五季古街区、第六季历史文化名城的时候，时代文化会成为主体？我们应该如何系统把握、如何进行整体性建构才能让《记住乡愁》成为中华文明的一次全新融会？

随着第三季的采拍工作渐近尾声，我们的思路已经很明确了。那就是，我们要找到三种文化的最大公约数。找到古今、中外、公私、内外、上下的最大公约数。就是说，要找到无论是传统文化，还是革命文化，抑或是时代文化的认同者都有共鸣的那部分，把它放大。《记住乡愁》就会成为中华民族不可多得的凝聚力、向心力、感染力。也会为打造人类命运共同体这一宏大工程提供鲜活的文化支持。当然，这三种文化，说到底是从优秀传统文化之根上生长出来的，经过五千年时间检验的优秀传统文化是主线，红色革命文化和先进时代文化是这条主线上的明珠。因此，我们在拟定选题，采点，商讨选题，选择素材的时候，就要努力寻找三者之间的必然联系。把一集节目看成一棵精神性生命树，找它的根、干、枝、叶、花、果。这棵生命树就会很繁茂。这样的生命树集合而成的精神森林，自会为人们确立文化自信提供再自然不过的理由。

在山西碛口古镇，我们发现，至今依然保持着有难同当、有乐共享的理念。就连镇上的旅游产业经营，也有一种小共产主义的味道，这在当今商业竞争非常激烈的今天，的确让我们眼睛一亮。拿"精神树"原理对应，这样的风尚，肯定有一个根脉。一梳理，果然如是。"碛口"这个镇名本身就来源于"大同碛"，那是黄河水域仅次于壶口瀑布的一道险关。在我看来，这是天地设给碛口人的一道考题，就是为了让人们感受休戚与共的价值，就是为了让人们无比强烈地感受到，个体生命只有在群体性中才能找到安全感。没有合作精神，单凭个人力量，几乎不可能闯过大同碛。只有同舟，才能共济。因此，大同碛是一个无比美好的象征，它凶险，但心肠热。现怒目金刚相的目的是为了教育，让人们认识到个体的渺小，群体的伟大。碛口之所以能够成为"水旱码头小都会，九曲黄河第一镇"，正是整体性生命认同结出的美丽果实。

"大同碛"让我不由联想到《礼运大同篇》中的"大道之行也，天下为公，选贤与能，讲信修睦，故人不独亲其亲，不独子其子，使老有所终，壮有所用，幼有所长。鳏寡孤独废疾者，皆有所养"。这种思想源头，形成了中华民族整体性存在的心理结构，也造成了中华民族的集体主义精神。这种结构，这种精神，是和宇宙规律相对应的，也是和天地精神同频的。因此，休戚与共是天赋人性。从本体学的层面讲，"天地与我并生，万物与我为一"。从生存学的层面讲，"天地所以能长且长者，以其不自生，故能长生"。从社会学的层面讲，"天不私覆，地不私载"。

采拍这样的古镇风景，现实意义重大。无论是从打造人类命运共同体和实现中国梦的宏大主题角度，还是从提高个人幸福指数的角度来说都是。把一个镇的同舟共济、有难同当、有福同享放大，就是人类命运共同体的基本形态。要实现中国梦，需要提高中华民族的整体能量。而要提高中华民族的整体能量，就需要提高每个人的能量。从心理学的角度看，心量越大，能量越高，而人的健康、幸福，都是能量变的。从消除焦虑的角度看，自我越强大，和现实的冲突就越激烈，痛苦就越深重。自我越微小，和现实的冲突就越小，痛苦就越轻。只有群体性存在方式才能给人提供安全感。只有安全感，才有归属感。只有归属感，才有幸福感。

这时，我们回头再看时任中宣部常务副部长黄坤明在《记住乡愁》第三季创作培训班上所讲"中华文化的根本优势，在于有着生生不息、博大精深的中华优秀传统文化，这些宝贵资源铸就了中华民族持久而强大的凝聚力和向心力，滋养着当代中国的发展进步，是我们必须坚守的精神高地，也是我们保持文化自信的坚强基石"就格外意味深长。

也正因为如此，乡愁团队在拼力工作。用执行总编导王峰女士的话说，大家都在超负荷工作。用制片人王海涛先生的话说，这是剧组同仁一次自愿自觉的超越极限的精神之旅。在我看来，团队的心力和体力都到了极限。

现在，《意见》的出台，无疑会给这些致力于优秀传统文化创造性发展和创新性转化的传媒莫大的精神激励。

四、为符号化中华优秀传统文化传承发展品牌再发展提供了导航。

2016年，我受孔子基金会邀请，去给二百多名孔子学堂负责人讲课，得以深入了解该基金会面向全球创造性打造孔子文化品牌的一系列做法，让我对中华优秀传统文化的现代化转化和时代性发展有了更大信心。中国孔子基金会是1984年经中央批准，由政府拨付专款支持的全国性乃至有国际性的文化学术基金组织。首任名誉会长为原国家领导人谷牧。现任会长为韩喜凯，理事长为王大千。基金会以"引领儒学发展，深耕精神家园"为宗旨，建立了完备的学术体系、普及传播体系、交流合作体系、基金产业体系。在推动孔子思想及儒家文化实现创造性转化、创新性发展方面，做出了卓越贡献。特别让我感兴趣的是基金会不断推动中华优秀传统文化的生活化、社会化、现代化、年轻化、国际化，让传统文化接地气、深下去、活起来的工作思路。比如他们联合团中央网络影视中心、团中央学校部全国学校共青团新媒体运营中心共同主办的旨在倡导青年自觉净化网络语言的"青年之声·净语良言我承诺"网络大行动；比如"中华学子朝圣行"活动；比如"孔子学堂"和"中国孔子网融媒体"两个平台，打通线上线下通道，为广大炎黄子孙亲近传统、了解传统、体验传统、传承传统搭建桥梁，切实让中华优秀传统文化在新时代、新形势下，落地生根、开花结果。现在，孔子学堂已经从"千堂行动"向"万堂计划"迈进。其"写好字""读好书""做好人"项目，让传统文化务实可感。中国孔子网融媒体平台、中华优秀传统文化经典数字化工程已经取得了阶段性成果。儒家文化经典数据库已收录古籍三百六十多种五万多页，完成文本化一千万字，支持繁简转换、版面还原和多种检索方式，并在常规数据库的基础上增加了作者小传和儒家人物库。中国孔子网全媒体平台建设基本完成。设在中国移动公司的自有机房搭建完成，享有100G宽带专线。2016年，中国孔子网融媒体全面上线，全球同祭孔活动被全球五万多人关注。同年，中国孔子网APP上线，与中国孔子网融媒体后台和儒家文化经典数据库实现资源共享。

像孔子基金会这样的符号化优秀传统文化品牌，发展到今天，更加需要一个具有世界性眼光的纲领性文件作深海导航。《意见》无疑会给这些具有探索热情和创新活力的组织提供新的灵感。同时，这样的老字号品牌，反过来也将会为《意见》在全国的推进提供主旋律样板。

五、为志愿弘扬中华优秀传统文化的义工提供了温暖。

在全国传统文化平台，特别是一些宣讲团队骨干人员培训班上，我一直在强调一个观点：国家是传统文化推进主体，这是大前提，任何力量都需要依靠国家力量开展工作。另一方面，离开志愿者，中华优秀传统文化传承和发展的步伐也会大受影响。传统文化要真正落地，必须依靠这些知行合一的实干家。但是如何让志愿者的热情得到充分保护，就是一个非常现实的问题。

就我个人而言，之所以能够在宁夏大力弘扬传统文化，是和主要领导支持、分管领导给力、同事理解配合分不开的。2008年11月中旬，在银川市委政府支持下，银川市文联会同宁夏大学、宁夏电视台、宁夏日报、银川市团委、教育局、文化局、银川晚报等多家单位，举办了大型"回归诗教传统，重温训蒙养正"大型音乐诗歌节。开幕式上，银川市领导和三千多名学生一起，齐诵经典。同样的诵读在几个分会场同时进行。之后举行了"诗教传统和青少年思想道德建设"论坛等分项目。一时被全国重要网站作为新鲜话题在头题位置报道。其规模，现在想来都有些后怕。几千名学生，要从各个学校集中到广场。下着小雪，天冷路滑。市委主要领导清晨亲自打电话给我让注意安全工作。这样的活动，如果没有领导欣赏和支持，是不可想象的。像上届领导一样，本届市委政府领导同样支持，甚至在大会讲话中肯定我的一些做法，推荐我的一些书籍。分管领导更是进行细节性关怀，对于我们开展的工作，更是要人给人、要钱给钱。

宁夏党委也把能给的荣誉都给了我，让我在宁夏最高人才工作会议上介绍经验。2014年，我能顺利当选宁夏作协主席，更加鲜明地表现了宁夏党委宣传部对一位致力于弘扬传统文化的文艺工作者的呵护。2015年9月，宁夏纪委邀我给全体干部讲课。宁夏党委常委纪委书记同广大纪检干部一同到场听课。之后，给全省纪检干部配发了《了凡四训》读本，比中纪委网站推荐此书内容早了一年。宁夏自治区政府、政协主要领导亲自推荐我给一些重要部门讲课。宁夏机关工委专门为我组织了由各单位代表参加的大型演讲，请宁夏电视台录制光盘，分发各单位。

而相关部门，特别是媒体，对我弘扬传统文化不但全力推介，而且深度合作。早在2005年，宁夏人民出版社就给我出版了小说集《大年》，并邀中国作协在京召开研讨会。2009年，在宁夏党委宣传部、自治区文明办、宁夏广播电视总台主持下，由我和宁夏卫视合作，录制了十集《我们的节日：春节》，在全国引起反响，多次重播。同年，我的散文《大年是一出中国文化的全本戏》在《光明日报》发表后，被宁夏党委书记批示《宁夏日报》做成贺卡向全自治区领导干部赠阅。《宁夏日报》《银川晚报》等媒体还邀请我给全体干部职工讲课。

在生活方面，银川市委政府领导亲自过问，帮助我解决一些实际问题。银川市文化局、教育局领导主动解决了我爱人的工作调动问题以及孩子的上学问题，让我没有后顾之忧，能够安心工作。

为了检验优秀传统文化的生命力，从 2008 年开始，我鼓励几位同学开办"寻找安详小课堂"。不收任何费用，每周开课，风雨无阻。遇到节假日，则开办五天左右的长班，住宿由班主任提供，学员只需前去学习即可。小课堂取得了与烟台丰金书院同样的效果。原宁夏党委机关工委书记刘立言在视察了课堂后，说这是宁夏文化史上的一件大事，为教育工作探索出了一条新路，并积极向有关方面推荐。特别是小课堂以心理学家智然先生所讲《了凡四训》为课程主体内容开发的为期五天的视频教学模式，受到社会欢迎。截止目前，小课堂已经在银川、南宁、烟台、登封、石家庄等地进行了 25 期，其做法在中华书局出版的拙著《寻找安详》《醒来》等书中介绍后，被全国不少传统文化平台借鉴。

试想一下，八年来，能够把一件没有工资的事情坚持下来，没有志愿者精神，是不可想象的。这样的团队，如果得到政府的积极引导，会成为优化世道人心的积极力量。让我感动的是，宁夏各级党委政府和有关方面给予了他们充分的肯定和支持。班主任马占豹获批担任宁夏社会教育中心主任。

425

主持人钟倩被银川市委政府评为"最美银川人"。还有许多同学都得到单位的重用，也受到社会的尊敬。这极大地保护了他们从事志愿行动的热情。

需要指出的是，相比于全国其他一些抛家舍业的专职志愿者，他们只是客串，根本不能相提并论。但并不是所有的地方都能够像宁夏和银川一样支持这份"志愿"。因为屡屡受挫，不少志愿者退出了志愿者队伍。这无论对社会，还是对他个人，都是非常大的损失。

现在，《意见》在压轴重要位置指出，要"发挥文化志愿者、文化辅导员、文艺骨干、文化经营者的重要作用，形成人人传承发展中华优秀传统文化的生动局面"，给了志愿者很大的温暖感、安全感、崇高感，对中华优秀传统文化的传承和发展，将起到四两拨千金的推动作用。

六、为"农历"和"安详"系列更加广泛地走向读者提供了推力。

《意见》指出，要"善于从中华文化资源宝库中提炼题材、获取灵感、汲取养分，把中华优秀传统文化的有益思想、艺术价值与时代特点和要求相结合，运用丰富多样的艺术形式进行当代表达，推出一大批底蕴深厚、涵育人心的优秀文艺作品"。要"实施中国经典民间故事动漫创作工程、中华文化电视传播工程，组织创作生产一批传承中华文化基因、具有大众亲和力的动画片、纪录片和节目栏目"。

对于这一条，我算是一个较早实践者。从二十世纪九十年代初，我就从先锋创作转向对"农历"和"安详"两个系列的开掘。其动机，我在拙著《醒来》一书中专门做过陈述。我的生命经历告诉我，文学作品可以直接影响到一个人的身心健康，甚至生死存亡。所以文学作品必须为读者特别是青少年读者提供绝对安全的精神食粮。用今天的生命能量原理来讲就是，作品的能量级必须在二百级之上，否则就会把读者带向抱怨、焦虑、抑郁，甚至反社会倾向，包括放弃生命的冲动。因此，我常常告诫自己要带着父母心肠和祝福性姿态进行创作。也许正是因了这份初心，"农历"和"安详"系列发表和出版后，得到业界认可。短篇小说《吉祥如意》先后获得人民文学奖、小说选刊奖、鲁迅文学奖，长篇小说《农历》获得茅盾文学奖提名，在最后一轮投票中排名第七。由中华书局出版的《寻找安详》已经重印了十二次。上海文艺出版社首版，长江文艺出版社再版的《农历》也已重印了七次。2015年11月，我的作品被中华书局以精装七卷本的形式精选出版，首印四千套。据中华书局的编辑说，为一位现当代作家出版精装版文集，在中华书局出版史上并不多见。2016年底，宁夏智慧宫文化传媒公司正式签订协议，将该文集向 22 个阿拉伯国家翻译出版。据公司负责人介绍，一位作家的文集，被一次性向国外译介，也不多见。从拙著《吉祥如意》在海外的反响看，这些文字翻译出版到海外，销量应该可观。2016 年，《农历》首版合同到期后，长江文艺出版社再版，并和拙著散文集《永远的乡愁》以姊妹书的形式同时出版，发行反馈良好。2017 年春节，中央电视台"1 号线上"以这两本书为蓝本，由唐经刚先生执导制作了七集动画片《六月说过年》，在央视网等平台播出，成为新闻性话题。今年，由青年编剧吴明晓根据拙著《农历》改编的同名电影将要被著名制片人李锐先生搬上荧屏。还有一些公司拟把《农历》编排为少儿舞台剧在学校上演。这无疑都是传统文化内涵和祝福性文学观给我带来的福气。《意见》的出台，将会大大推动这些项目的进行，提高它们为世道人心服务的效率。

后 记

去年，应山东教育出版社邀请，到社里讲课，顺便参观了展陈室，很为他们的文化情怀感动，书架上品质上乘的《张炜文存》《秋雨合集》，还有许多工程性出版成果，让我眼前一亮，无论是设计，还是装帧，还是用纸，在国内都堪称一流，心想，如果自己的作品能够忝列其中，该是多么幸运的一件事情。没想到，半年之后，我的精选集出版事宜就摆上他们的议事日程。

接到社里的美意之后，心想，如何让这套精选集在中华书局版的基础上更进一步。在电脑上翻检，没有可补入的长篇，短篇也不多，诗就更少，倒是有不少对话和述评，特别是对话，一读，居然把自己给吸引住了。加之这些年研读经典，发现中国文化史，一定意义上，就是一部对话史，遂萌生了编一本对话集的想法，编定之后，很是满意，相信读者一定会喜欢。

第二本是《祝福》，主要是近些年我对央视大型纪录片《记住乡愁》的亲历性记录，还有一部分是重要时空节点的回应文章。

加上在中华书局出版的精选集基础上修订的书稿，一共八卷。

在把山东教育出版社设计的精选集封面发给同事闻玉霞看时，她说，如果再有一本《郭文斌研究》就好了。和单行本不同，精选集的发行，以研究和馆藏为主要方向。而为研究者提供方便，应该是其重要功能之一，如果能把评论家的声音汇集成书，配套发行，也是功德一桩。还有，不同于其他作家，郭文斌同志本身就是在争鸣声中走过来的，不少评论文章看起来，比作品本身都吸引人，有这么一本书，也会促进精选集的发行。

这真是一个好建议，可是，由谁来主编呢。我说。

她说，还是请李建军先生。她是说，2008 年，李建军先生为我主编了《郭文斌论》。

我说，这次再也不能劳烦李老师了，就你来吧。

她大概没有想到，担子居然落在她的肩上。为了减轻她的劳动量，我请这些年一直研究我的作品的江西师范大学王磊光博士协助她。

经过他们二人的努力，一部五十万字左右的书稿出现在我面前，让我好生感动。原来，有这么多的师友研究过我的作品，我居然都不知道。原来，有这么多的刊物在默默推举我，我居然都不知道。急切地走进这些文字，就像走进另一个世界，让人感叹"知"和"遇"的不可思议，茫茫人海，为什么就偏偏是他们，对你的文字发生兴趣。

高山流水，不过如此。

本来还有几部拟收入的书稿，但最后还是决定放弃了。我对出书比较苛刻，如果文字的精确度、节奏感、旋律感没有达到要求，就不愿意出版。还有，这次编选，和五年前给中华书局编选七卷本相比，精力明显不同，最后决定量力而行。加之，不少读者等着用书，让我无法慢条斯理。

读者诸君也许不会想到，和山东教育出版社的美丽缘分，缔结于二十多年前的一次演讲。那时，我的第一本书《空信封》上市，我带着它到宁夏彭阳县第二中学演讲，会场里，有一位叫张虎的同学，大学毕业后，居然到山东教育出版社工作。近年，不知他怎么找到我的电话，不舍不弃地联系。感动于他的诚意，我们约定在2019年西安书市见面。当他和副总编辑范增民先生出现在我面前时，一种没有来由的亲切感扑面而来。接下来，就有了后半年到社里讲课，就有了和总编辑孟旭虹女士的畅叙，就有了许多合作构想。

想想看，一套文集的出版缘分，居然在二十多年前就开始了，这是多么让人感动的一件事情。在社里讲课时，当张虎先生拿出那本黑皮绿叶的《空信封》时，一种来自岁月深处的感慨让我有种把什么交给他的冲动。不久，九卷拙著，一套光盘，就交给他了。接下来，我们就开始了热线期。

先是设计，我没想到，设计师王承利，他对文字的理解，对美的理解，可以知音相称，还有这个团队的效率，也是我合作过的出版社中最优秀的。在此，向所有为这套文集面世付出心血的朋友们，致以崇高的敬意。

2020 年 7 月 19 日